motto

JULES WAKE

S LÁSKOU
z parku

motto

Přeložila Klára Krasula

First published in Great Britain in e-book format by
HarperCollinsPublishers 2020 under the title *THE SATURDAY
MORNING PARK RUN*.

Copyright © Jules Wake 2020
Translation © Klára Krasula, 2024
Translated under licence from HarperCollinsPublishers Ltd.

Jules Wake asserts the moral right to be acknowledged as the author
of this work.

ISBN 978-80-267-2721-7

*Tuto knihu věnuji své úžasné tetičce Hildě,
která je ve věku 105 let pro všechny
obrovskou inspirací.*

1

Přidala jsem do kroku. V ruce jsem svírala kelímek s kávou – můj den rozhodně nemohl začít bez potřebné dávky kofeinu. Klapot podpatků se jako zvuk kastanět rozléhal po chodníku, kde se ke mně s náruživostí pracovitých mravenců připojil dav lidí mířících stejně jako já k zastávce Churchstone, odkud vyrážela ranní várka cestujících do Leedsu.

S uspokojením jsem naslouchala staccatu vlastních kroků. Tak organizovaných, přesně jak se to říkalo o mojí povaze. I když jsem ráda nosila sexy lodičky známých návrhářů (děkuju značkám Russell and Bromley, kdo si vlastně může dovolit boty Jimmy Choo?!), nechovala jsem se jako uštěkané ředitelky úspěšných firem z romantických komedií. Nosila jsem vysoké podpatky, ale přesně takové, aby se v nich dalo chodit. Boty byly vyrobené z černé kůže. Kvalitní a v odpovídající ceně. Stojím si za tím, že boty o člověku mnohé prozradí. Chtěla jsem, aby o mně lidi věděli, že já, Claire Harrisonová, jsem se dostala tam, kde jsem, nejen díky náročné práci a vysoké inteligenci, ale taky šarmem a stylem. Každý pár bot v sobě nesl příběh. A tímhle párem jsem to dneska říkala naprosto jasně. Jsem připravená. A to nejen na schůzku, na kterou jsem právě mířila. Na té prezentaci jsem pracovala celý víkend a nebojím se říct, že byla téměř dokonalá.

V hlavě jsem si mezitím odškrtávala jednotlivé úkoly. Prezentace je hotová. Místnost zamluvená. Tým připravený. Popravdě jsem se na dnešek připravovala celé týdny a obětovala jsem mu nejednu bezesnou noc. Reorganizace celého týmu zabývajícího se auditem představovala velkou zodpovědnost. Modlila jsem se, abych nikde nenechala prostor pro možnou chybu. Záviselo na tom moje povýšení, i když už jsem podobných projektů měla za sebou několik. Bohužel se jich přede mnou pořád několik rýsovalo, jako by snad vedení čekalo, že to vzdám. To by ale mohli čekat celou věčnost.

Sestře jsem na její zprávu s žádostí o pomoc stihla odepsat nezávazné „možná". O víkendu jsem se konečně objednala k zubaři a vážně jsem přemýšlela nad tím, že při příští návštěvě gynekologa požádám o vyšetření děložního čípku. Preventivně. Celkově jsem se svým dnešním výkonem byla spokojená. A to den ještě ani pořádně nezačal. Když vtom se něco pokazilo.

Prudce jsem se zastavila a dlaní přiklopila víčko kelímku s kávou, protože těsně přede mnou postarší paní s natupírovanou bílou kšticí v neonově žluté teplákovce, růžových teniskách a stříbrnou kabelkou přehozenou přes rameno náhle vybočila z davu lidí a rozeběhla se opačným směrem. Káva naštěstí zůstala v kelímku a nerozlila se mi po úplně novém tyrkysově modrém kalhotovém kostýmu se sněhově bílou košilí, který jsem si oblékla, abych už na dálku všechny upozornila, že jsem šik, mám styl a taky jsem extrémně soupeřivá. Aspoň jsem si přála, aby přesně tohle moje nadřízené při pohledu na mě napadlo. Uf, ani kapka. Katastrofa zažehnána.

Sotva jsem si začala gratulovat, všimla jsem si, že nečekaný úprk běžkyně vyplašil skupinku holubů, kteří se snažili z trávníku podél chodníku vyzobat něco k snědku. Ptáci se najednou zvedli a ve změti padajícího peří a děsivých skřeků se dali do pohybu, nehledě na proudící dav lidí snažících se za každou cenu stihnout vlak odjíždějící v sedm dvacet.

Muž jdoucí přede mnou se náhle zastavil, a protože jeden z holubů poletoval přímo před ním, ukročil a začal předvádět podivný manévr připomínající scénu z *Matrixu*, při kterém divoce šermoval rukama, až cípy jeho vlněného kabátu lítaly do stran. Všechno jsem pozorovala jako ve zpomaleném záběru, a než jsem se stačila vzpamatovat, muž se z nepochopitelného důvodu otočil a vrazil přímo do mě. Přesněji řečeno narazil svojí kávou do té mojí.

Zpomalený záběr pokračoval, do vzduchu vyletěla hnědá tekutina, která musela následně někam dopadnout. Oba jsme s děsivým výrazem vzhlédli a jen němě pozorovali, co se bude dít dál.

Přesně jak jsem čekala. Káva zasáhla moji bílou košili přesně uprostřed hrudníku, horká tekutina se začala vsakovat do bělostné látky a stékala mi mezi prsa. Sakra, sakra, sakra! Tohle jsem zrovna dneska fakt nepotřebovala!

„Panebože!" zakřičela jsem a podívala se mu do tváře. „Idiote!" Proč tu kávu proboha nemohl udržet v ruce?

Muž se však snažil setřít skvrny z vlastní bílé košile. Pak si uvědomil, že na něj mluvím, zvedl hlavu a zadíval se mi do politého výstřihu.

„Proč se nedíváte, kam jdete?"

„Já?" zeptala jsem se šokovaně a jednou rukou si prohledávala kabelku. Někde tam musím mít balíček papírových kapesníků.

„Narazila jste do mě. Kdybychom jeli v autech, byla by to jednoznačně vaše chyba."

On si snad ze mě dělá srandu! „Vy jste do mě nacouval. Podívejte se, jak jste mi zničil košili!" Hlasitě jsem zavrčela, jak se ve mně hromadila frustrace. Tu košili můžu rovnou hodit do popelnice. A proč na mě zírá, jako by to snad byla moje vina?

Má zajímavé oči, co je to za barvu? Zlatozelená?

Koho zajímají jeho oči, Claire? Vzpamatuj se!

V dané situaci to byl naprosto zbytečný postřeh. Odkdy jsem si vůbec takových věcí všímala? Na mužský šarm už jsem přece dávno zanevřela. Žena za svůj život může bez velké újmy přežít jen určitý počet zklamání. Moje kariéra mi to vynahrazovala. Navíc spousta mužů, které jsem poznala, se s mým postavením nedokázala smířit.

„Sakra, za hodinu mám schůzku s představenstvem. Podívejte se, co jste udělal!" Zadívala jsem se na kávou poskvrněnou košili.

On mezitím z kapsy vytáhl kapesník a začal si s ním nemotorně, a hlavně úplně zbytečně, utírat hrudník. Musela jsem se jeho počínání zasmát. Copak mu ještě nedošlo, že jeho košile, stejně jako ta moje, je na vyhození? „Já mám za hodinu schůzku s viceprezidentem Commercial Banking," vyštěkl na mě a v těch jeho neobyčejných očích probleskl vztek.

„Já mám prezentaci před výkonným ředitelem, který sem jede z Londýna," odsekla jsem a jedním pohybem rozprostřela papírový kapesník, kterým jsem se snažila zastavit proud kávy stékající po mém břiše a lechtající mě ve výstřihu.

„Tak ať jede. Snažíte se snad soutěžit v tom, kdo z nás má důležitější práci? Rád bych vás ujistil, že moje schůzka je sakra důležitá."

„Přesně. Žádný chlap by si přece nenechal ujít poznámku, že jeho schůzka je důležitější."

Proboha, podobnou konverzaci už jsem vedla tisíckrát.

„To vůbec ne." Zadíval se na mě a nafoukaně dodal: „Jen se snažím zdůraznit, že mám velmi důležitou schůzku a teď na ní budu vypadat jako idiot." Mávnul do prostoru a pak ruku nešťastně svěsil podél těla.

„Já jsem se na svoji prezentaci připravovala celé týdny," štěkla jsem na něj zpátky a srdce mi začalo zběsile tlouct, když jsem si uvědomila, jaká je to katastrofa. Na téhle schůzce jsem měla dokázat, že jsem rozená profesionálka, která má všechno pod kontrolou a přesně ví, co dělá. Labuť, která elegantně pluje po hladině, ne káčátko bojující ve vodě o vlastní život.

Krátkou chvíli jsme tam jen tak postávali a pozorovali jeden druhého, snažili se odhadnout, jaké jsou škody a jak rychle půjdou napravit, vědomi si zvědavých pohledů kolemjdoucích spěchajících na stanici, a pak jsme se otočili a pustili se naučenými kroky stejným směrem jako každé ráno.

Začali jsme vedle sebe pochodovat jako dva vojáci. Naštěstí jsem z té srážky vyšla s menším zraněním. Zničila jsem si jen košili. Mohla bych za to poděkovat svým nepříliš vyvinutým prsům, konečně to bylo moje plus. On to schytal přímo do rozkroku. Tu skvrnu pryč jen tak nedostane. To byla mnohem větší pohroma.

„Kde pracujete?" zeptala jsem se.

„Cože?" Hodil po mně zlostným pohledem, aby mi naznačil, že mě to vůbec nemusí zajímat.

„Kde pracujete?" zopakovala jsem svoji otázku, tentokrát mnohem otrávenějším tónem. Jen jsem se mu snažila pomoct.

„Beechwood Harrington," vyštěkl.

„To jsem nemyslela," odpověděla jsem mírněji. „V jaké lokalitě. Je tam někde poblíž obchod s oblečením? Marks & Spencer nebo něco podobného?" Kývnutím brady jsem ho upozornila na jeho kalhoty. „Mohl byste si koupit nějaké náhradní..." odmlčela jsem se, když jsem viděla, jak šokovaně zavřel oči a málem omdlel. Pak si něco zamumlal pod vousy.

„To jsou kalhoty od Armaniho, stály šest set liber," zavrčel. „Marks & Spencer do mojí práce nepatří." Pak na zápěstí zkontroloval čas a já jsem si představila, jak v hlavě srovnává svoje možnosti, přesně jako jsem to udělala před chvílí já. Má čas se vrátit domů a převléknout se?

„Lepší než nic," odpověděla jsem. „Jen jsem vám chtěla pomoct. Najít nějaké řešení. Máte čas se vrátit domů? Nebo můžete někomu zavolat?"

„Komu?" zeptal se a nevěřícně se na mě podíval.

„Někomu v kanceláři? Jdu se hned spojit se svojí asistentkou, chodí do práce o něco později než já, jestli by mi mohla něco půjčit." Ros, moje neuvěřitelně zodpovědná a úžasná asistentka, bydlela přímo v centru města a odmítala chodit do práce jen o vteřinu dřív, než musela. Každé ráno vozila děti do školy, ale jinak se na ni dalo ve všech ohledech spolehnout.

„Cože?" podíval se na mě, jako bych byla blázen.

„Je to řešení." S řešením problémů jsem to uměla, byla to přece jen náplň mojí práce.

Pohrdavě se zasmál. „Nějak si nemůžu představit sebe v Chasově obleku. Mám číslo třicet dva. On je tak čtyřicítka. Ale možná Gav, ten má tak metr osmdesát. Kalhoty na půl žerdi nejsou u nás v kanceláři v módě."

Podívala jsem se dolů a pak jsem zvedla pohled nahoru... Bože, ten má tak metr devadesát. Měl dlouhé nohy, opravdu dlouhé nohy, úzký pas, statný hrudník a široká ramena. Vyschlo mi z toho v puse. Kdyby se nechoval tak nepříjemně, nebyl by úplně k zahození. Navíc ta jeho snědá kůže a zajímavé oči, které mě teď sledovaly s pobaveným úsměvem. Trochu jsem se na něj zakoukala. Zčervenaly mi tváře, a tak jsem rychle navrhla další možnost. „Máte na toaletách vysoušeč? Možná byste to mohl vyprat a rychle vysušit."

Zamračil se a zakroutil hlavou. „Nějaké další nápady?"

„Jen se vám snažím pomoct," prohodila jsem a lhostejně pokrčila rameny. Koneckonců to byl jeho problém.

„Mnohem víc by mi pomohlo, kdybyste se dívala, kam jdete." Proboha, tenhle chlap mi ale pije krev! „Nebuďte směšný. Chováte se jako malé dítě. Už se to stalo, zpátky to nevrátíme. Teď se musíte pokusit to napravit. A pokud se vám moje nápady nelíbí, je to váš problém."

S potěšením jsem sledovala, že ho moje řeč konečně umlčela. Došli jsme na okraj parku, na levé straně silnice na nás vykoukla stará známá cedule označující vlakové nádraží a já jsem z kapsy vytáhla telefon.

„Ahoj Ros, tady Claire. Promiň, že otravuju tak brzo. Ano. Už jedu. Můžu tě o něco poprosit? Stala se mi taková malá nehoda. Rozlitá káva… No jo, úplně všude. Mohla bych si od tebe půjčit čistou košili? Bílou?" zeptala jsem se s nadějí v hlase. „Jasně. Ani jsem vlastně nečekala, že bys nějakou bílou měla." Při té představě jsem se zasmála. „Máš aspoň nějakou béžovou?" Ros si potrpěla na výrazné vzory a veselé barvy. „Já vím," odpověděla jsem na Rosinu poznámku o tom, že v košili vyhovující její velikosti prsou budu totálně plavat. Za svoje dvojky jsem se nestyděla. „Bohužel jsem v beznadějné situaci… Děkuju, máš to u mě… Ale ne zas tak moc." Když Ros začala se smíchem navrhovat, jestli bych jí nedala do konce týdne volno, rychle jsem hovor ukončila. Měla jsem ji ráda, byla upřímná, to se mi na ní líbilo.

„To se hodí, mít tak ochotnou asistentku," vytušil ten muž a obrátil oči v sloup.

„Závidíte?" zeptala jsem se spokojeně, když už jsem věděla, že je spása na dosah. Měl by mi závidět, Ros bych nevyměnila ani za hromadu zlata. Byla diamantem mezi asistentkami a moje velká opora.

„Jde jen o to umět najmout ty správné lidi."

Muž se pobaveně uchechtnul. Pokrčila jsem rameny. Taky mu vůbec pomáhat nemusím, může si být sarkastický, jak chce.

„Moje asistentka je úžasná," odsekl, „ale předpokládám, že by mi její sukně úplně nepadly."

Oba jsme jako na povel mávli cestovními průkazkami a zamířili k nástupišti, moje krátké kroky doprovázené jeho dlouhými v nevídané synchronizaci.

Nástupiště bylo v tuto dobu plné lidí. On se postavil na poslední volnější místo a já jsem si drze stoupla vedle něj. Prostor tu byl pro oba, tak proč se na mě tak mračil? Rozhodla jsem se ho ignorovat a začala jsem si pročítat zprávy na telefonu.

Sestra mi zkrátka nedala pokoj, dokud nedostala kladnou odpověď.

Nezkoušej to na mě s tím, že musíš pracovat. V sobotu. Dokonce i Wonder Woman jako ty má o víkendu volno. Stejně nemáš nic lepšího v plánu.

Alice si rozhodně servítky nebrala. Povzdychla jsem si. Byla jsem v pasti. Poslední věc, kterou bych chtěla zabít víkend, je stříhání živého plotu. Byl tak přerostlý, že zabíral téměř polovinu její zahrady. Ale vážně jsem potřebovala o víkendu zajít do kanceláře. Možná se mi podaří ji přesvědčit, že jí pomůžu příští víkend.

Byla jsem s prací dost pozadu, a to mi ještě přiřadili další projekt, který potřeboval celý překopat. Odvrácená stránka toho, když člověk ukáže, že něco umí. Naloží vám projekty, nad kterými ostatní zlomili hůl, a vám zbývá jen pár dní na dokončení. Kdybych se o víkendu dostala do kanceláře, mohla bych si toho spoustu nadpracovat.

Zaťala jsem zuby a napadlo mě, jestli bych Alici neměla zaplatit někoho, kdo by to přišel odedřít za mě, ale pak jsem si uvědomila, že už jsem tento měsíc platila za školní obědy a letní uniformy pro obě svoje neteře. Vůbec mi to nevadilo, ale Alice na mě ráda jednou za čas použila to svoje *rozhazuješ peníze a kupuješ si tím lidi.*

Moje myšlenky na zušlechtění Aliciny zahrady přerušil příjezd vlaku. Uvědomila jsem si, že se svým novým kamarádem nastupujeme do stejného vagonu, a dokonce ukořisťujeme poslední dvě volná sedadla, která jsou naneštěstí naproti sobě. On se hned chopil telefonu a já jsem vytáhla papíry s prezentací, abych si naposledy prošla nejdůležitější body a ujistila se, že si pamatuju všechna čísla. Mezitím jsem se snažila držet vlhkou látku od svého výstřihu. Sakra! Můžu vyhodit i svoji nejoblíbenější podprsenku, M&S Rosie for Autograph, a to jsem si k ní za nehorázné peníze koupila čtvery ladící kalhotky.

Vlak se zatřásl a s rámusem se odlepil od tradiční viktoriánské zastávky se závěsnými železnými květináči a klouzavým pohybem opustil průmyslovou zónu směrem k otevřené krajině.

Nenápadně jsem po svém spolucestujícím párkrát hodila pohledem. Kdyby se nechoval jako arogantní idiot a netvářil se tak nabubřele, skoro bych řekla, že je atraktivní. S tou snědou kůží, zvláštně zabarvenýma očima lemovanýma hustými řasami, které by mu záviděla každá druhá žena, tmavým hustým obočím a mužně hranatou bradou vypadal jako filmová hvězda. Jen ten sestřih mu neslušel, husté černé vlasy by měl nosit trochu delší.

Jako by snad cítil, jak studuju každý detail jeho tváře, najednou zvedl oči a podíval se na mě. Sjela jsem pohledem k jeho rozkroku, kde se od pasu světle šedých kalhot táhla tmavá skvrna. To vážně nebyla žádná výhra. Trochu jsem se na něj pousmála. Dobře, to ode mě nebylo zrovna milé, ale všechny moje snahy o pomoc dost neslušně odmítl.

Semknul rty a hleděl na mě. Pořád dost naštvaně. Jak chceš. Většinou se nevzdávám tak snadno. Budu na něj hledět tak dlouho, dokud se přede mnou nerozpustí v louži. Ten chlap byl však mimořádně odolný a pohled mi opětoval s takovým sebevědomím, že jsem zpozorněla.

Po chvíli jsem se musela trochu narovnat, což v jeho tváři vyvolalo lehký úsměv, jako by snad šlo o náznak prohry. Bojovně jsem vystrčila bradu a zvedla jedno obočí, což, jak jsem moc dobře věděla, mi přidalo na bojovném výrazu. Ros mě několikrát upozorňovala, ať to nedělám, že působím dost povýšeně, ale stála jsem si za tím, že to nutně nemusí být až tak špatná věc.

Reagoval stejným gestem, jako by se ptal, jestli tohle je moje jediná zbraň. Působil skoro roztomile. Vlastně byl roztomilý. Z pusy mi unikl zvuk uznání. Málem jsem se neovládla a usmála se nad jeho sebevědomím. Byl rozkošný a moc dobře to o sobě věděl, ale... Ne, přinutila jsem se zatnout zuby a vydržet. Opravdu měl naprosto jedinečné oči. Teď jsem měla možnost si je pořádně prohlédnout. Barva moře, ale s rozlitou whisky. V tu chvíli se jeho domýšlivost změnila v odhodlání. Znovu jsem to málem vzdala. Skoro jsem cítila, jak v něm vře testosteron. Ten chlap se rozhodl vyhrát. Smůla, to já taky. S uspokojením jsem se usmála, jako bych snad věděla něco, co on ne. Koutkem oka jsem si všimla, že postarší muž sedící vedle něho složil noviny na kolena a se zájmem sledoval náš souboj. Nebyl jediný, postupně se k němu přidávali další a další cestující, kteří si nechtěli nechat ujít souboj dvou pevných vůlí.

Co se to děje?

Ve vagonu houstla atmosféra a pod pichlavým pohledem toho cizince mě doslova pálila kůže. Cítila jsem, že rudnu, což toho idiota samozřejmě rozesmálo. Roztáhl rty do širokého úsměvu, který odhalil řadu bílých zubů. Hezký úsměv, mimochodem.

Samozřejmě, Claire, představuj si, jak ho líbáš, to ti teď rozhodně pomůže.

Moc hezké rty. Plný spodní ret, tak akorát k nakousnutí…

Vážně. Přesně to mi proletělo hlavou. Přesně to jsem si myslela. Kousla jsem se do rtu, moje představy se trochu vymkly kontrole.

Najednou prudce zamrkal, musel to na mně poznat. Byl to lovec. Úspěšný na každém kroku. Vzrušením se mi zachvělo srdce. Jako by to cítil, přimhouřil oči.

Sakra, co si teď asi může myslet? Poznal to na mně?

Poznal, že si představuju nevhodné věci? Nemístné, do vlaku naprosto nepatřičné věci, jako že z něj tu zničenou košili strhnu?

Elegantně jsem se napřímila. Takhle se přece dáma ve vlaku nechová. Navzdory tomu všemu jsem mu pořád hleděla do očí. Na začátku nebylo vůbec těžké odhadnout, co se mu honí hlavou.

Vyhraju. Porazím tě. Rozmetám tě na prach, protože já jsem mistr v upřeném pohledu.

Teď se z něj však stal bojovník. A s radostí jsem si uvědomila, že je v jeho pohledu i trochu uznání a překvapení.

Jasně, teď už ti spadl hřebínek, co?

Ten chlap má fakt nádherné oči…

Vlak zastavil na následující zastávce a do vagonu se nahrnuli další lidi. Jednoho z nově příchozích dokonce někdo odstrčil stranou, aby nás mohl dál sledovat. Spousta lidí z nás nechtěla spustit oči a natahovala krk, aby jim neuniklo, kdo nakonec vyhraje. Byli jsme zkrátka atrakcí dnešního ranního spoje. A rozhodně to nevypadalo, že to někdo z nás v nejbližší době vzdá.

Sebevědomí bylo zpátky v plné síle. Můj protivník si taky uvědomil, že nás sleduje celý vagon. Uvědomovala jsem si zatajený dech všech okolo a pravidelný rytmus jedoucího vlaku.

Bože, ten si je sám sebou tak jistý!

Zapíchnul svůj pohled do mého a už to tam bylo zase, maličké zaškobrtnutí mého pulzu. Bylo to sexy. Souboj titánů. Pootevřela jsem ústa a dotkla se špičkou jazyka horního rtu. Na druhé straně jsem se dočkala záblesku v očích a mírného úsměvu. Pálí mu to. Opětovala jsem jeho úsměv, což udělalo víc škody než užitku, protože mírně přivřel oči a čekal na moji další odezvu.

To nebyl dobrý tah.

Ten člověk se jen tak nevzdá. A já jsem teď navíc přilila olej do ohně. Kdo by couval z výzvy, do níž se navíc přimotalo sexuální napětí? Znovu zvedl obočí a ironicky napodobil můj úsměv. S takovým množstvím sex-appealu, že mě to málem zarazilo zpátky do sedačky.

Chyba. Velká chyba. Obrovská.

Navzdory pochybám mnou proběhla vlna vzrušení. Byla jsem napnutá jako struna. Uvědomovala jsem si vlastní tělo. Cítila jsem napětí, které mi proudilo žilami.

Vlak nečekaně zastavil a poslal ty, kteří neměli po ruce žádnou oporu, rovnou k zemi. Žena ve světle modrém kabátku úplně ztratila vládu nad svojí rovnováhou a řítila se přímo do klína mému protivníkovi. Ten instinktivně vzhlédl a vztáhl ruce, aby ji zachytil.

Aha! Prohrál. Uhnul pohledem jako první. Když se na mě znovu podíval, obdařila jsem ho vítězným posměškem, srovnala si papíry v klíně a vrátila se k prezentaci, jako by mi už nestál ani za vteřinu mého času.

Umírala jsem touhou rychle zkontrolovat, jak se tváří, ale bitva už byla u konce. Na odplatu rozhodně nemám čas. Ignorovala jsem hlas v hlavě, který argumentoval, že moje výhra nebyla úplně fér.

O několik minut později – po tom, co se vlak zase rozjel – jsme zastavili na zastávce Leeds City. Postavila jsem se, trochu překvapená návalem lítosti, a čekala, až se na mě podívá.

„Hodně štěstí na té schůzce," řekla jsem a vyklouzla z vagonu. Nikdy dřív jsem si ho ráno nevšimla, a to chodím stejnou cestou ve stejnou dobu už několik měsíců. Churchstone bylo malé město, někde jsem četla, že v něm žilo sotva třináct tisíc obyvatel. Mnohem míň, než na co jsem byla dřív zvyklá. V samotném Leedsu jich bylo skoro půl milionu. A tam jsem žila šest let.

Něco mě nutilo se otočit a zkontrolovat, jestli taky vystoupil. Naštěstí jsem tomu nutkání odolala. Potkám ho někde znovu? Už bez té srážky a kávové nehody. Zadívala jsem se na svůj hrudník a znovu si hlasitě povzdychla.

V polovině nástupiště jsem ucítila dloubnutí do zad a o vteřinu později stál vedle mě. Srdce mi poskočilo, když jsem se znovu zadívala do jeho hezké tváře.

„Vyhrál bych, kdyby ten vlak nečekaně nezastavil," řekl.

„To určitě." Připadala jsem si jako královna. „Jen poražení hledají výmluvy."

„Výmluvy?" zamumlal překvapeně. „Spadla mi do klína!"

Pokrčila jsem rameny a zatvářila se, jako že to není můj problém.

„To jste vždycky tak umíněná?" zeptal se, když jsme dorazili ke schodišti.

„Nejsem umíněná," řekla jsem rozhořčeně. „Spousta lidí si naopak myslí, že jsem úžasná."

Usmál se tak, že se mu rozzářil celý obličej, což mě překvapilo. Takové oči se jen tak nevidí. A taky měl nádherné zuby, jen ty spodní se mu trochu křivily.

„Dokažte to."

„Jak to mám asi udělat?" zeptala jsem se.

Jako kouzelník vyčaroval z kapsy vizitku a galantním pohybem mi ji zastrčil do kapsy saka. Sebevědomě se usmál a mně se zhoupnul žaludek. Buď jsem měla v břiše hejno neposedných motýlů, nebo se ozvaly zažívací potíže.

„Pojďte se mnou na drink. Příští pátek. Tady máte vizitku. Ozvěte se."

2

Ashwin Laghari
Finanční ředitel

Když jsem přišla do kanceláře, nemohla jsem přestat obracet vizitku v prstech. Už to bude pěkně dlouho, co jsem měla naposledy rande. Všechen můj volný čas zabírala práce. Musela jsem uznat, že se mnou asi není bůhvíjaká legrace. Jemu se podařilo zažehnout plamen tam, kde už nějakou dobu byla jen měsíční krajina. Posadila jsem se ke stolu a nějaký zvláštní popud mě přiměl poslat nečekaně laškovnou zprávu Ashwinovi Lagharimu, tomu sexy muži s pichlavýma očima. Rozhodně mu to nebudu dělat snazší. Navíc páteční večery většinou trávím v kanceláři, kde se snažím nahnat co nejvíc práce, než se vydám na víkend domů.

Večeře, příští sobotu v osm večer. Beech House. Holka s kávou

Polkla jsem, protože mnou proletěla vlna nervozity. Ashwin Laghari. Po celém dni trýznivého mlčení se večer konečně ozval.

Ať je tedy po tvém. Sobota. Budu se těšit.

Navzdory stručnosti jsem si tu zprávu musela během posledních dnů přečíst aspoň tisíckrát. Co ho přimělo mi začít tykat? Už je tu sobotní odpoledne a já mám necelé tři hodiny na přípravu na naše setkání. Každý pracovní den jsem ho nenápadně vyhlížela při pravidelné cestě k nádraží, ale ani jednou jsem ho nezahlédla. Možná tady ani nebydlel. Co když se právě vracel od známosti na jednu noc? Co když je to proutník? No i kdyby? Už jsem si hodně dlouho neužila. Rozhodně na mě nepůsobil dojmem, že hledá dlouhodobou známost. Na to se choval příliš sebevědomě. Navíc to jiskření, které vysílal. Ashwin Laghari. Pohrávala jsem si s jeho jménem na jazyku. Líbilo se mi, jak melodicky zní. Přemýšlela jsem, jestli má druhé křestní jméno a jak asi pasuje k tomu prvnímu. Musím se ho na to večer zeptat. A pak se do mě pustilo moje rozumné já.

Proboha, Claire, co se to s tebou děje? Pohrává si s tebou, copak to nevidíš? Jen jsi ho vyprovokovala. Nechal tě čekat celý den na odpověď. Je to pro něj hra. Možná sis určila, že se uvidíte v sobotu, ale on už se těší na odplatu. To je celé.

Moje odvážnější já, řídící se převážně hormony, prohlašovalo, že určitě taky cítil to sexuální napětí a rozhodl se jít mu vstříc.

Dala jsem se do internetového průzkumu. Stejně bych si proklepla jakéhokoliv svého obchodního partnera. Jen tak lehce. Trochu informací z LinkedIn a malý mix Facebooku, Xka a Instagramu. Dobře, možná jsem si prohlédla i obrázky, které mi nabídl Google. Jen abych si připomněla, jak vypadá, kdybych náhodou po patnáctiminutovém civění do jeho tváře zapomněla jeho rysy. Na všech fotografiích byl v obleku a potřásal si rukou s někým důležitým. Na všech byl prostě k sežrání. LinkedIn na něj prozradil nejvíc – studoval na univerzitě v Leedsu obor strojírenství. Dva roky pracoval u First Direct a pak se přesunul do Londýna, kde šplhal na kariérním žebříčku, až se vrátil zpátky na sever. Očividně mu to pálilo.

Proč jsem proboha zvolila zrovna Beech House? Intimní, tiché místo s příjemným osvětlením. Ideální pro romantickou večeři. Měla jsem vybrat něco šmrncovnějšího, modernějšího a luxusnějšího, kde byl personál tak odměřený, že si člověk připadal, jako by mu byl na obtíž.

Přivítal mě přátelský číšník, což na chvíli potěšilo moje napjaté nervy, které jsem nemohla utišit od té doby, co jsem opustila sestřinu zahradu a přihnala se konečně domů. Minulý víkend se mi ji podařilo setřást, tento už jsem se stříhání živého plotu nevyhnula. Domů jsem dorazila celá ulepená a poštípaná. A teď se mi z břicha snažilo vydrat ven milion motýlů. Proč jsem byla tak nervózní?

„Mám rezervaci pro dva." Odmlčela jsem se a otřela si zpocené dlaně do oblíbených černých kalhot.

„Na jaké jméno?" zeptal se číšník.

Abych si udržela záhadnou tvář, záměrně jsem neodpověděla na poslední zprávu, v níž se Ashwin Laghari ptal, jak se jmenuju. Znal mě jen jako *holku s kávou*. Řekla jsem to nahlas a dívala se číšníkovi zpříma do očí, jako by to bylo běžné jméno.

„Jistě, madam." Ani nemrknul. „Následujte mě. Váš společník už na vás čeká."

Kráčela jsem za ním mezi krásně prostřenými stoly až do zadní části restaurace a přála jsem si, abychom tam nikdy nedošli. Ztěžkly mi nohy a jazyk se mi přilepil k patru. Tohle bylo přece k smíchu. Setkala jsem se a konverzovala jsem už s lidmi ze všech koutů světa, přednášela před stovkami účastníků v plných sálech, vedla konference s vysoce postavenými představiteli mezinárodních firem a nikdy by mě nenapadlo přemýšlet, jak se při tom cítím.

Narovnala jsem se, vysunula bojovně bradu, nasála vzduch a o dvě vteřiny později jsem se zastavila u našeho stolu.

Ashwin Laghari vypadal stejně úžasně, jak jsem si ho pamatovala. I s tím vítězným pohledem. Postavil se.

„Takže jsi přišla," řekl mnohem hlubším hlasem, než jsem si představovala. Jak si dovoluje mi rovnou tykat?

„Ano," odpověděla jsem a svezla se na židli naproti němu.

Pak se usmál. „V pátek jsi asi měla spoustu práce."

„Ani ne," odmlčela jsem se a lstivě se usmála. Přece mu nebudu říkat, že jsem z kanceláře odjížděla až kolem deváté večer. „Ale chtěla jsem mít taky svoje slovo."

„Přesně tohle jsem si myslel." Usmál se a těma netradičně zbarvenýma očima probleskly plamínky zájmu. „Už mi konečně řekneš, jak se jmenuješ?"

„Ano, ale asi to za to čekání ani nestálo. Máš prostřední jméno, Ashwine Laghari?"

„Přátelé mi říkají Ash." Očima se zavěsil na moje ústa. „I když se mi líbí, jak to vyslovuješ."

„Musím přiznat, že zní zajímavě," dodala jsem s náznakem flirtu, což bych za žádnou cenu nepřiznala.

„Žádné další jméno nemám."

„Dobře," řekla jsem. Nesnesla bych, kdyby tu melodii něco narušilo.

„Když zadáš *Holku s kávou* na LinkedIn, moc tam toho nenajdeš."

„Leeds. Aktuálně jsem u Beechwood Harrington," zasmečovala jsem.

„To není fér."

„Claire Harrisonová. Manchester. Aktuálně u Cunningham, Wilding a Taylor." Pak jsem ho obdařila smyslným pohledem a hlubokým sexy hlasem pronesla: „Teď jsme si kvit."

Kdyby to tak byla pravda. On byl očividně vyrovnaný a úžasný, zatímco já jsem si během posledních dvou týdnů, nehledě na to, jak tvrdě jsem pracovala, připadala, jako bych se bořila do písku. Jako bych na nic neměla čas.

Opětoval mi úsměv a tajemně pronesl: „Nemyslím si, že si někdy budeme kvit." Zrychlil se mi tep. „Dovolil jsem si objednat s předstihem lahev vína." Znovu na mě mrknul.

„Žádné šampaňské?" zeptala jsem se, když zvedl lahev velmi drahého červeného vína.

„Netipoval jsem tě na bublinky. To by bylo prvoplánové. Vybral jsem něco lepšího."

Nad uhlazeným projevem tohohle sebevědomého floutka jsem zvedla obočí.

On se jen usmál. „Tohle je zatraceně dobré víno. V podobných restauracích stojí šampaňské za starou belu, to už jsem se poučil. Dáš si trochu? Tipoval jsem tě na červené, ale můžu objednat něco jiného."

„Bod pro tebe," řekla jsem a přisunula k němu skleničku, abych mohla ochutnat. Pak jsem jí zakroužila, přivoněla si a trochu usrkla. „Vážně dobré víno."

„Jak jsem říkal." Zatvářil se spokojeně.

Bože, ten je ale nafoukaný. Nemohla jsem si však pomoct a ta jeho přehnaná arogance se mi začínala líbit. Byl nad věcí, všechno měl pod kontrolou a já jsem nemohla uvěřit, že mi to připadá sexy.

Pozvedl skleničku, abychom si společně připili. „Na zdraví," řekla jsem.

„Na nečekaná setkání," řekl on.

Hleděla jsem na tmavě červenou tekutinu a najednou jsem se cítila trochu nepatřičně. Znělo to skoro jako… jako by tohle setkání bral opravdu vážně. Rozhodně jsem nečekala, že bude nějaké pokračování. I když byl doslova k sežrání, rozhodně takhle v restauraci se ženou neseděl poprvé. Naše schůzka pro něj byla jen další výzvou. Sexuální napětí ve vzduchu bylo téměř hmatatelné. A on se mě zřejmě bude snažit dostat do postele.

Z jeho chování jsem usuzovala, že city rozhodně nechá stranou. Nemyslím si, že ho ještě po dnešku uvidím. A na rovinu, měla bych na něco takového vůbec čas?

„Jak dopadla ta veledůležitá schůzka? S představenstvem a výkonným ředitelem z Londýna."

Sjela jsem ho pohledem, překvapená, že si to všechno pamatuje. Vážně vypadal, že ho to zajímá. Tohle už byla jiná konverzace.

„Výborně, děkuju za optání." Už jsem na ni skoro zapomněla. Teď jsem byla zaměstnaná přípravou dalšího důležitého setkání. „Co ta tvoje?"

„Přestože jsem na sobě měl oblek z Marks & Spencer, dopadla překvapivě dobře. Mimochodem, děkuju za tip. Zavolal jsem sekretářce, aby schůzku posunula o půl hodiny, a to ráno jsem u nich byl první zákazník. Tak rychlý nákup tam ještě nezažili."

„Jsem v šoku, že sis vzal moji radu k srdci."

„Vlastně jsem na to přišel sám."

„Samozřejmě," odmlčela jsem se, „hned po tom, co jsi konečně sklonil hlavu k zemi." Znovu jsme se zadívali jeden druhému do očí.

„Asi jsem ani nepoděkoval, že? Promiň, byl jsem ve stresu. Už si ani nepamatuju, co jsem na té schůzce říkal." Nahnul se ke mně a ztišil hlas, jako by se mi chtěl svěřit s nějakým tajemstvím. „A víš co?" Zakroutila jsem hlavou. Rozhlédl se kolem nás, což napětí ještě zvyšovalo. „Nikdo si ani nevšiml, že mám na sobě oblek z konfekce." Nadšeně se usmál a pořád ještě šeptem dodal: „Nosil jsem ho celý týden."

Vyprskla jsem smíchy. „Takže jsi konvertoval?"

„Přesně tak. Byl jsem snob, za oblečení jsem utrácel ohromné sumy, i když je od toho dostupného téměř k nerozeznání.

Dokonce jsem se zeptal Gava, jestli se mu ten oblek líbí. Myslel si, že je to Hugo Boss." Zasmál se a já jsem na něj potěšeně mrkla, z jeho pohledu sršela nevídaná vstřícnost. „A co ty?"

„Moje sekretářka mi donesla tu nejošklivější světle zelenou blůzu na světě, tady vpředu měla obrovskou mašli. Pamatuješ si paní Slocombeovou ze seriálu *Už máte vybráno?*"

Sexy obočí se svraštilo. „To je ta, co pořád mluví o svojí... zlobivé kočičce?"

Málem jsem se udusila vínem. I když se tvářil naprosto vážně, v očích mu přeskakovaly pobavené plamínky.

Udržela jsem klidnou tvář a ignorovala to, co právě řekl. „Vůbec mi to ke kostýmu nesedělo. Úplně jsem v té blůze plavala. Musela jsem vypadat hrozně."

„To si neumím představit." Sjel pohledem po mém dnešním outfitu, který byl neuvěřitelně drahý, ale taky dost pohodlný. „Určitě jsi vždycky dokonale upravená." Byla jsem mu vděčná, že se pohledem nezastavil v mém dekoltu. A pak k mému překvapení pronesl: „Moc ti to sluší."

Kývnul bradou k černé blůze s dlouhými rukávy se stříbrnými nitkami vetkanými do měkké látky, kterou jsem zvolila proto, abych zahalila škrábance, které jsem si pořídila na Alicině zahradě. Chtěla jsem si obléknout něco jiného, černou vestičku, která by byla mnohem víc sexy, ale teď jsem byla díky jeho poznámce za svůj výběr vděčná. Lehká látka nenápadně kopírovala moje křivky, místo toho, aby dávala zbytečně něco na odiv. Možná jsem za to mohla Alici nakonec poděkovat.

Po chvíli mi však v dlouhém rukávu začínalo být horko, možná za to mohly jeho komplimenty nebo styl, jakým se se mnou bavil. Bezděčně jsem si rukávy vyhrnula a opřela se lokty o stůl.

„Co se ti stalo?" zeptal se a dotkl se škrábance. V očích mu probleskla obyčejná starost o toho druhého.

Usmála jsem se a zklidnila zrychlující se tep. „Jsem v pohodě. Jen jsem se trochu nepohodla s křovím."

„Vyzvala jsi ho do boje beze zbraní?"

„Přesně, jsem takový zahradní ninja."

Navzdory horké koupeli teď moje paže vypadaly mnohem hůř než dřív. Očividně jsem měla nějakou alergickou reakci. Ash natáhl ruku a prstem přejel po jednom z mnoha šrámů na mém předloktí. Zůstal po něm zvláštní lechtivý pocit. Zadívala jsem se na něj a v jeho výrazu bylo více lidskosti než arogance. „Asi by sis to měla něčím natřít."

Poškrábala jsem se a stáhla rukávy zase dolů. „Všechno mě bolí." Proč mu to proboha říkám? Co když si bude myslet, že od něj chci masáž?

„Ráda zahradničíš?"

„Ne, nedávno jsem se přestěhovala a předchozí majitelé naštěstí kolem domu vybudovali zahradu, která nepotřebuje moc péče. Udržet při životě květináč s bazalkou bych považovala za vrchol svého zahradnického umění. Sestra potřebovala pomoct se stříháním živého plotu."

„A sestře se těžko říká ne."

„Bohužel," povzdychla jsem si.

„To znám. Moje sestra mě taky takhle využívá. Nevím proč. Vypadám snad jako domácí kutil?" Zvedl do vzduchu dlaně s pěstěnými nehty.

Díky tomu jsem měla možnost si ho pořádně prohlédnout. Doteď jsem ho jen pokradmu okukovala. Měl na sobě šedé tričko s véčkovým výstřihem, které mu padlo jako ulité a odhalovalo několik tmavých chloupků.

Ne, jako domácí kutil rozhodně nevypadal, byl prostě rozkošný. Prostě k sežrání. Nejradši bych se natáhla přes stůl a to tričko z něj jedním pohybem stáhla, dotkla se jeho snědé kůže, přejela mu dlaní po hrudníku a zmáčkla svalnatou paži, která se rýsovala pod tenkou látkou. Ráda bych... Jeho oči potemněly, zíral na mě s rozšířenými panenkami.

Málem se mi zastavil dech. Konverzace utichla a jeden druhému jsme hleděli do očí. Ve vzduchu se vznášelo napětí, přesně jako když jsme se setkali poprvé.

Už mi bylo jasné, že všechna moje ostražitost je tatam. Dneska budu mít sex s Ashwinem Lagharim. Budu se ho dotýkat po celém těle, budu zírat do těch neuvěřitelných očí a budu si užívat jeho sexy tělo.

A on určitě neřekne ne. Jeho dlaň mi znovu spočinula na předloktí, pak sjel na zápěstí a opětoval mi hluboký pohled.

Usmíval se, ale ne vítězně, tak nějak něžně. Jako by se v něm ten lovec konečně vzdal. Oba jsme se uvolnili a začali si večer užívat.

Nevím, jak dlouho ta chvíle trvala, ale byla přerušená až příchodem číšníka, který přišel pro objednávku. Ani jeden z nás ještě neměl čas otevřít menu. Najednou jsem neměla vůbec hlad, jídlo teď představovalo jen překážku.

„Takže máš sestru," řekla jsem.

„A bratra. Sestra si očividně myslí, že jsem zdědil kutilské geny. Pracuje na chirurgii, operuje mozky, takový člověk to přece musí s ostrými nástroji umět."

„Na chirurgii," pronesla jsem ohromeně.

„Ano." Ve světle svíček měla jeho kůže medový odstín. „Moje sestra je chirurgyně. A můj bratr je advokát." Pak se zasmál. „Máma trvala na našem vzdělání. Táta je taky doktor, narodil se tady, ale jeho otec pochází z Indie, utekl z Ugandy, ještě než Idi Amin vyhnal v sedmdesátých letech všechny Asiaty. Co ty? Máš víc sourozenců?"

„Jen sestru. Alici. Vychovává sama dvě dcery, moje neteře."

„Jste si blízké?"

Vybuchla jsem smíchy. „To bych neřekla. Alice preferuje alternativnější způsob života. Nesnáší korporáty."

„Asi bych se jí moc nelíbil."

Nakrčila jsem nos. „Asi ne."

„Je dobře, že je ti jedno, co si myslí," pronesl s arogantním výrazem.

„To jsi vždycky tak sebevědomý?" zeptala jsem se.

„Myslím si, že jo. Proč to dělat jinak?" Zadíval se na mě zpříma. „Můžeš se celý život stresovat, co si o tobě druzí myslí, ale kam tě to posune? Byla bys radši, kdybych se před tebou přetvařoval?"

„Ne," zasmála jsem se. To jeho bezbřehé sebevědomí se mi už od začátku líbilo. „Co jinak děláš, když nejsi zrovna v práci nebo nepoliváš kolemjdoucí horkou kávou?"

„Obyčejné věci. Posilovna. Přátelé. Však víš… Práce mi zabírá docela dost času."

Posilovna. Přátelé. To není moc. Pokud vedl podobný život jako já, věděla jsem úplně přesně, o jakém druhu přátel to mluví. Lidi, se kterýma si po práci zajde na skleničku. Ti ostatní se pomalu vytratili z jeho okolí, když opakovaně nepřišel na jejich oslavu. Kývla jsem na souhlas. „Rozumím."

„Pokud tě práce baví, na ničem jiném vlastně nezáleží." Jeho pohled byl vážný, ale mezi jeho slovy jsem zaznamenala položenou otázku.

„Přemýšlíš někdy, jestli to za to všechno stojí?" Vyklouzlo ze mě, aniž bych se pořádně zamyslela. Než jsem stačila říct něco, abych otázku odlehčila, všimla jsem si, že Ash vážně přemýšlí.

„Ano." Opřel si bradu o dlaň. V tom odseknutém slovu jsem cítila neklid odrážející moje vlastní pochyby.

„Stručné."

„Snažím se přijít na to, jak to líp popsat. Je v tom trochu strachu. Hluboko zakořeněného strachu, že to za to nestojí. Jestli hodiny práce vynahradí všechen ten stres. A co nám pak zůstane?"

Na moment jsme hleděli jeden druhému do očí, jako by to bylo záchranné lano, které nás drží nad propastí, kam jsme nechtěli spadnout. Co nás tam ale poutalo? Strach, nebo odvaha? Okamžik upřímnosti se mezi námi chvěl jako stébla trávy ve větru a já jsem si uvědomila, že jsme si podobní mnohem víc, než jsem si myslela.

„To nevím," připustil. „Trochu mě to někdy děsí. Možná proto tak moc pracuju, abych zaplnil prázdnotu. Protože bez práce... bez práce nevím, co vlastně mám."

Nebo kdo jsem. V kanceláři jsem byla neporazitelnou vůdkyní, vzorem a ztělesněním úspěchu. Odmítala jsem se zabývat přemýšlením o tom, co je za jejími zdmi, protože z mého pohledu ten zbytek světa za moc nestál. Moje práce mi byla vším.

„A to je důvod, proč bychom měli zmínit uspokojení z práce," řekla jsem a snažila se konverzaci přivést zpátky na tvrdou zem. Na chvíli jsem se ponořila do tekutého písku, který v mém životě neměl žádné místo. Takové myšlenky patřily do bezesných nocí, kdy člověk pochyboval nad tím, kam směřuje. „To nemají všichni. Představ si, že bys pracoval někde, kde to nenávidíš."

„To bych nemohl." Pokrčil rameny a ten stín, který visel nad naším stolem, byl najednou pryč. „Řekl bych, že máme oba štěstí. Já svoji práci miluju."

„Já taky. I když mám za sebou dost těžký týden a jsem úplně vyřízená." Schválně jsem při tom zlehčila tón, abych dala najevo, že končím s filozofováním, ale jsem si vědoma, stejně jako on, toho souznění, které před chvílí nastalo.

„Jezdíš takhle brzy každé ráno?" Ash moje přiznání chvilkové slabosti ignoroval, za což jsem mu byla vděčná. Stejně jako já si zřejmě vlastní pochyby vůbec nepřipouštěl. „Jak to, že jsem tě nikdy dřív neviděl?"

„Protože ses nedíval," odpověděla jsem vesele a znovu jsem vnímala, že jsem nad věcí.

Obdařil mě uznalým pohledem a znovu se z nás stali rovnocenní partneři. „Všiml jsem si tě… minimálně tvojí chůze. Pádíš jako generátor."

„To nezní moc… atraktivně." Cokoliv jiného by teď znělo jako klišé.

„Tak odhodlaně, neústupně. Jako když přesně víš, za čím jdeš. V mém světě je to hodně atraktivní."

Řekl to bez náznaku flirtování, což kompliment v mých očích ještě umocnilo.

„Mám rád ženy, které vědí, co chtějí."

„To je dobře. Protože spousta mužů to nemůže rozdýchat."

„To máš asi jen špatný vkus."

„Mluvila jsem snad o vlastních zkušenostech?"

„To jsi ani nemusela."

„Nepřeháníš to s tou arogancí?"

„Dobře, zasloužil jsem si to. Ale ty taky."

„Arogantní může být jenom chlap. O ženách se říká, že jsou nafrněné, mají nos nahoru nebo se prostě snaží dostat tam, kde pro ně není místo."

Ash pokrčil rameny. „U nás v práci moc žen není. Musím s tebou souhlasit. Navzdory všem těm směrnicím a nařízením z personálního oddělení."

„Právě proto musím pracovat pětkrát víc, abych dokázala, že si to všechno zasloužím. A jsme zase u toho. Stojí mi to vůbec za to?"

„Myslím, že bude, až dosáhneš svého. Vypadá to dobře?"

„Pevně doufám. Přijde mi, že jen skáču přes ohnivé obruče. To ráno je moje prezentace měla konečně přesvědčit. Místo toho mi ale přidělili další projekt. Samozřejmě s vražedným deadlinem, který pochopitelně dodržím, protože to jsem celá já." Řekla jsem to bezstarostně, jako by deadliny a skoky skrz hořící obruče byly každodenní náplní mojí práce. Ten poslední projekt mě ale v uplynulých dnech připravil o spánek. Tentokrát jsem na jeho dokončení měla vážně málo času, ale ještě nikdy v životě jsem v práci neselhala a nedojde k tomu ani teď.

Když jsme po večeři dopili kávu a přiťukli si hořící sambukou, obloha už se barvila do fialova a mně se znovu rozklepala kolena.

Snažila jsem se v duchu opakovat si zásadu první schůzky: Hlavně se s ním nevyspi.

„Doprovodím tě domů." Během večeře už jsme zjistili, že oba bydlíme na jižní straně parku. Jeho nabídka zněla víc prakticky než vlezle. Rozhodně se s ním nevyspím. „Chceš jít přes park?"

„Ano." Viktoriin park byl nejkrásnějším klenotem na koruně města Churchstone, dokonale umístěný a vysázený tak, aby v každém ročním období hýřil barvami. Kvalitní osvětlení v podobě litinových pouličních lamp lemovalo široké chodníky jako stráž a dodávalo místu magickou atmosféru.

Nenápadně jsem si svého průvodce prohlédla a s uspokojením se utvrdila, že mu to neuvěřitelně sluší. Znovu se ve mně probudila obyčejná lidská touha. Musela jsem se přinutit připažit, abych se ovládla a nesjela prsty po jemné látce obepínající jeho hruď.

„Předpokládám, že jsi schopný rozehnat všechny puberťáky. Za normálních okolností bych sama parkem v takovou dobu nešla."

„Neboj se, já tě ochráním." K mému překvapení mě chytil za ruku a v téměř starosvětském gestu ji krátce stiskl. A pak už ji nepustil. Propletl prsty s mými a dal se do chůze.

Motýlí rej v mém břiše nabral na intenzitě. Připadalo mi, že když se při chůzi naše lokty dotýkají, odlétají od nich jiskry.

Když jsme se ponořili do přítmí parku protkaného světýlky lamp a vůní cedrového dřeva, připadala jsem si jako v pohádce. Měsíční světlo barvilo stromy do stříbrna a dodávalo prostředí romantickou atmosféru. S vědomím náhlé intimity naše kroky samovolně zpomalily a moje mysl začala pracovat na plné obrátky. Co když mě pozve k sobě? Vlastně jsem nechtěla, aby ten večer skončil. Ráda bych nabídku přijala, ale všichni moc dobře víme, co takové pozvání znamená. A já s ním rozhodně spát nebudu. Měla bych mu to rovnou říct? Aby nevzniklo nějaké nedorozumění. Nebo zbytečné očekávání.

„Ještě jsem se nerozhodla, jestli se s tebou chci vyspat." Tak a je to venku. Byli jsme k sobě celou dobu upřímní, tak proč to teď měnit?

„Nejsem si vědomý toho, že bych to po tobě chtěl," odpověděl hlubokým sametovým hlasem.

„To ne, ale asi na to oba myslíme."

Zastavil se pod lampou, světlo zvýrazňovalo rysy jeho tváře, a pobaveně mě pozoroval.

„Znamená to, že bys chtěla?" zeptal se a znovu zvedl obočí. To je ale namyšlenec!

„Jo, ale nevím, jestli je to dobrý nápad." Doufala jsem, že v tom přítmí nezachytí moje rudnoucí tváře, protože jsem před ním vystupovala tak sebevědomě jen proto, že mě k němu od první chvíle něco neuvěřitelně táhlo. „Pořád se ještě snažím přijít na to, jestli jsi… proutník." Chtěla jsem vědět, jestli je tohle chování u něj na denním pořádku. Atraktivní a sebevědomý na to byl dost. Určitě o podobné nabídky neměl nouzi.

Během večeře jsme se o předchozích vztazích nezmínili a nechtěla jsem vyzvídat. Možná proto, že jsem se v něm nechtěla zklamat? Chtěla jsem zachovat to tajemství obestírající Ashwina Laghariho? Rozhodně se nedalo popřít, že je pohledný. A očividně to bral jako samozřejmost. Jeho povýšenost vycházela spíš z jeho sebevědomí než z ješitnosti.

„Myslíš, že jsem?" zeptal se klidně. Věděla jsem, že mě žádá o upřímný názor, stejně jako jsem to vyžadovala od něj.

„Ráda bych si myslela, že ne… Ale s takovou vizáží a životním stylem by bylo těžké uvěřit tomu, že to tak není."

Pokrčil rameny. „Nemám na vztahy čas. A rozhodně ne na několik zároveň. Nebo se mě ptáš na sex na jednu noc?"

„Asi jo. Možná se jen snažím zjistit, kdy jsi naposledy s někým spal. Bylo to včera? Minulý týden? Před měsícem? Loni?"

Při představě jeho nahého těla s jinou ženou mě do srdce bodnul osten žárlivosti.

„Aha, chceš vědět, jestli střídám holky každou noc?" Teatrálně přimhouřil oči a usmál se na mě.

„Ne. V podstatě je to tvoje věc a já takový životní styl respektuju, ale…" Znovu jsem si ho prohlédla. „Kdybych se s někým chtěla vyspat, nebudu se za to rozhodnutí stydět."

„To je dobře. Protože já sex na jednu noc určitě nevyhledávám," uculil se. „Jsem dost vybíravý." Zhluboka se zasmál. „Určitě nespím jen tak s někým. Nerad chodím do cizích bytů. Neznámého prostředí. Mám rád čistotu a pořádek. Na druhou stranu si nerad vodím někoho k sobě domů."

„Máš rád čisté povlečení," zavtipkovala jsem. „A nesnášíš vlasy ve sprše."

Seknul po mně pohledem, jako bych si z něj dělala legraci. Zvedla jsem ruce nad hlavu. „Myslím to vážně. Neutahuju si z tebe. Sama jsem tak trochu blázen do uklízení a miluju čisté povlečení." Znechuceně jsem se otřásla. „Na kolejích jsem bydlela s holkou, která si nevyměnila povlečení za celý školní rok." „Fuj," prohodil Ash. „Takže si rozumíme." Mrknul na mě. „Vypadá to, že se k sobě vážně hodíme." Z jeho slov zněla výzva. „A abych odpověděl na tvoji otázku. Naposledy jsem s někým spal zhruba před půl rokem. Můžu se tě taky na něco zeptat?"

„Před víc než rokem," odpověděla jsem rychle. „Taky jsem vybíravá." Tady to máš.

Pobaveně se usmál. „Na to jsem se zeptat nechtěl."

Polil mě stud, podruhé za deset minut. Rozhodně jsem v oblasti sexu nebyla tak zkušená, jak jsem se právě snažila znít. To byla odvrácená strana úspěšné kariéry – na nic jiného už nezbýval čas. Byla jsem suverénní v jednací místnosti, ale bohužel nezkušená v ložnici.

Ash ke mně přistoupil a objal mě kolem pasu. Vlídným pohledem mi přejížděl po tváři. „Chtěl jsem se zeptat, jestli tě můžu políbit."

Po vší jeho aroganci mě ten tichý hlas uvedl do rozpaků. Celá jsem se zachvěla a ustrnula ve vzrušeném očekávání.

Nenápadně jsem přikývla, snažila se uklidnit zběsilý tlukot srdce, ale navenek jsem zamrzla a jen čekala, až se jeho teplé rty dotknou mojí kůže. Bála jsem se nadechnout, abych ten nečekaný zážitek něčím nepokazila. Celá ta situace byla dokonalá, věděla jsem, že se mi tato chvíle pod lampou navěky vryje do paměti. Nevrazili jsme do sebe nosem, neťukli se o zuby, jeho rty ani příliš nenaléhaly. Jen se mě letmo dotknul, otřel se o mě a já jsem zatoužila přitáhnout ho k sobě a dlaněmi obejmout jeho krk, abych konečně cítila jeho teplou kůži v dlaních.

Zvedl hlavu, pohladil mě pohledem a usmál se tak, že jsem se mu málem zhroutila do náruče. Přisála jsem se k němu rty a začala ho líbat, vnímala jeho dech a srdeční tep, prozkoumávala jeho ústa a užívala si blízkost jeho těla. Lehce sevřel objetí, přitáhl mě k sobě a svíral mě tak, že se naše hrudníky dotýkaly.

Po několika minutách jsme se od sebe odtrhli. Trochu se mi točila hlava.

„To byl teda polibek, holko s kávou."

„Ani ty jsi nezůstal pozadu, Ashwine Laghari."

Zasmál se a sevřel mě v pase. „Nikdo mi takhle neříká. Ale vlastně se mi to líbí. Zní to jako nějaký exotický kouzelník."

To, co jsme právě prožili, určitě kouzlem zavánělo.

„Chtěla bys jít ke mně? Slibuju, že mám čisté povlečení." Zvedl ruku k přísaze. „Ne že bych dneska něco plánoval… Myslel jsem si, že budeš trochu tvrdší oříšek."

„Co změnilo tvůj názor?"

„Myslím si, že toho máme ve skutečnosti hodně společného. Mnohem víc, než jsme ochotní si připustit. A mimochodem, vždycky peru v sobotu."

3

„Claire, můžeme si promluvit? Je to urgentní, sejdeme se v mojí kanceláři za deset minut."

Málem se mi zastavilo srdce, když na mě Alastair promluvil.

Bylo za pět osm, pondělí ráno a já jsem zrovna přišla do práce. Málem jsem samou únavou vrazila do dveří.

Zůstaň v klidu, Claire. Všechno jsi dokončila. Je to v pořádku.

Potlačila jsem zívnutí, omráčená nedostatkem spánku. Včera jsem nad tím zatraceným projektem probděla celou noc.

„Dobré ráno, Claire. Jaký byl víkend?" Karen, ředitelka personálního oddělení, se na mě usmála, když strčila hlavu do dveří mojí kanceláře.

„Vlastně docela dobrý." Oplatila jsem jí úsměv a rychle zahnala vzpomínku na nedělní ráno, kdy jsem se probudila v Ashově posteli.

„Ten úsměv neznám. Chceš se se mnou podělit o zážitek?"

„Teď ne." Usmála jsem se. „Možná u skleničky prosecca."

„Dej mi vědět, kdy budeš mít čas."

„Asi až příští týden." Zamračila jsem se. Když mávla rukou na rozloučenou a odešla, na pár minut jsem se ponořila do vzpomínek.

V neděli jsem se probudila dost pozdě. Slastná malátnost unavených svalů už mě opustila, ale pocit Ashova těla nad mým a naše hluboké vzdechy mě hřály u srdce, když jsem si sedala za psací stůl. Byl úžasný! Ohleduplný, vášnivý, pozorný... a taky pořádně vynalézavý milenec. Naše soutěživé povahy nás poháněly k hranicím, za které bych se za normálních okolností vůbec neodvážila. Skoro jsem hlasitě křičela, když jsem pozorovala jeho nekontrolovatelný orgasmus a dmula se pýchou, že já, Claire, jsem schopná v muži vyvolat takovou reakci. Ne že by zůstal nějak pozadu. Nikdy dřív jsem podobný sex nezažila a sama sebe jsem překvapovala, když jsem nad sebou ztrácela kontrolu, lapala po dechu a hlasitě ho prosila, aby pokračoval.

Dokonce i teď jsem cítila, jak se mi při vzpomínce na naše synchronizované pohyby celým tělem rozlévá slastný pocit.

Sotva jsem otevřela oči, uvědomila jsem si, kde jsem, a usmála jsem se s vědomím Ashovy paže položené na mých zádech a slunečních paprsků tancujících na protější stěně. V noci jsme oba měli na práci jiné věci než zatahovat závěsy. Úsměv mi ze rtů rychle zmizel, když jsem zjistila, kolik je hodin. Půl desáté!

„Promiň, Ashi, ale musím jít." Odhodila jsem přikrývku, ale on mě stáhl zpátky do postele.

„To mi nedáš ani ranní pusu?" poškádlil mě a přitáhl si mě na nahý hrudník. Nedalo se mu odolat, ale po chvíli jsem se přiměla vzepřít. „Musím jít. Mám hrozně moc práce. V pondělí musím odevzdat důležitý report a ještě jsem..." Při představě, kolik povinností mě dneska čeká a kolik času jsem promarnila pomáháním na sestřině zahradě, se mi sevřel žaludek. Alice a její zatracený živý plot. Mohla jsem se klidně oddávat rannímu nedělnímu sexu. Začínala jsem si uvědomovat pomalu se vkrádající pocit rostoucí paniky.

„Netvař se tak ustaraně. Chápu to. Laptop už mě taky volá.“

„Zasloužil by sis nějaké ocenění,“ zavtipkovala jsem s vděčným úsměvem.

„Jsem na stejné vlně, Claire.“

Políbila jsem ho na špičku nosu a znovu zalitovala, že se nemůžu zakousnout do jeho rtů a dát si další vášnivé číslo. Ničeho jsem za poslední dobu nelitovala víc. Vůbec se mi z jeho postele nechtělo.

U hlavních dveří se se mnou Ash rozloučil polibkem, který nám oběma znovu zrychlil tep.

„Kdo potřebuje posilovnu? Tohle je mnohem lepší kardio,“ řekl Ash a přehodil mi pramen vlasů přes rameno.

„Kéž bych tu mohla zůstat.“

„Už se tím netrap.“

Znovu jsme se začali líbat, ale pak už jsem skutečně musela odejít.

„Já vím, já vím,“ poznamenal Ash a naposledy mě krátce líbnul na tvář. Začala jsem pochybovat, jestli tu práci dneska vůbec stihnu dokončit.

„Vážně musím jít.“ Odtáhla jsem se a několik kroků odstoupila, aby mě znovu nenapadlo se k němu přisát.

„Napíšu ti. Zajdeme si v pátek na večeři?“

Usmála jsem se. „Nebo v sobotu.“

Zvedl obočí a usmál se. „Tohle už přece dělat nemusíš. Já už tě znám.“

„A já tebe.“ Sebevědomě jsem se usmála, otočila se a rychle odešla, i když jsem si při každém kroku představovala, že se k němu vracím.

I teď, v pondělí ráno, jsem z toho zážitku ještě čerpala. A oduševnělý úsměv mě doprovázel až do Alastairovy kanceláře. Krok před dveřmi mi v kapse pípnul mobil. Jindy bych ho ignorovala, včerejší vlna dráždivých zpráv ale naprosto změnila moje dosavadní reakce.

Dobré ráno, kočko. Doufám, že ses trochu vyspala. Těším se na pátek.

Mrkla jsem na zavřené dveře před sebou.

Dobré ráno, Ashwine Laghari. Přísahala bych, že jsme se domluvili na sobotu.

Než jsem si stačila telefon zastrčit zpátky do kapsy, přišla mi odpověď.

Co když uděláme kompromis a sejdeme se oba dny?

V duchu jsem se usmála a radostí mi poskočilo srdce.

„Tady jsi, Claire." Alastair pokynul, abych vešla dovnitř. „Ten report pro Ashdown..."

„Žádný strach, je hotový. Jen potřebuju, aby ho Ros namnožila, svázala a rozeslala ostatním."

„Aha, proto jsem se s tebou chtěl setkat. Náš klient si to rozmyslel. Budou se soustředit na jinou oblast, vzdělávání místo maloobchodu. Obávám se, že budeme muset začít od nuly."

Proč mluví v množném čísle?

„Uvědomuju si, že vzdělávání není právě tvojí nejsilnější stránkou, ale rychle se učíš a data a statistiky ze současného trhu už dávno máme."

Ano, my je máme, ale někdo je bude muset zpracovat a protřídit, že?

„Někomu jako jsi ty to nebude trvat moc dlouho."

Určitě ne, možná tak den nebo dva.

„Samozřejmě za všechnu tvoji práci zaplatí, to není problém." Tvářil se optimisticky. „Víš přece, jak to chodí. Náš zákazník, náš pán."

Úsměv mi zamrzl na tváři. *Není to problém? Ne, určitě ne tvůj.* Ten zatracený report mi zabral hodiny a hodiny práce.

Pracovala jsem na něm celou noc, do postele jsem se dostala ve čtyři ráno a vstávala jsem v šest. Spala jsem dvě hodiny, vlastně ani moc nespala. Musela jsem si promnout ruce, jinak bych s nimi třískla o desku stolu a pěkně od plic mu řekla, co si o jeho hlášce o zákaznících myslím.

„Chtějí to mít hotové do konce týdne. To půjde, že?"

Samozřejmě že to půjde, vždycky to šlo, ale Alastair už mi dávno nevěnoval pozornost, hleděl na monitor. Obrátila jsem se a pomalu vyšla z jeho kanceláře, vědoma si každého unaveného kroku. Po pár vteřinách jsem si všimla, že se se mnou děje něco nezvyklého. Stáhlo se mi hrdlo a začala jsem vzlykat. Ne! Přece nebudu brečet.

Bože, asi budu brečet!

Přidala jsem do kroku a rychle vběhla na dámské toalety. Snad tam takhle brzo ráno nikdo nebude. Zabouchla jsem za sebou dveře kabinky, hlasitě zacvakla zámek, posadila se na záchodové prkýnko a složila hlavu do dlaní. Report pro Ashdown mi zabral celý týden. A byl dokonalý. Vypracovat úplně nový projekt do pátku plus dodělat práci, kterou jsem měla i tak v plánu bude nemožné. Další vzlyk se dral na povrch a já jsem zalapala po dechu, abych ho nějak zahnala. V práci jsem ještě nikdy nebrečela. Nikdy! Rychle jsem natáhla vzduch do plic, zadržela dech a pomalu ho vypouštěla.

Dýchej, Claire! Jen dýchej!

I s tím dechovým cvičením mi zabralo dobrých deset minut, než jsem se vůbec mohla znovu postavit na nohy. Byla jsem unavená, strašně unavená. Dvě hodiny spánku mě totálně odrovnaly. Zvládnu to. Já ten report určitě udělám. Jen mi to zabere spoustu času.

Po dalších patnácti minutách jsem se konečně vynořila z kabinky a pomalu jsem se vydala ke své kanceláři. Cestou jsem si odhodlaně vyhrnovala rukávy. Zvládnu to. Vždycky to přece zvládnu.

Když jsem si konečně v půl sedmé večer dovolila zkontrolovat telefon, doufala jsem, že v něm najdu zprávu od Ashe. Zklamaně jsem si však uvědomila, že tam od té ranní žádná nová nepřibyla. Znovu jsem si ji přečetla a srdce se mi zase probralo. Zřejmě měl tolik práce jako já. Ta myšlenka mě trochu uklidnila. Oba tvrdě pracujeme. Oba jsme profesionálové. Jsme si tak podobní.

Pak jsem objevila zprávu od svojí matky.

Ahoj zlato, můžeme ten zítřek přehodit na šestou místo půl osmé?
Těším se na tebe.

Zavřela jsem oči. Úplně jsem na ni při tom všem zapomněla. Rychle jsem vytočila její číslo.

„Ahoj mami, tady Claire."

„Ahoj zlato. Dostala jsi moji zprávu?"

„Právě proto volám. Obávám se, že…"

„Claire, ať tě ani nenapadne mi teď říct, že nepřijdeš."

„Mami, já fakt nemůžu. Právě mi dali…"

„Miláčku, vždyť je to poslední šance, jak se vidět, než odjedeme."

„Já vím, mami…"

„Budeme pryč celé čtyři měsíce."

Abych jí dala za pravdu, rozloučení před čtyřměsíční plavbou jsme spolu domlouvaly už před dobrými dvěma týdny. Prostě jsem na to zapomněla. Tohle se mi většinou nestává, mám diář pod kontrolou.

„Dobře, mami. Ale dřív než o půl osmé to nestihnu." Takhle můžu v kanceláři zůstat o pár hodin dýl.

„Pro holky už bude pozdě a Alice se chce domů dostat v rozumnou hodinu, protože má brzo ráno lekci jógy."

Alice má ráno jógu! Promnula jsem si unaveně čelo, kde jsem cítila obrovský tlak. *Migréna! To se mi snad jenom zdá!*

„Tak na to měla myslet dřív, na půl osmou jsme se domluvily už před dvěma týdny."

„Claire, prosím tě," máma si teatrálně povzdychla. „Prostě tě s tátou chceme vidět, než odjedeme. Jsi pořád v práci, udělej si volno."

Kdyby to nebyla jediná šance je před odjezdem vidět, nějak bych se z toho nakonec vykroutila. Takhle jsem nemohla.

„Dobře, tak v šest," souhlasila jsem unaveně a ukončila jsem hovor. Byla jsem na Alici naštvaná, že mi takhle zkazila plány. A na sebe, že mě to tak štve.

To byl přesně její styl. Vyvolávat zmatek. V šestnácti nám oznámila, že je těhotná, přesně v den mojí maturity. Soustřeďte se, když vám někdo hodí na hlavu takovou informaci. Naši si jasně uvědomovali, že si tím sestra zkazí celý život, takže se z nich stali pěstouni místo prarodičů. Což byla podle mého názoru obrovská chyba. A Alici se podařilo otěhotnět podruhé. Čtyři roky po Poppy se jí narodila Ava.

Před několika lety jí rodiče pořídili malý domek v Churchstonu. A čirou náhodou jsem se do stejného města před šesti měsíci přestěhovala i já. Do tak nádherného domu, že jsem se skoro smířila se skutečností, že se nachází v tak těsné blízkosti mojí sestry.

Na první pohled totiž splňoval všechny moje požadavky. A to jsem jich podle realitního makléře měla dvakrát tolik, než kdy slyšel. Okamžitě jsem věděla, že je to můj domov. Teda že se z něj stane můj ideální domov, až najdu vhodného člověka, který provede celkovou rekonstrukci, a já dům vybavím vhodným nábytkem. V té chvíli jsem se řídila jen svým vnitřním pocitem. A taky šlo o největší investici v mém životě.

Probudila jsem displej počítače k životu. To poslední, co jsem teď potřebovala, bylo snění o tom, jak jednou bude můj dům vypadat. Jestli ten report do konce týdne nedodělám, můžu na povýšení zapomenout. A tím pádem i na rekonstrukci.

Jednu věc ale ještě udělat musím. Zvedla jsem telefon, usmála se a poslala Ashovi odpověď na jeho zprávu.

Jsem docela známá tím, že dělám kompromisy, ale radši si na to moc nezvykej.

4

Zkontrolovala jsem e-mailovou schránku a hned se mi zpotily dlaně. Dvanáct e-mailů a to je teprve deset minut po deváté. Pohledem jsem hypnotizovala recepční a doufala, že doktor nemá zpoždění. Už takhle přijdu do práce o hodinu později. Kdyby z té hnisající rány na paži, která se od stříhání Alicina živého plotu nechtěla zahojit, nezačala vytékat nazelenalá tekutina, zřejmě bych dnešní návštěvu zrušila.

Na několik nejurgentnějších zpráv jsem rychle odpověděla, ale bylo to s nimi jako s houbami po dešti. Odpověděla jsem na pět a dalších šest e-mailů přibylo.

S hlubokým výdechem jsem přešla do seznamu zpráv, žádná nová tam ale nebyla.

V krku mi narostl starý známý knedlík. Ashwin Laghari se už přes dva týdny neozval.

Ať už se mezi námi stalo cokoliv, skončilo to stejně rychle, jako to začalo. Očividně šlo o sex na jednu noc, která ve mně ale zanechala překvapivě prázdný pocit.

Znovu jsem prolítla, asi po milionté, jeho poslední zprávu. Co ho přimělo změnit názor?

To pro něj to krátké, ale intenzívní spojení vůbec nic neznamenalo? Sdílela jsem s ním střípek svého života, protože jsem měla pocit, že mi rozumí. Jeho odmítnutí mě bolelo. Dokonce jsem v práci znovu brečela, ale to zřejmě kvůli tomu, že se mi poprvé v životě nepodařilo dodržet termín svěřeného projektu. Brala jsem to jako obrovskou prohru. A čím víc jsem nad tím selháním přemýšlela, tím hůř se mi dařilo dodržovat další termíny. Jako bych se pohybovala v začarovaném kruhu.

„Tak se na to pojďme podívat," řekl doktor Boulter a usmál se na mě.

Vyhrnula jsem si rukáv, abych mu ten šrám ukázala. Rána se nechtěla hojit a dneska ráno vypadala mnohem hůř. Její okraje byly zarudlé a očividně napadené infekcí. Vlastně mě z toho šrámu bolela celá paže.

„Au." Doktor si natáhl rukavice a jemně, ale pevně přejel prsty kolem mého zranění, až z něj vytryskla odpudivá tekutina. Ucukla jsem.

„To je opravdu ošklivá rána. Jak dlouho už to máš?"

„No… pár týdnů," přiznala jsem tiše.

Doktor údivem zvedl obočí. „Proč jsi přišla až teď? Máš v tom infekci a potřebuješ antibiotika."

Z nepochopitelného důvodu se mi nahrnuly slzy do očí a musela jsem polknout, abych zahnala ten nepříjemně tíživý pocit v krku. Už zase.

„Claire?"

To byl zkrátka problém, když byl váš praktický lékař člověk, který s vaším otcem chodíval hrát golf, a znal vás od věku, kdy jste venku tahali kačera. Pochopitelně jsem za ním nechodila s ženskými problémy, ale když se mi na paži udělal šrám, který se nechtěl hojit, věděla jsem, že se na něj můžu spolehnout.

Ashwin Laghari, ať už zmizel z jakéhokoliv důvodu, měl zřejmě pravdu, když mi tenkrát radil, abych si to něčím natřela.

V následné mlze z nečekané dohry našeho setkání se mi jeho doporučení úplně vypařilo z hlavy. Samozřejmě že to byla jeho chyba. Zmetek!

„Claire?" Doktorův hlas přetrhl proud mých myšlenek. V tuhle chvíli jsem ale nepotřebovala klid, potřebovala jsem racionální přístup.

„Claire?" Zeptal se znovu a mně se ani tentokrát nepodařilo zadržet slzy deroucí si cestu ven. Sakra, to je ale trapas. Už ale nebylo cesty zpět. Jedna slza následovala druhou a vše završil srdceryvný vzlyk.

Najednou jsem tam seděla a plakala jako malá holka. Doktor mi podával kapesník, abych se vysmrkala. Natáhla jsem se po celé krabičce, a jak jsem se snažila slzy setřít, padaly za nimi další.

Konečně se mi podařilo nadechnout. „Já-já… vůbec nevím, co-co se to se-se mnou děje."

Mile, ale podezíravě se na mě usmál. „Nechceš mi říct, co tě trápí?"

„Ale… to nic. Jen… všechno. Je toho hodně v práci. Mám toho teď nad hlavu." Najednou se mi rozvázal jazyk. „Dostala jsem na starost velký projekt, mám pocit, že to nezvládnu. Moc jsem toho včera nenaspala."

„Jen včera?"

Protáhla jsem obličej a přiznala barvu. „No, vlastně, pořádně jsem se nevyspala už několik týdnů. Jsem strašně unavená." Od té doby, co jsem prošvihla ten zatracený termín, se moje sebevědomí nečekaně propadlo do záporných hodnot. Ze všeho jsem měla najednou strach a ten pocit se mi nedařilo ničím zahnat. Jakékoliv rozhodnutí mi zabralo hrozně dlouhou dobu, ničím jsem si nebyla jistá. Děsilo mě to. Vždycky jsem přesně věděla, co mám dělat.

„Jíš pořádně?" Sjel mě pohledem a já jsem věděla, že si moc dobře všimnul tmavých kruhů pod očima a propadlých tváří.

Moje lhostejné přikývnutí ho rozhodně o opaku moc nepřesvědčilo.

O pět minut později, když jsem se trochu vzpamatovala z předchozího emočního výbuchu, mě doktor zvážil, změřil mi krevní tlak, zkontroloval zrak a položil mi spoustu otázek týkajících se pracovního vytížení.

Potom mi ošetřil hnisající ránu, posadil se ztěžka do křesla a začal ťukat do klávesnice.

„Myslím, že trpíš stresem, Claire. Máš vysoký tlak, sto osmdesát na sto."

Pokrčila jsem rameny. „Každý, kdo chodí do práce, je přece trochu ve stresu. Jsem v pořádku, jen se musím pořádně vyspat."

„Ne, Claire." Konečně se v něm probudil skutečný doktor, věcný a přímý. „Musíš si dát na chvíli pauzu."

Dala jsem se do smíchu. „To fakt nemůžu. Mám toho teď strašně moc."

Změřil si mě přísným pohledem. „Předepíšu ti léky na vysoký tlak a pošlu tě na měsíc na nemocenskou."

„Cože? Ne! Nejsem na tom přece tak špatně. Jsem jen trochu unavená."

Doktor se zapřel do židle, zvedl bradu a pak prstem ukázal na zarámovaný diplom visící nad stolem. „Máš doma taky takový diplom?"

„Nemám."

„Tak vidíš. Udělej mi laskavost a nech mě rozhodovat o tom, o čem vím víc než ty. Já ti taky nebudu mluvit do tvojí práce." Jeho odměřený tón mě šokoval. Takhle mluvit jsem ho nikdy dřív neslyšela.

Chvilku jsem na něj jen tak hleděla a pak trochu vyděšeně promluvila.

„Na měsíc? To je hrozně dlouho. Nemůžu si vzít volno celý měsíc. Co kdybych si pro začátek vzala ty prášky a trochu zvolnila?"

Copak nechápal, že když na měsíc vypadnu z pracovního tempa, můžu mít po kariéře? Lidi na tak vysoké pozici, jakou mám já, si neberou měsíc volna kvůli stresu.

„Kdybych ti na vteřinu uvěřil, možná bych to i zvážil. Ale tohle se děje už dlouho. Když jsi tady byla naposledy, nechal jsem se přesvědčit, protože jsi mi tvrdila, že máš náročný měsíc. Teď už se ale přemluvit nenechám. Musíš zvážit, jestli ti kariéra za takový stres stojí. Musíš se dát do pořádku, kvalitně jíst, cvičit, pořádně spát."

„Ale…"

Zvedl ruku, aby mě zastavil. „Kdybych ti řekl, že máš zlomenou nohu a měsíc na ni nemůžeš stoupnout, co bys dělala?"

Mlčky jsem na něj hleděla.

„Tvoje hlava si potřebuje odpočinout. Práce na tebe počká. Měla by sis se svým nadřízeným promluvit o pracovním vytížení. Sama jsi zmiňovala, že vám tam jeden člověk chybí. To musí někdo z personálního napravit."

To je pravda, ale já si na to přece nemůžu stěžovat. Já ne, já jsem člověk, který všechno zvládne, takoví zaměstnanci se přece nehroutí kvůli stresu.

Ale zřejmě jsem se mýlila.

Jako bych se pohybovala mimo vlastní tělo. Opustila jsem ordinaci a cestou domů jsem se zastavila na poště, kde jsem pět minut šokovaně postávala před schránkou, kam jsem nakonec odhodlaně vhodila neschopenku, která měla být odeslána na personální oddělení. Pak jsem musela potupně zavolat Alastairovi a přiznat, v jaké jsem situaci.

Já, Claire Harrisonová, vycházející hvězda, jsem se zhroutila pod náporem stresu. To jediné jsem ze sebe vysypala, než jsem se málem rozbrečela do telefonu. Alastair byl překvapivě empatický a přiznal, že o mě měl poslední dobou trochu strach a že si mám vzít tolik volna, kolik budu potřebovat, protože jsem důležitý člen jeho týmu. Něco uvnitř mě na něj chtělo zakřičet, že si toho mohl všimnout dřív a konečně přijmout někoho, kdo by mi pomohl, to ale nebyla věc, kterou jsem mohla svému šéfovi vytknout, i když zrovna zněl, že by takovou kritiku přijmul.

A pak už jsem zůstala sama, s opuchlýma očima a unavenou myslí, přemítající, co asi budu se vším tím volným časem dělat. Nemohla jsem ani zavolat mámě a zhroutit se jí do náruče, protože právě na lodi brázdila Atlantik. S tátou zhruba před týdnem opustili Southampton.

„Claire?" Zvědavě jsem zvedla hlavu po známém hlase. Uvědomila jsem si, že musím vypadat jako blázen, když tady tak stojím uprostřed ulice s telefonem v ruce a nepřítomným výrazem ve tváři. „Claire, co tady děláš?"

Moje sestra na mě nevěřícně zírala. „Neměla bys být v práci? Promazávat soukolí korporátu a vydělávat hromadu peněz?"

„Byla jsem u doktora." Pořád mi připadalo, jako bych mluvila o někom cizím.

„Proboha, snad nejseš nemocná!" Dívala se mi do zarudlých očí. „Něco vážnýho?"

A je to tady znovu, zase mi po tvářích tečou slzy.

„Není to rakovina, že ne?"

Tohle je celá Alice, vždycky myslí na to nejhorší.

„Ne. Já…" Vždyť to ani neumím říct nahlas. Alice byla ten úplně poslední člověk na světě, kterému bych to chtěla přiznat.

Dalo se od ní čekat, že řekne, že je to karma, nebo že si za to můžu sama. Takový byl náš vztah. Připadala jsem si ale, jako by mě zachránili z potápějící se lodi. Byla jsem hrozně unavená, takže jsem jen řekla: „Musím si vzít volno. Kvůli stresu."

„Aha," odpověděla s mírným zklamáním v hlase, jako by snad chtěla dodat: A to je všechno? Pak jí najednou problesklo v očích. „Nechceš si zajít na kafe do Šťastnýho zrnka?"

I ve stavu, v jakém jsem se teď nacházela, mi její nabídka přišla divná. Tohle nebyla Alice, ale nakonec jsem jí dovolila odvést mě přes ulici, přes park a ke dveřím kavárny, možná proto, že jsem vůbec nevěděla, co se sebou mám dělat.

Kavárna U Šťastného zrnka se nacházela uprostřed Viktoriina parku. Mezi obyvateli Churchstonu byla velmi oblíbená. Bylo to takové veselé místo provozované statnou ženou jménem Sascha, která měla bohaté blond kudrny svázané na temeni hlavy šátkem, jehož barvu měnila podle ročního období.

Viktoriánskou místnost vybavila starými kostelními lavicemi ozdobenými nadýchanými sametovými polštáři, retro školními lavicemi, sedačkami z traktorů, které byly ve skutečnosti mnohem pohodlnější, než se na první pohled zdálo, a opotřebovanými křesly, ve kterých jste se ztratili jako v babiččině objetí. Vždycky tu bylo plno. Ani dnešek nebyl výjimkou, Alice si však poradila a zajistila nám místo v rohu s koženým křeslem a starou stoličkou, kam se rychle posadila a přes rameno prohodila: „Dám si cappuccino."

Ani jsem si nevšimla, jak bravurně mě vmanipulovala do situace, ve které uměla chodit. Abych za ni zaplatila. Mělo mi být hned jasné, že za tím něco bude.

Podala jsem jí kávu a posadila se na stoličku vedle ní. S chutí jsem upila ze svého americana. Každodenní šum zákazníků, štěbetajících nebo pracujících na laptopech, mě vrátil nohama na zem. Připadala jsem si o trochu víc normální, i když mi ve spáncích tloukla začínající migréna.

„Takže si bereš v práci volno. Na jak dlouho?" Alicin náhlý zájem mi byl podezřelý. Znovu si mě přeměřovala pohledem a krčila nos jako veverka.

Povzdychla jsem si. Pořád jsem tomu nemohla uvěřit. Tohle se mi přece nemohlo stát. Jako bych se pohybovala hustou mlhou. „Na měsíc."

Celý měsíc. Co budu celou tu dobu dělat? Tahle myšlenka mě přiváděla k mnohem většímu šílenství než pracovní nasazení. I když teď musím sama sobě přiznat, že nepříjemné pocity v práci jsem vnímala už delší dobu. Možná pár týdnů, no... měsíc, dva. Ruku na srdce, dobré tři měsíce. Přesně jak jsem byla zvyklá, uměla jsem to dobře maskovat.

„Měsíc, hmm, a budou ti platit?"

„Asi jo." Ani jsem nad tím ještě nepřemýšlela. Na nemocenskou jsem ještě nikdy nešla.

„To je dobře. Můžeš si doma užívat, a ještě za to dostaneš zaplaceno."

„Hmm." Přikývla jsem, zatímco jsem přemýšlela, co myslí tím slovním spojením *užívat si doma.*

„Co máš teda v plánu?"

Proč se mě na to ptá? Úplně se mi při té otázce sevřel žaludek. *Co budu dělat? Nevím, vždyť jsem teprve před chvílí přišla od doktora.* Byla jsem ještě v šoku.

„Já vím!" Vyskočila, jako by se jí ta myšlenka právě zrodila v hlavě. Přitom mi v tu chvíli došlo, že za jejím pozváním na kávu byl už od začátku jasný úmysl. „Můžeš mi pohlídat holky a já můžu vyrazit do Indie." Celá se rozzářila. „To tě na nějakou dobu zaměstná."

Zajímavé, jak dokázala tu informaci podat, jako by mi vlastně dělala službu.

„To jo." Ironicky jsem zvedla obočí, pomalu jsem se začínala cítit zpátky ve své kůži. Tohle bylo pro Alici typické.

„Tak domluveno."

Hleděla jsem na ni, jak si vesele zatleskala a nadšením jí planou tváře. „To je náhodička. Prostě se to mělo stát."

„A jak jsi na to přišla?" Někdy jsem měla pocit, že jen plácá hlouposti. Teď jsem si však uvědomila, že je to čistá manipulace.

„No, že tě pošlou z práce domů zrovna ve chvíli, kdy mám jet do Indie. To je karma. Musíš mi pomoct, Claire. Takovou šanci už nikdy nedostanu. Díky Jonovi budu mít celý pobyt zadarmo. Je to jen na týden, takže si pořád můžeš tři týdny užívat. Holkám se to bude líbit. Vždycky jsem chtěla jet do Indie. I když mi asi budeš muset půjčit na letenku."

Zvedla jsem ruce nad hlavu. „Zpomal. O čem to mluvíš?"

„O Indii," zdůraznila, jako bych byla úplně hloupá. „Dostala jsem pozvánku na soustředění, jen si musím zaplatit cestu."

„Alice, nemůžeš jen tak jet do Indie. Potřebuješ očkování."

„Ale prosím tě, nepřeháněj. Samozřejmě že můžu. Nejsem ty. Ať tě ani nenapadne chovat se jako stará bába a všechno mi to pokazit. Indie byla vždycky mým snem."

Respektive byla jejím snem přesně od chvíle, kdy před šesti měsíci potkala na lekci jógy Jona.

„Ale co holky? Nemůžou jet s tebou. To nemají školu?"

„Samozřejmě že je neberu s sebou."

„Kdo se o ně bude starat?"

„No ty. Všechno to dává smysl. Stejně nemáš nic jinýho na práci." Založila si paže na hrudníku a vítězně se na mě usmála. „Nedávno sis stěžovala, jak málo je vídáš."

„Tím jsem myslela, že už mi je nedáváš na hlídání. Bylo to jen konstatování, ne stížnost. To není to samé."

„Tak teď máš šanci. Můžeš je hlídat sedm dní v týdnu."

„To je od tebe fakt milé. Nejspíš tě nenapadlo, že mám vlastní život. Děkuju za nabídku."

„Vlastní život? A jak to s tebou v tomhle směru vypadá?" Alici zaplanul vztek v očích. „Před dveřma ti stojí zástup kamarádů, co s tebou chtějí jít na večeři?"

Kousla jsem se do jazyka a zachovala vážnou tvář, i když se mě tím dost dotkla. Moc přátel jsem neměla, to měla pravdu. V hlavě mi vyskočila nedávná konverzace s Ashwinem Lagharim. Během posledních let jsem dost přátel ztratila na úkor vlastní kariéry. Většina z nich se po několikátém odmítnutí přestala sama ozývat. Člověku to většinou dojde až ve chvíli, kdy už je pozdě.

„Mám toho spoustu, musím rekonstruovat celý dům." Přesně to budu dělat. Hned co dopiju kávu, zajdu si koupit časopisy o interiérovém designu, taky něco o vaření, pustím se do toho a začnu pořádně jíst. A přihlásím se na nějaké cvičení, pilates a cross fit. Každé ráno budu běhat. Dave, kolega z práce, mě už nějakou dobu přemlouvá, abych se k nim přidala na charitativní pětikilometrový běh. Můžu začít trénovat. Nebo se naučím nový jazyk.

„Claire, posloucháš mě?"

Alice mi mávala dlaní před obličejem. Uvědomila jsem si, že ji vůbec neposlouchám.

„Alice, nemůžeš odjet do Indie. Vždyť to ani nemáš naplánované. Počkej, až holkám skončí škola, až se vrátí máma s tátou. Stejně radši přespávají u nich."

„Ty mi nerozumíš. Když nepojedu teď, tak nikdy. Tohle je příležitost, která se neopakuje. To místo je zarezervovaný na několik let dopředu. Nikdy si to nebudu moct dovolit. Prosím, Claire. Dusím se tady. Jsem s holkama ve dne v noci už deset let v kuse. Zasloužím si přece taky žít. A ony si zaslouží strávit nějaký čas s oblíbenou tetičkou."

„S jedinou tetičkou." Vůbec můj sarkasmus nepobrala.

„Stejně budou většinu dne ve škole. Budeš mít pro sebe spoustu času."

„Alice, já si holky vzít nemůžu!"

„Proč ne? Řekni mi jediný důvod. Je to jen na týden."

Otevřela jsem pusu, abych jí ty důvody jeden po druhém vyjmenovala, pak mě ale napadlo, že bych si to s neteřemi vlastně mohla užít. Je to jen na týden. A já budu doma celý měsíc.

5

„Claire, s tímhle se budeš muset nějak poprat. Neměla jsem na
to čas." Alice nesla ze schodů proutěný koš plný špinavého prá-
dla, který za sebou nechával cestičku z odhozených oděvů. „To
jsou školní uniformy. Holky je potřebují mít na pondělí čisté."
Alice, která za normálních okolností nebyla schopná najít
a zaplatit někoho, kdo by jí ostříhal živý plot, si dokázala zare-
zervovat letenku do Indie, objednat se na potřebné vakcíny a sba-
lit svým dcerám věci do černých plastových pytlů.

Byl pátek večer, čtyři dny po tom, co jsem na Alici narazila na
ulici. Přijela jsem si vyzvednout neteře, které se mnou měly strá-
vit následující týden. Jejich máma druhý den brzy ráno odlítala.

„A co škola, v kolik tam musí být? A v kolik končí? Ví uči-
telky, že jsou u mě? Jak se vůbec jmenují?" Bylo toho tolik, co
jsem nevěděla. A co mají znamenat ty pytle, to Alice nemá nor-
mální tašky? Jak to tady všechno zvládnu? Potřebuju přece se-
znam míst, kam mají jít, potřebuju jména a telefonní čísla.

„Přestaň vyšilovat, Claire. Poppy ti všechno řekne. Jen dávej
pozor, aby moc nesekýrovala Avu."

„Já nevyšiluju." Starat se o dvě děti pro mě představovalo
nečekanou zodpovědnost. „Jen se ptám na základní informace.
Jako jídlo. Co ty holky vlastně jí?"

Alice protočila panenky. „Jídlo? Jsou to děti, ne mimozemšťani. Jí to, co všichni ostatní. Rybí prsty, špagety, kuřecí nugety. A podobný věci. Vážně, Claire, je na čase, abys začala žít normální život."

„A ty bys měla přestat být tak útočná. Jestli sis nevšimla, nabízím ti pomoc."

Alice na mě zamrkala. Nebyla zvyklá, že se jí lidi stavěli do cesty. Moji rodiče o tom věděli své. Já jsem tak trpělivá nebyla.

„Doufám, že mají rády pizzu," prohlásila jsem do náhlého ticha. Alice se schovala pod schodiště, kde předstírala, že něco hledá. Ignoruj nebo se tomu vyhni, to byla její strategie, když se jí do života připletly věci, kterým nechtěla čelit.

Pak se vynořila s jednou dětskou botou v ruce. „Možná s nima budeš muset jít nakupovat. Poppy pořád kňourá, že ji tlačí boty. Už zase."

„To zvládnu. Ještě něco?"

„Ne."

Následovala jsem ji do obývacího pokoje plného rozházených věcí, kde její starší dcera, desetiletá Poppy, sledovala televizi. Byla doslova samá ruka, samá noha. Její oblečení vypadalo, že se jím za každou cenu snaží pokrýt většinu kůže. Naštěstí bylo, na rozdíl od mladší Avy, relativně čisté. Šestiletá Ava měla neuvěřitelnou schopnost přitahovat k sobě špínu všeho druhu. Vždycky vypadala, jako kdyby proletěla roštím. Upatlaný obličej lemovala změť zacuchaných pramenů vlasů, kolena měla odřená a tričko většinou polité pomerančovým džusem.

„Dobře, zlatíčka. Je čas jít. Teta Claire si pro vás přijela."

Ava si začala do náruče skládat hromadu hraček, kterou kolem sebe mezitím rozestavěla, a ve chvíli, kdy zvedla další, jí jedna z náruče upadla.

„Ale Alice, ten film ještě neskončil," řekla Poppy a ani nezvedla oči od obrazovky. Bylo jí deset a říkat vlastní matce jménem bylo stejně cool jako nenechat se objímat od svojí tety. I když jsem si nebyla jistá, jestli ji v tom Alice náhodou nepodporovala.

Kdysi dávno, když ještě byla menší a já jsem je hlídávala, jsme byly kamarádky.

„Teta Claire má taky televizi." Alice se odmlčela. „Bože, máš televizi, doufám? Nepřekvapilo by mě, kdybys ji neměla."

Unaveně jsem se na ni podívala. „Možná tě to překvapí, ale televizi vlastním. S pořádnou úhlopříčkou."

„Samozřejmě, paní zazobaná. Ne každý si může takový věci dovolit." Rty se jí stáhly do tenké linky.

Dobře, možná jsem si neměla dělat legraci z její staré televize, ale občas mi prostě lezla na nervy a já jsem si nemohla odpustit malé rýpnutí.

„Máš tam pohádky?" zeptala se Ava, která najednou zvedla pohled od hraček.

„Myslím, že jo."

„Ne asi, ty blbko," vyštěkla na ni Poppy.

„Nejsem blbka."

„Ale seš."

Ava se zvedla, došla k sestře a zatahala ji prudce za cop. A pak jí hodila hračku na hlavu. Poppy ji však chytila a pohotově ji hodila zpátky na svoji sestru, kterou zasáhla přímo do obličeje.

Ava začala okamžitě kvílet.

„Poppy!" vykřikla Alice a přiběhla k Avě, aby ji vzala do náruče. „To je v pořádku, holčičko. Poppy, okamžitě se sestře omluv."

Zamračila jsem se. Tohle nebylo fér. Ava si očividně začala, tenhle scénář mi byl podezřele povědomý.

Poppy semknula naštvaně rty a zadívala se na Avu. „Sorry," procedila pak mezi zuby.

Alice Avu ještě chvilku chovala v náruči, dokud se z jejího hrdla nepřestaly ozývat srdceryvné vzlyky. „Poppy, seš starší, měla bys na sestru dávat pozor."

Známý vzorec chování, pomyslela jsem si.

Chovej se k Alici hezky, je přece mladší. Nesmíš jí ubližovat.

„A co dům?" zeptala jsem se. „Účty a tak, něco, o co se mám postarat?"

Alice pokrčila rameny. „O to se stará táta. Všechno odchází z jeho účtu."

Otec se skutečně postaral o všechno. Na společné večeři před jejich odjezdem si mě vzal bokem a požádal mě, abych dávala na Alici pozor, zatímco tady nebudou. „Tomu chlápkovi, co stříhal ten živý plot, bych nejradši zakroutil krkem. Stálo mě to sto padesát liber. Viděla jsi, jak to křoví zřídil? Alice potřebuje s takovými věcmi pomoct."

Samozřejmě že potřebuje. Nepřítomně jsem se poškrábala na ráně, která se konečně díky antibiotikům začínala hojit.

„Ještě něco?"

„Asi ne." Stála u dveří, aby nás vyprovodila, a zamávala dcerám, které už seděly v autě.

„Kdo chce na večeři domácí pizzu?" zeptala jsem se, když jsem sedla za volant, odhodlaná se na sedm dní proměnit ve veselou tetu Claire, díky které holky nebudou tolik tesknit po mámě.

„Já, já!" volala hlasitě Ava ze zadní sedačky.

„To zní jako zábava," odtušila Poppy se souhlasným kývnutím, zatímco se připoutávala vedle mě.

Přikývla jsem. Byly to hodné holky. Neviděla jsem jediný důvod, proč bychom spolu neměly ten následující týden přežít bez újmy. Jen jsem je musela přes víkend nějak zabavit, přes týden je vypravit do školy a večer jim dát něco k jídlu. Do hlavy se mi začal vkrádat podivný pocit plný pochyb. Co když to všechno nezvládnu? Co vlastně vím o dětech?

6

Ach jo, umírala jsem. Pondělí ráno a už jsem litovala, že jsem se do něčeho takového pouštěla. Zavřela jsem oči a přála si, abych byla v kanceláři, kde jsem přesně věděla, co dělám. Kdo by řekl, že dostat dvě děti z postele, obléknout je, nakrmit a připravit do školy bude tak těžká práce? Momentálně jsem nevěděla, co si počít s vlastním životem. Jak mě napadlo, že se do toho budu umět postarat o dvě malé holky?

I když jsem několikrát pustila pračku – podezírala jsem Alici, že si to špinavé prádlo pro mě schovávala několik týdnů –, nestihla jsem vyprat Poppyinu školní košili, takže mi ráno předvedla ukázkovou pubertální scénu. A když jsem navrhla, aby si oblékla tu, co na sobě měla minulý týden, myslela jsem, že rovnou omdlí.

„To nemyslíš vážně?!" zakřičela. „To by byl můj konec."

„Tak hrozné to zase nebude," řekla jsem a skoro se nad jejím patosem rozesmála, i když to vlastně nebylo vůbec k smíchu. Odebrala jsem se do prádelny, kde jsem z hromady vytáhla maličkou košili s krátkým rukávem a logem školy a trochu ji protřepala. Připadala mi úplně čistá.

„Tady máš. To ti musí stačit, zbytek dneska vyperu."

„Nééé," zakvílela.

Zavřela jsem oči a počítala do deseti. „Poppy, jen pro dnešek, prosím, obleč si tu košili."

„Ne! Seš na mě hnusná a protivná." Pak mi košili vytrhla z ruky a práskla za sebou tak rázně dveřmi, až v policích nadskočilo nádobí.

„Nemám hotový úkoly," oznámila mi minutu nato Ava od kuchyňského stolu, kde jedla k snídani toust. Nad našimi hlavami se ozývaly Poppyiny kroky.

„Předpokládám, že za daných okolností to tvojí učitelce nebude vadit," odpověděla jsem klidným hlasem. *Proč mi to neřekla už včera?*

„Myslíš?" nevěřila mi Ava. „Někdy se strašně rozčiluje." Začala bezmyšlenkovitě vytahovat všechny věci ze školního batůžku, nekonečné listy papíru, knížky a části tvůrčích projektů, když vtom se shora ozvalo další bouchnutí dveří. „Líbí se ti můj lampion?" zvedla nad hlavu pomačkané kousky barevného papíru slepené k sobě lepicí páskou. „Ha, tady," konečně našla žlutý sešit.

„Co jste měli za úkol?" zvedla jsem oči ke stropu a přemýšlela, jestli se mám vydat za Poppy.

„Hláskovat slova."

„Možná to můžeme procvičit cestou do školy."

Jenže Ava už si nalistovala příslušnou stránku a s jazykem mezi zuby začala přepisovat jednotlivá slova.

„Avo, musíš se jít obléknout." Řekla jsem to jasně a zřetelně, i když se mě začínala zmocňovat panika.

„Ale..."

„Na to teď nemáme čas."

„Prosíííím, teto Claire." Oči se jí začaly plnit slzami. „Zase budu poslední, vždycky jsem poslední, a Lucy Chambersová má úkoly vždycky ze všech nejlepší."

Zamračila jsem se. Holky se celý víkend chovaly na jedničku a z mého pohledu braly dost odvážně to, že jejich máma odcestovala tak daleko. Navíc bez nich. Alice jim ten výlet podala tak, že jim přiveze něco pěkného. Moc jsem tomu nevěřila. Tábor, kde měla být celý týden ubytovaná, se nacházel na úpatí Himáláje a byl vzdálený několik hodin od Dillí. Vypadalo to tam nádherně, ale taky dost opuštěně.

„Dobře, máš dvě minuty. Jdeme na to."

Jak mě mohlo napadnout, že mi pro ty dvě cácorky bude ráno stačit jen hodina a půl? Že v klidu vyjedeme v půl deváté a do školy dorazíme ještě s předstihem?

A teď se zdálo, že nedokážu v tempu, které jsem zvolila, udržet dech. Šlo o můj první pokus dostat se do kondice. Předklonila jsem se a snažila se popadnout dech. *Umírám, určitě umírám.*

Se sípáním v plicích jsem se narovnala. Tohle měl být začátek, ne konec. Nakonec jsem si nemohla pomoct, šlo přece jen o zřejmý důvod, kontaktovala jsem kolegu z práce ohledně charitativního běhu. Měla jsem se radši zeptat, jak jim to v kanceláři beze mě jde.

S odporem jsem se ohlédla, abych odhadla, kolik jsem toho vlastně uběhla. Proboha, vždyť to byl jen kousek!

Tady pomůže jediná věc. Káva. A díky bohu, kavárna U Šťastného zrnka nebyla zase tak daleko. Přemluvila jsem roztřesená kolena, aby se dala znovu do pohybu, a pomalu jsem došla ke kavárně, vděčná za pětilibrovku, kterou jsem si při odchodu rychle zasunula za pouzdro telefonu.

S kávou v ruce, vědomá si svého rudého obličeje a zpocených kruhů pod pažemi, jsem vycouvala z kavárny a usadila se na lavičce na malém vydlážděném prostranství obklopeném nízkým křovím a květináči s pivoňkami snad ve všech odstínech červené a růžové. Konsternovaně jsem na ně hleděla, taková krása! Kdy jsem si naposledy uvědomovala pestrost květin, které jsem viděla kolem sebe? A měla čas se posadit a kochat se jimi? Nebo k nim přivonět? Všechno kolem mě bylo celou dobu jen šedé. Naklonila jsem se k jednomu obrovskému květu a přičichla si.

„Jsou nádherné, že?" ozval se hlas nad mojí hlavou.

Překvapeně jsem vzhlédla a spatřila postarší ženu se svatozáří bílých vlasů kolem hlavy. Okamžitě mi proletělo hlavou, že ji odněkud znám.

Posadila se vedle mě na lavičku a málem rozlila kávu, kterou jsem si tam položila.

„Úžasné ráno. Klidně pokračuj v rozjímání nad krásami přírody, na mě se neohlížej."

Překvapeně jsem se na ni usmála. Většinou jsem se nad květinami takhle nedojímala, zřejmě jsem vypadala jako blázen. Kdybych na sobě aspoň měla svoje běžné oblečení, nepřipadala bych si tak divně. Chtěla jsem jí vysvětlit, že mám zodpovědnou práci a vysokou pracovní pozici. Místo toho jsem zavřela oči, jako bych ji tím snad vymazala ze své blízkosti. Zároveň jsem toužila po konverzaci s někým dospělým. Za celý den jsem vlastně s nikým kromě holek nemluvila. Možná bych měla zavolat Ros a zeptat se, jak to beze mě zvládají. Při vzpomínce na hromadu papírů, která ležela na mém stole, mi zatrnulo. A pak jsem oči zase otevřela.

Ten pohled! Veselé modré oči na mě hleděly zpoza… kelímku s kávou!

„Klidně si nabídněte," řekla jsem s ironií v hlase, což paní očividně nepobrala.

„Když jinak nedáš." Bez rozpaků mi pokynula kelímkem a usrkla si. „Výborná! Miluju kávu. To mi chybělo."

Chvilku jsem na ni hleděla, rozhozená její lehkovážností.

„Neměla bych ji pít," řekla. „Pro staré lidi je prý nebezpečná. Jak to, že všechno, co dobře chutná, je pro lidi nakonec špatné? Co třeba růžičková kapusta? Ta chutná odporně a to nemluvím o tom, co dělá se zažíváním. Když ji můj strýček Vincent snědl, mohli evakuovat celou místnost... Proč není kapusta pro lidi špatná? Nebo takový tuřín, další odporná zelenina bez chuti, ten by mohl být označený za nevhodný místo vína nebo čokolády. Jak ráda bych si teď dala skleničku malbeku. A doktoři mě pořád poučují. Říkám jim, že už jsem stará na to, abych takové věci řešila...Ale to ne, prý mám pít kávu bez kofeinu. To určitě. Je to zločin proti lidskosti. Bůh přece stvořil kofein z nějakého pádného důvodu. Ne že bych s ním byla nějaká kamarádka. Možná budu, až nastane moje hodinka. Všimla sis, že si všichni myslí, že musejí být s bohem zajedno? Já teda ne. Jestli se mu nebudu líbit taková, jaká jsem, jeho smůla." Pak mi kelímek vrátila. „Tady máš, drahoušku. Neboj se, pila jsem z druhé strany a netrpím ničím, co by stálo za řeč. Nebo si to aspoň nepamatuju." Zatvářila se, jako by nad svým zdravotním stavem vážně přemýšlela.

Zacukaly mi koutky. I když jsem si chtěla zachovat odstup a tu podivnou osůbku ignorovat, její projev mě zaujal. Líčila věci tak, jak je viděla.

Při pohledu na okraj kelímku mi bylo nadmíru jasné, ze které strany pila. Zůstal tam po ní otisk fialové rtěnky. Usrkla jsem si z druhé strany. Jaký je asi život bez kávy?

„Já jsem Hilda."

„Claire."

„Tak co tady přesně děláš?" Zadívala se mi na nohy. „Běháš?" Pak zvedla do vzduchu vlastní fosforové tenisky a se zalíbením si je prohlížela.

Zasmála jsem se. „To jsem měla v plánu. Ale trochu jsem vyšla ze cviku. Zatím se jen tak procvičuju, moc daleko jsem se dneska nedostala."

„To se časem spraví. Ještě jsem tě tady neviděla. Běhání je zdravé. Krůček po krůčku, ono to půjde." Pak mě štípla do stehna. „Vyplaví se ti endorfiny. Pracuješ v kanceláři, že?"

Přikývla jsem. Nechtěla jsem přiznat, že jsem na nucené dovolené. Cítila bych se trapně, kdybych musela vysvětlovat proč. Tahle podivná babča by si mohla myslet, že jsem se nedobrovolně vzdala práce i když mi vlastně nic není. Nervózně jsem si přisedla dlaně. Doktor to vážně přehnal, klidně jsem se mohla příští týden vrátit do kanceláře. Jen jsem se potřebovala pořádně vyspat.

„Nechceš si zadělat na kancelářský zadek, co?"

„Prosím?"

„Zadek, z toho nekonečného sezení."

„No, to ne."

„Jak říkám, krůček po krůčku. Ani se nenaděješ a běháš maraton," řekla, jako by jich sama uběhla pět. „Vsadím se, že se tu budeme často potkávat. Jak jsi říkala, že se jmenuješ? To je odvrácená strana stáří, všechno hned zapomeneš. Až ti bude tolik jako mně, hlavu budeš mít taky plnou informací. Aby se tam něco nového vešlo, budeš muset něco zapomenout."

Usmála jsem se a vůbec jsem se nezlobila, že si moje jméno nepamatuje.

„Claire."

„Moc mě těší, Claire. Vítej ve velíně."

„Velíně?" Tahle paní uměla během pár vteřin přejít od rozumné a citlivé k podivínské babičce. Vážně jsem nevěděla, co si o ní mám myslet.

„Ano, tohle je moje pozorovatelna. Odtud vidím všechno, co se v parku děje." Pohladila obrovskou růžovou pivoňku, která se k ní nakláněla na konci lavičky, jako by to byl rozkošný pejsek. „Moje osobní velitelství. Žiju v téhle čtvrti už dobrých šedesát let." Mávla rukou k domkům na jižní straně parku. „Bydlela jsem támhle, to byl můj syn ještě malý. Tenkrát jsme sem chodívali každý den. Na houpačky, krmit kachny, hrát si s dětmi." Pak si povzdychla. „Rostou tak rychle. V jednu chvíli ti visí na paži a v druhé už si balí kufry a stěhují se do vlastního. Nebyl tady už roky. Máš děti?"

„No… ne."

„Nezníš moc přesvědčivě."

„Starám se teď o své dvě neteře. Jejich máma odjela na týden pryč. Právě jsem je odvezla do školy."

„To musíš mít o zábavu postaráno. Kolik jim je?"

Hlavou mi znovu probleskla vzpomínka na dnešní zběsilé ráno. „Poppy je deset a Avě šest."

„Krásný věk. Škoda že jednou vyrostou. Z mého syna se stal nafoukaný snob."

„A kolik je mu vlastně let?" Spolkla jsem reakci na její poznámku.

„Pětačtyřicet, ale chová se na pětadevadesát." Zakroutila hlavou a nespokojeně našpulila rty. „Nikdy nikoho nenechej, aby tě odložil do domova důchodců. Chodím sem každý den, jen abych z toho pekelného místa na chvilku vypadla."

„Kde bydlíte?"

„V pekle, copak jsi mě neslyšela?" Věnovala mi rošťácký úsměv. „Jinak zvaném Dům s pečovatelskou službou Na Výsluní pro polomrtvé a pomatené. Můj syn na tom trval. Když jsem před lety upadla a měla jsem problémy s kyčlí. Chtěl mě poslat do domova důchodců někde na pobřeží. Jsem sice stará, ale ne senilní." Pobaveně na mě mrkla. „Tak jsem začala znovu běhat, jen abych ho namíchla."

„Proč by ho to mělo namíchnout? Myslela bych si, že na vás bude hrdý, ve vašem věku…" Pak jsem se radši odmlčela.

„Ale holčičko, neboj se. V mém požehnaném věku. To klidně můžeš říct. S takovýma vráskama už se nemůžu ani urazit. Když budu každý den běhat, doktor mě nemůže prohlásit za nesoběstačnou a pořád ještě můžu bydlet sama. Každý den oběhnu celý park. Každý den. V dešti i za sluníčka. Nikdo mě nezastaví."

„Už jsem si vzpomněla!" vyhrkla jsem najednou. „Ta žlutá teplákovka." Vyplašení holubi. Kávová pohroma.

„Ta je moje oblíbená. To je od tebe hezké, že sis všimla. Mám úplně stejnou v zelené barvě. To mi připomíná, že jsem se ještě neprotáhla. V mém věku je to nutnost."

Postavila se a začala se protahovat. Pobaveně jsem ji pozorovala, jak kolem mě nadšeně mává pažemi.

Pak začala na místě vyklusávat a mávla na mě. „Tak ahoj, zlatíčko. Uvidíme se zítra."

Pokrčila jsem rameny. Co bude zítra? Dnešek mě o pravidelném pohybu příliš nepřesvědčil. Možná jsem se s tím e-mailem ohledně charitativního běhu trochu unáhlila. Běžící pás v posilovně mi tak náročný nepřipadal. Možná bych měla sednout na vlak a zajet si do Leedsu do posilovny.

Babča se mezitím protáhla a vydala se pěšinkou kolem parku, kde splynula se stejnými nadšenci.

Sledovala jsem, jak mi mizí z očí. Vlastně bylo příjemné s někým si popovídat. Zábavná postavička, několikrát mě rozesmála. Uvědomila jsem si, jak uvolněnou mám teď tvář, místo toho urputného výrazu, který jsem nosila dřív. Kdy jsem vlastně naposledy cítila něco jiného než úzkost z toho, že něco nezvládnu?

7

Když jsem vešla do kuchyně, vypadala, jako by se jí prohnalo tornádo. Stůl politý mlékem, v miskách zaschlé cereálie připomínající lepidlo na tapety, okousané okraje toustu, které po sobě zanechala Ava, louže pomerančového džusu táhnoucí se od kuchyňské linky po schodech až na krémový koberec u vstupních dveří. *Dýchej, Claire, dýchej!*

To je v pohodě. To zvládnu. Podařilo se mi dostat holky do školy. Jen s pětiminutovým zpožděním. Ani jsem se nesnažila zkontrolovat ložnici, kde určitě na zemi leží zapomenuté části školní uniformy. Kdo mohl vědět, že tak malé děti produkují tolik špinavého prádla? Ava přitahovala zbytky jídla, bláto a skvrny od fixů jako magnet. Fleky od džusu měla dokonce i na bílých ponožkách. I když jejich barvu bych popsala spíš jako šedivou. Bílé je dokázala udržet jen pár minut po obutí.

Nepořádek mi doslova podráždil smysly. Uvědomila jsem si, že se ke mně vrátil starý známý pocit, že se brzy stane něco špatného. Když jsem utřela džus z podlahy v blízkosti lednice, zjistila jsem, že je pod ní podlaha pořádně špinavá. Takže jsem ji odpojila ze zásuvky, odtáhla od zdi a pořádně prostor uklidila. A pak jsem si všimla, jak je bok kuchyňské linky, který s lednicí sousedil, celý od mastnoty. Stejně jako digestoř nad sporákem, na kterou jsem teď měla nezvyklý výhled. S každým kbelíkem horké vody se saponátem jsem si připadala jako čarodějův učeň. Na cokoliv jsem sáhla nebo s tím pohnula, všude se objevila další špína. Dlaždičky na zdi, zeď vedle sporáku, podlaha. Zastavila jsem se a uvědomila si, jak jsem zadýchaná.

I když můj mozek registroval počáteční paniku, ruce stále vytahovaly další police a rošty z trouby, aby je ve dřezu plném pěny vydrhly.

Tohle je šílené. Měla bych být v práci u počítače, ne si tady hrát na hospodyňku. V práci, kde jsem přesně věděla, co je třeba dělat. Kde jsem měla celý seznam projektů a reportů, které bylo třeba dokončit. Data, která jsem měla analyzovat. Ve schránce mám určitě tisíc e-mailů, na které nikdo neodpověděl.

Chyběla mi rutina, každodenní dojíždění. Vstávat v šest, odejít patnáct minut před sedmou. Obléknout si nějaký hezký kostým. Být někdo. Někdo, koho ostatní uznávají. Moji kolegové přesně věděli, kdo jsem. Hlavní manažerka. Chybělo mi být v jednom kole.

Ach jo, potřebovala jsem se nějak odreagovat.

Popadla jsem časopis o vaření, který jsem si nedávno koupila. Budu vařit. To zní jako výborný nápad. Aspoň nebudu myslet na tu schůzku, na kterou jsem ráno měla odjet do Bradfordu. Kdo tam jel místo mě? Bude prezentovat moji práci pod svým jménem? Zeptá se klient, kde jsem? Moje firma jim určitě nebude prozrazovat, že jsem na nemocenské kvůli stresu. Určitě ne. Najdou poznámky, které jsem si k tomu připravila?

Zoufale jsem časopis zase odložila. Podívala jsem se na hodinky a všimla si pavučiny v rohu. Měla bych zavolat Ros a říct jí, kde najde ty poznámky? Může jim je poslat e-mailem. Cítila jsem, jak se mi při té myšlence zvedá srdeční tep.

„Ahoj Ros, to jsem já," řekla jsem ve stejnou chvíli, kdy jsem se smetákem snažila zbavit pavučiny.

„Claire, jak ti je?"

„Fajn," vyštěkla jsem naštvaně, protože jsem si všimla další pavučiny ve druhém rohu. „Nejsem nemocná."

„Ne, to nejsi. Ale jestli voláš kvůli práci, vůbec se s tebou nebudu bavit. Ale můžu ti říct, že Ted dostal jedničku z přírodopisu, Rissa měla minulý týden vystoupení tanečního kroužku a Tom vychytal výhru v kriketu."

„Jen jsem chtěla, abys řekla tomu, kdo místo mě…"

„Claire! Jsi na nemocenské. Dneska mi nešéfuješ. Takže ti klidně můžu odporovat. Uklidni se a vypusť práci na chvilku z hlavy. Všechno tady šlape, pak se k tomu vrátíš. Chybíš nám, ale musíš se dát do pořádku."

„Ale já přece…"

„Sice nejsem doktorka, ale taky jsem si všimla, že jsi posledních pár měsíců nebyla ve své kůži."

„Cože? To je přece blbost!" Sotva jsem to řekla, začaly se mi třást ruce.

„Claire. Jela jsi naplno už dost dlouho. Využij toho, že máš klid. Zkus něco nového, nauč se tancovat, užij si slunce, květiny. Užij si to, že nemusíš být nikde celý den zavřená. Je to jenom práce, zlato."

Natáhla jsem se po pavučině a zjistila jsem, že se mi vážně třesou ruce. Mám dělat něco, co mě baví? Jako co? Bavilo mě chodit do práce. Byla jsem tam ráda.

Nikdy to pro mě nebyla *jen* práce. Jsem kariéristka.

Strachy se mi sevřel žaludek.

Nepovýší někoho, kdo musel jít na nemocenskou kvůli stresu. Mám po kariéře. A taky mám hrozný nepořádek v kuchyni. Nedokážu ani vypravit dvě holky do školy. Jak bych mohla zachránit svoji pozici v práci?

Panika, která mě jako stín pronásledovala celé ráno, mě najednou zahltila jako lavina. Vyschlo mi v krku a začalo mě bolet na hrudníku.

Opřela jsem se čelem o stůl a začala plakat.

Záchvat pláče mě úplně vyčerpal. Byla jsem schopná tak akorát zvednout hlavu a opuchlýma očima sledovat tu spoušť v kuchyni. Ani jsem se nemohla udržet na nohou. Potácela jsem se po místnosti jako čerstvě narozená žirafa.

Úplně poprvé jsem v duchu souhlasila s doktorem Boulterem. Možná bych se nad sebou měla zamyslet a začít se o sebe trochu víc starat. Očividně jsem byla víc než jen unavená a nevyspalá. Schoulila jsem se do klubíčka na špinavé podlaze, která nevypadala o nic líp ani po zběsilém drhnutí, a zahleděla jsem se na červeno-oranžovou tapetu na protější zdi. Tohle měl být můj „dospělácký" domov, kterým se budu chlubit na Instagramu. Přitom byl k smíchu. Vždyť jsem tady vůbec s ničím nepohnula. Bylo to moje naprosté selhání.

Musela jsem se dát nějak dohromady. Dokázat v práci, že se zvládnu dát do pořádku. Doktor Boulter měl možná pravdu o mém zdravotním stavu, ten stres si ale mohl odpustit. Já to zvládnu. Znovu jsem se natáhla po časopise o vaření. Mám na to tři týdny. Naučím se vařit kvalitní, plnohodnotná jídla. Postavím se znovu na nohy. Začnu cvičit. Ale bude mi to k něčemu?

Na hřišti jsem neznala nikoho z rodičů a připadala jsem si stejně nejistě, jako když jsem Avu ráno odváděla do školy. Poppy byla očividně dostatečně stará na to, aby byla propuštěná ze třídy přímo do divočiny, kde si mě sama našla. Alice mi ve škole vyřídila povolení k vyzvedávání obou holek, přesto jsem se v pondělí musela ohlásit Avině učitelce, slečně Parrové, kterou moje neteř očividně obdivovala.

Se skloněnou hlavou jsem hleděla na displej telefonu, abych se vyhnula zvídavým pohledům přítomných matek. Řekla jim Alice, co se stalo? Cítila jsem se trapně, že by mohly vědět o mém zdravotním stavu a o tom, že jsem na neschopence.

Zbytek odpoledne jsem strávila vařením a snahou o úklid ložnice, kterou teď společně obývaly Ava s Poppy. Ani jedna nebyla sdíleným pokojem nadšená, ani já bych nebyla, ale po přestěhování z dvoupokojového bytu v Headingly jsem neměla čas vybavit třetí ani čtvrtou ložnici nábytkem.

Avina zmuchlaná část postele vypadala, jako by se po ní celou noc proháněla skupinka šílených veverek a pohrávala si s plyšáky, které Ava prostě nemohla nechat doma. Bylo jich celkem devět, každý z nich měl své jméno a každý z nich musel před spaním dostat pusu na dobrou noc. Poppy se spaním moc nenadělala, zalezla si pod peřinu a otevřela oblíbenou knížku. Momentálně četla sérii *Smrtislav Hezoun* s dost strašidelnou obálkou. Její strana postele byla úhledně ustlaná s pyžamem poskládaným na polštáři. Avina horní část pyžama visela z noční lampičky a spodní ležela pod postelí.

Když jsem dala pokoj do pořádku, s úlevou jsem zjistila, že jsou skoro tři a že je čas vyzvednout holky ze školy. Nějak jsem svůj první den bez práce přežila.

Při odchodu mi Avina učitelka pokynula, abych k ní přišla, takže jsem okamžitě začala přemýšlet, co jsem ráno zapomněla udělat.

Strnule se na mě usmála. „Bylo by dobré, kdybyste si s Avou četla. Snažíme se děti motivovat k tomu, aby četly každý den.“

Změřila jsem si Avu přísným pohledem a zamračila se. Její vlasy připomínaly ptačí hnízdo, na hony vzdálené úhledným copánkům, které jsem jí ráno zapletla. „Taky by si mohla doma procvičovat slabiky a hláskování…" Odmlčela se a obdařila mě úsměvem, který rozhodně nebyl příjemný, spíš připomínal napomenutí. „To by jí rozhodně prospělo."

„Samozřejmě," odpověděla jsem možná trochu moc příkře, jak jsem se snažila být co nejlepší náhradou jejich mámy. Ucítila jsem v dlani Avinu ručku a vzpomněla jsem si na její slzy, když ráno plakala, že je pokaždé poslední.

Měla jsem v plánu se na to Alice zeptat, až zavolá, ale od té doby, co odletěla, se ještě neozvala, což pro ni bylo vlastně typické. Abych nějak zahnala podráždění, poslala jsem jí zprávu, ve které jsem jí popsala, že se holky mají výborně, a navrhla jsem jí, aby jim večer zavolala.

Určitě se tam někde dostane k internetu. Vždyť i máma mi poslala e-mail odněkud zprostřed oceánu. Byla nadšená, když zjistila, že Alice dostala možnost na chvilku odjet a já jsem se postarala o její dcery. Jsem to ale hodná sestra.

„Přinesla jsi svačinu?" zeptala se Ava, když jsme společně přešly hřiště a blížily se k poskakující Poppy.

„Ne, ale můžete si dát něco, až přijdeme domů."

„Ale já mám hrozný hlad," zakňučela. „Koupíš nám něco po cestě?"

„Počkáte, až se vrátíme domů. Koupila jsem banány a hroznové víno."

Ava naštvaně našpulila rty, a tak jsem se otočila k Poppy. „Ahoj," pozdravila jsem ji.

„Ahoj, teto Claire, mám pozvánku na školní výlet, můžu jet?"

„Já taky," oznámila Ava a zamávala školní taškou.

„Tak pojďme domů a tam si to přečteme," řekla jsem s uspokojením, že mě někdo potřebuje. To přece zvládnu. „Kdo si dá boloňské špagety?"

„Já, já!" zvolala Ava a začala kolem mě nadšeně tancovat.

„Moje oblíbený jídlo," řekla Poppy o poznání tišeji. „Vařila jsi je sama, nebo jsou z konzervy? Ty jsou plný tuku." Zatvářila se odmítavě.

„Uvařila jsem je sama," řekla jsem. „Teda tu omáčku."

„Sama?" Ava mě obdařila obdivným pohledem a Poppy souhlasně přikývla. Musela jsem se usmát. Tahle hrdinská role se mi líbila. Po tom dopoledním zhroucení to byl balzám na moji rozbolavělou duši. Takový pocit zadostiučinění jsem necítila hodně dlouho. Pokud ze mě obyčejné špagety udělají superhrdinku, jen to dokazuje, jak hluboko jsem klesla.

Naslouchala jsem veselému švitoření o škole, co jedly, jak skvělá je Lucy Chambersová v matematice, jak by pětidenní výzva jíst ovoce a zeleninu měla být desetidenní a další nutriční zajímavosti, které se Poppy dozvěděla v hodině přírodopisu, až jsme se dostaly na okraj parku. Stejného parku, kde jsem si ráno připadala jako ubohá troska. Jak rychle se můžou věci změnit.

„Můžu na houpačky? Prosím! Prosím!" zeptala se Ava, její nožky už se odklonily z hlavní cesty, která vedla k mému domu, a mířily k dětskému hřišti.

„Nevadí, když se tu zdržíme, Poppy?" zeptala jsem se a zkontrolovala čas. Měly jsme před sebou celé odpoledne a žádné plány na obzoru. Ne jako Rosiny děti, které chodily do skauta, na balet, na trampolíny a fotbal, kam musely každý den po škole docházet. Aliciny děti očividně žádné aktivity po škole neprovozovaly.

Překvapeně se na mě podívala a pokrčila rameny. „Nevadí. Budu si číst."

Všimla jsem si, že se většinou podřizovala Avě, aniž by se jí někdo zeptal, co si o tom myslí. Alice většinou stála na straně mladší dcery a starší prostě musela zastávat postoj rozumné sestry. Tuhle roli jsem si sama moc dobře pamatovala.

Došly jsme ke hřišti, kde se nacházelo pár houpaček, kolotoč, klouzačka, lanová prolézačka a několik zvířátek na pružinách, ke kterým Ava okamžitě zamířila. Poppy se posadila na houpačku a její dlouhé nohy za pár vteřin lítaly vzduchem jako stébla trávy. Ava pobíhala mezi zvířátky, volala na mě, abych ji sledovala, chytala a povzbuzovala, než jsme se přemístily k houpačkám, kde mi přesně vysvětlila, co mám dělat a kam si mám stoupnout. Její panovačnost mi přišla roztomilá, ale všimla jsem si, jak Poppy obrací oči v sloup z lavičky, kam se mezitím posadila s otevřenou knihou.

O pár minut později jsem uslyšela hlasité čmuchání. Když jsem se ohlédla, zahlédla jsem chlupatého šedobílého voříška za plotem. Po chvíli prostrčil čumák dírou v pletivu a Poppy ho začala hladit po hlavě. Slyšela jsem, jak na něj klidným hlasem promlouvá a zaznamenala jsem, jak psík naklonil hlavu stranou, jako by jí naslouchal. Ten pes vypadal jako ona – hubený, s velkýma hnědýma očima.

„Jéééé, jééé, pejsek!" zakřičela Ava, seskočila z klouzačky a hnala se k plotu, kde stála Poppy. „Pejsééék!" zapištěla ještě hlasitěji, nahnula se přes plot a začala mávat rukama. Pes, který zatím v tichosti přijímal Poppyinu pozornost, začal skákat a hlasitě štěkat, což působilo dost hystericky.

„Přestaň, Avo!" napomenula ji Poppy. „Jenom ho provokuješ."

„Neprovokuju," zaprotestovala Ava a seskočila z plotu. Pes znovu vyskočil. Ava se lekla, spadla na záda a začala plakat.

„Dobře ti tak," pronesla Poppy naštvaně.

Ava naříkala, pes štěkal a Poppy se mračila.

Posbírala jsem tu mladší, posadila se na lavičku a ignorovala řádícího psa. „Stalo se ti něco? Co tě bolí?"

„Zadek," naříkala Ava, zvedla sukni a masírovala si poraněné místo, aniž si uvědomila, že ukazuje celému parku kalhotky. Rychle jsem jí stáhla sukni zpátky.

„Tys toho psa vyděsila, Avo," řekla jsem přísně. „Nejsi zraněná, jen ses lekla. Budeš v pořádku. Podívej, Poppy jen potichu sedí a ten pejsek si ji sám najde."

Ava se na mě podívala, oči už měla bez slz, a nemohla uvěřit, že ji odmítám utěšovat.

Když se konečně uklidnila, pes se zklidnil taky a znovu se snažil mezi částmi plotu dostat co nejblíž ke svým obdivovatelkám. Poppy se natáhla a začala ho hladit po hlavě. „Líbíš se mu, jen se trochu rozdivočil. Podívej, jak je teď klidný. Jako chundelatý koberec." Poppyinu pozornost si očividně užíval, nehybně seděl na druhé straně plotu a pozornýma očima sledoval naši výměnu názorů.

„Hmm," zamyslela jsem se a zvažovala, jestli Avu přimět znovu se pokusit pejska pohladit, aby do budoucna neměla ze zvířat trauma.

„Klidný jako beránek." Poppy ho nepřestávala hladit po hlavě. „Kde má asi páníčka? Nemá ani obojek."

„Možná někomu utekl." Řekla jsem a pořádně si toho špinavého čoklíka prohlédla.

„Vezmeme si ho domů?"

„Ne, určitě najde cestu zpátky," odpověděla jsem rychle. Poslední věc, kterou jsem teď potřebovala, byl další člen domácnosti. Už tyhle dvě cácorky mi daly zabrat. Co bych si ještě počala se psem?

„Prosím, teto Claire!" Ava vyskočila z mého klína a snažila se prostrčit hlavu mezerou v plotu, aby byla pejskovi blíž. Byla přesně ten typ dítěte, které se v plotu zasekne. Musela bych volat hasiče, aby ji odtamtud dostali, kdybych ji hned nezastavila.

„Avo, dávej pozor!" Chytila jsem ji za límec a přitáhla ji k sobě. „Pojďte, půjdeme domů. Říkala jsi, že máš hlad."

„To jo, ale hlad na sušenky nebo čokoládu," řekla a oči jí najednou zářily.

„Tak pojďme domů a podívám se, co tam najdu." Vzdala jsem to, protože jsem věděla, že mám doma sáček s čokoládkami a balení čokoládových sušenek.

Pes nás samozřejmě celou cestu pronásledoval.

„Běž domů!" pobídla ho Poppy rázněji, než jsem od ní čekala.

„Vidíš, chce jít s náma," řekla Ava a zatahala mě za ruku. S očima navrch hlavy vypadala jako andílek.

„To bohužel nejde." Její výraz raněného mláděte mě skoro rozesmál.

„Určitě utekl, protože na něj byli doma zlí," oznámila mi vyčítavě.

„Je divný, že nemá obojek," řekla Poppy.

„To není náš problém," odpověděla jsem rázně. „Ignorujte ho. Brzo ho omrzíte a najde si na hraní někoho jiného." Z nějakého důvodu jsme se všechny tři rozhodly, že je to pes, ne fenka.

Ava se na mě smutně podívala zpoza kudrnatých vlásků, které jí padaly do obličeje. Věděla jsem, že se od toho psa jen tak nehne.

„Domů!" zavolala jsem přísně. „Sušenky, čokoláda."

„Dobře," souhlasila Ava a následovala mě. Poppy mě sjela nesouhlasným pohledem, ale nakonec taky následovala moje kroky, i když co chvíli kontrolovala, jestli jde pes pořád za námi. Ten zřejmě můj názor pochopil, zůstal stát na místě se svěšenou hlavou a staženým ocasem. Nebyl to vůbec můj problém, ale na chvilku mi proletělo hlavou, jestli psi můžou jíst boloňskou omáčku. Ne, poručila jsem sama sobě. I když byl roztomilý a očividně opuštěný, na tohle jsem už neměla sílu.

„No tak, jeho páníček už se po něm určitě shání. Když si ho vezmeme domů, tak ho nebude moct najít.“

„Asi ne,“ souhlasila Poppy a táhla za sebou unaveně nohy.

Té omáčky bylo dost. Když ji propláchnu a psovi dám jen maso, třeba by to nevadilo. Tu myšlenku jsem ale mohla klidně zahnat, protože se někde v dálce ozvalo štěkání a pes se bez rozloučení pustil za ním.

Avu pro změnu zajímalo, jaké sušenky na ni doma čekají.

„Proč nemáš psa, teto Claire?“ zeptala se Poppy, když jsem otevřela hlavní dveře a obě rychle popohnala dovnitř.

Popravdě jsem nad tím nikdy nepřemýšlela. „Jsem celý den v práci a on by tu byl zavřený. Psi potřebují společnost, cítí se osaměle, když jsou sami a nemůžou ven.“

„Jo, máma říká, že máš důležitou práci.“ Zřetelně jsem slyšela nesouhlas v jejím hlase. „A taky že máš spoustu peněz.“

„O tom nic nevím,“ zasmála jsem se. Jaký obnos je vlastně spousta peněz? Nemusela jsem si dělat starosti s placením účtů, ale tolik, abych si mohla bez rozmýšlení koupit ferrari, jsem rozhodně neměla. „Ale mám dost na to, abych koupila crunchies.“

„Crunchies!“ zavýskala radostí Ava. „Moje oblíbená sladkost!“

„To teda nejsou,“ řekla Poppy ostře. „Minulý týden jsi říkala, že je to karamelová čokoláda. Blbko!“

„Nejsem blbka!“ Ava zlostí celá zrudla.

„Nedostanete ani jedno, když se budete pořád hádat,“ řekla jsem a ony konečně ztichly. „Musíte na sebe být hodné.“

„Mám pro tebe obrázek.“ Ava se začala prohrabávat školní taškou a vyhazovala z ní papíry na podlahu. „Dáš si ho na ledničku.“ Mávala na mě obrázkem namalovaným vodovými barvami. „To je housenka. Učíme se o hmyzu. Je to hladová housenka jako já. Je tvoje. Máma už je nemá kam dávat. Kdy se vlastně vrátí domů?" Upřela na mě smutné dětské oči.

Nenápadně jsem zkontrolovala telefon. Žádná zpráva. Co to Alice zkouší?

„Vrátí se brzo, nebojte se. V pátek. Co když jí po svačině zkusíme zavolat?"

Z Avina obličeje se dala vyčíst nedočkavost a podezíravost.

„Ještě čtyři noci," přeložila Poppy moji informaci do dětské řeči a poplácala sestru po rameni. „To už vydržíš."

Vděčně jsem se na ni usmála, vůbec jsem si neuvědomila, že Ava ještě nemá pojem o čase.

„Ano, ještě čtyři noci. Kam přesně mám ten obrázek dát? Nemám žádné magnetky."

Ava, naštěstí už zabraná do nového úkolu, se rozhlížela po místnosti a krčila nos.

„Musím ti namalovat víc obrázků. Vůbec to tady nemáš hezký."

„Avo!" napomenula ji Poppy. „Seš neslušná. Pamatuješ, jak ti máma říkala, že někdy lidem nemůžeš říkat pravdu?"

To znělo jako typická Alicina hláška. Proč bys měl říkat pravdu, když se tomu klidně můžeš vyhnout lží? Jako třeba tvrdit tátovi, že za jeho peníze zaplatila zahradníka.

Ava nespokojeně zafuněla a založila si paže v bok jako hlava domácnosti. Musela jsem se kousnout do rtu, abych zadržela smích. „A jak mám teda vědět, kdy mám říkat pravdu a kdy mám lhát?"

Poppy pokrčila rameny.

„Co kdybych ho dala sem?" řekla jsem hlasitě, abych jejich pozornost odvedla k obrázku, který jsem mezitím opřela o okenní parapet hned vedle osamělého květináče s bazalkou.

Ava roztržitě souhlasila a Poppy se na mě rychle usmála. Vděčná za to, že jsem změnila téma konverzace. Nalila jsem oběma skleničku džusu a dala jim čokoládovou tyčinku ze své tajné skrýše. Jednou jsem odměnila i sebe.

Zatímco se věnovaly čokoládě, posbírala jsem rozházené papíry, ze kterých se vyklubala upozornění na nevrácené knihy ze školní knihovny, nezaplacené obědy, úhradu školního výletu do Harewood Bird Garden a oznámení o třídních schůzkách.

„Máš pro mě taky nějaké oznámení ze školy, Poppy?" zeptala jsem se, když jsme si všechny sedly ke kuchyňskému stolu.

Trochu zahanbeně přikývla a podala mi v podstatě stejnou dokumentaci, jako obdržela Ava. Rychle jsem papíry roztřídila na hromádky podle důležitosti. S některými jsem se mohla poprat sama, další budou muset počkat na Alici. Pak jsem vytáhla šekovou knížku a vypsala částky na jednotlivé platby. Následně jsem se rozhodla pro jistotu prohledat Avinu tašku, kde jsem kromě spousty odpadků našla i tři týdny starou prosbu, aby si Alice domluvila schůzku s učitelkou ohledně dceřina prospěchu. Přidala jsem papír na hromádku čekající na Alicin návrat a v hlavě jsem si poznamenala, že se jí o tom při nejbližší vhodné příležitosti zmíním.

Budu si muset udělat seznam. Když jsem se do něj pustila, všechno se najednou zdálo být mnohem jednodušší. Tohle zvládnu.

Číst s Avou

Hláskovat s Avou

Máš taky nějaké úkoly, Poppy?" zeptala jsem se, abych si je mohla přidat na seznam.

„Matiku." Zatvářila se nešťastně. „Je to těžký."

„Chceš s tím pomoct?"

Oči se jí rozzářily nadšením. „Máma vždycky říká, že to jsou moje úkoly a musím si s tím poradit sama."

„To ano, ale když ti s tím pomůžu, zvládneš to rychleji," navrhla jsem.

Její rozzářené oči mě zahřály u srdce. „To by bylo super."

Připsala jsem si matematiku na seznam. „Co ještě tento týden potřebujete? Čisté věci na tělocvik? Vrátit knížky do knihovny? Něco dalšího?"

„Tělocvik je v pondělí a v pátek," poučila mě Poppy.

Ava neměla ponětí, kdy chodí do tělocvičny ona, ale naštěstí jsem tu informaci našla v jejím poznámkovém bloku.

Všechno jsem si poznamenala. Hned jsem se cítila líp.

„A v pátek máme rýsování, potřebuju padesát centů na nový pravítko."

„A já potřebuju nový ořezávátko, tužku a pero," přidala se Ava.

Než se přiblížil čas večeře, dala jsem dohromady časový plán na celý týden. Okamžitě mi to zlepšilo náladu. Zvládnu to. Jen si to musím dobře zorganizovat.

Když se následující čtyři dny budu toho seznamu držet, všechno pošlape jako hodinky. Budeme jíst kvalitní domácí jídla, holky budou mít všechno připravené do školy a já je tam každé ráno dostanu včas. Pokud tohle všechno zvládnu, je to jasný ukazatel toho, že se dávám do pořádku. Budu zase ta efektivně pracující, chytrá a vynalézavá Claire, kterou jsem dřív byla.

Ještě kdyby se nám konečně ozvala Alice.

8

Třetí den školy. Nemůžu říct, že bych to dotáhla k dokonalosti, ale úspěšně jsem se k tomu blížila. Zavedla jsem holky do školy a vydala se na vlak do Leedsu, kde jsem měla v plánu zajít do posilovny. Běh na pásu bude přece jen pro začátek přijatelnější.

Stát na nástupišti v tak nezvyklou hodinu bylo opravdu zvláštní. Nebyla jsem zvyklá jezdit tím směrem po deváté hodině ráno. Prázdný prostor mě přiváděl k paranoidním myšlenkám, jako by mě těch pár přítomných lidí sledovalo a přemýšlelo, proč jsem tady tak pozdě. Rychle jsem nastoupila do přistaveného vlaku, který měl odjet až za deset minut. Když jsem dosedla, v hlavě mi začalo šrotovat. Co když mě uvidí někdo z práce? Co jim řeknu? Nevypadala jsem, že je se mnou něco v nepořádku. *Nebudou si myslet, že se jen ulívám? Budou mě litovat?*

Vlak se pomalu chystal k odjezdu. Na poslední chvíli jsem popadla tašku a vyskočila ven. Srdce mi bilo jako na poplach, zatmělo se mi před očima a skoro to vypadalo, že omdlím.

Na svěžím ranním vzduchu jsem sledovala vzdalující se vlak a šumělo mi přitom v hlavě.

To je přece šílené! Co se to děje? Vždyť jsem tím vlakem jela už milionkrát! V pondělí se mi to samé stalo v kuchyni. Proč jsem se hroutila v situacích, které mi dřív vůbec nevadily? Úplně bez nálady jsem si u nádražního okýnka koupila kávu. Počkám na následující spoj v parku.

Vyšla jsem z budovy a po několika krocích uhnula z hlavní pěšiny do oblíbené květinové zahrady s lavičkami. Okamžitě jsem si připadala v bezpečí, ukrytá před světem. Posadila jsem se, odložila kávu a složila hlavu do dlaní. Soustředila jsem se na svůj dech, pořád ještě překvapená vlastní reakcí. Vyděsilo mě to. Vždyť nejsem v práci, podle doktora bych se měla cítit mnohem líp.

„Tady jsi. A rovnou připravená na běhání."

Otevřela jsem oči. Hilda.

„Ani ne. Spíš se chystám… pryč." Ještě pořád jsem měla čas jet do Leedsu a zpátky. Další hodina spinningu začínala v jedenáct. Mohla bych tam zajet hned, jak dopiju kávu. Pohyb mi pomůže. Endorfiny a tak. Jen jsem se tam musela nějak dostat.

Lehce jsem se na tu osobu usmála. Dneska na sobě měla zelenou teplákovku a vtipně poskakovala na místě. Za jiných okolností bych se jejímu počínání musela smát.

„Když se nechystáš běhat, kam máš teda v těch černých legínách a s obrovskou taškou namířeno? Chystáš se někoho vykrást? Máš tam nářadí?" Ve tváři se jí zračil zájem. „Víš, jak otevřít zámek?"

„Ne." Musela jsem se zasmát, ta babča byla neskutečná. „Ale občas by se to mohlo hodit."

„To teda," prohlásila Hilda, jako by se denně snažila dostat do cizího domu. „Někdy tě to naučím. Jednu dobu jsem se vloupávala do domu svého exmanžela. Jen jsem tam pohnula nějakýma věcma a zase šla pryč. Abych ho zmátla." Zvedla poťouchle obočí.

Kdo ví, jestli mi říká pravdu. Myslím, že jí trochu haraší v hlavě. „Bohužel se chystám do posilovny." Řekla jsem to nahlas. Jsem o krok blíž, teď už nebude tak těžké přemluvit mozek, že se tam opravdu chystám.

„Proč bys něco takového dělala? Kolik platíš za členství?" Naklonila hlavu stranou jako zvědavý ptáček. Vítr jí zatím rozfoukal bílé vlasy. Její přímá otázka mě donutila k jasné odpovědi. Bavit se s ní bylo tak uvolňující.

„Přispívá mi firma, takže platím jen pětasedmdesát liber měsíčně."

„Kdybys běhala v parku, ušetříš devět set liber za rok," řekla na rovinu. Mozek měla naprosto v pořádku. „Mohla by sis dovolit kupovat velké cappuccino místo téhle překapávané břečky." Představivost jí očividně fungovala taky. Pak stejně jako minule zvedla moji kávu k ústům a upila. „Hmm, není špatná."

Znovu jsem se zamračila a odpověděla: „Minule jste říkala, že žádnou nemoc nemáte. To vás nezajímá, jestli nějakou nemám já?"

Usmála se na mě a odhalila dokonale rovné a bílé zuby. To bude určitě protéza.

„Snad nemáš nějakou z těch exotických pohlavních nemocí. To by byl můj doktor v šoku."

Musela jsem vyprsknout smíchy. „Teď si snad přeju, abych ji měla." Zvedla jsem ruku. „Budu muset jít, abych tu lekci spinningu stihla."

Hilda znovu upila kávy a pak mi ji vrátila. „Stejně si myslím, že jsou to zbytečně vyhozené peníze. Proč si nekoupíš kolo? Můžeš tady jezdit zadarmo. Na čerstvém vzduchu. Z druhé ruky koupíš kolo za pár šupů. Nikdy jsem ten spinning nechápala. Je to k smíchu. Stejně jako běhat na běžícím pásu. Jak můžeš cítit nějaké uspokojení z pohybu, když jsi pořád na jednom místě? Prostě to nedává smysl. Máš krásný park hned vedle domu. Kde je vlastně ta posilovna?"

„Hned naproti mojí práce, v Leedsu. Někdy tam zajdu před pracovní dobou."

„Když můžeš klidně běhat tady. A tahle káva, ta se nedá s tou naší vůbec srovnávat. Kdes ji koupila?"

„Na nádraží. Nikdo vás nenutí ji pít." Měla pravdu, káva ze Šťastného zrnka byla mnohem lepší.

„Proč se nejdeš trochu proběhnout? Pohlídám ti tady věci. A dopiju tu odpornou kávu. Můžeš si koupit novou u Saschy, až doběhneš zpátky. Za odměnu."

I když jsem občas měla chuť tuhle bábu poslat do pekel, aby mě nechala na pokoji, moje druhá část s ní musela souhlasit. Proběhnout se v parku by bylo určitě jednodušší. Ještě pořád jsem se necítila dobře po tom ranním zážitku. Hilda mi zvedla náladu. Možná je divná, ale slovy Douglase Adamse byla *převážně neškodná*. Zvedla jsem se.

„Jen běž, zlatíčko."

Usmála jsem se na ni a dala se do pohybu.

Když jsem jí zmizela z očí, zpomalila jsem. Neměla jsem na běhání ani pomyšlení.

Čerstvý vzduch mi však udělal dobře. Mnohem líp, než by mi udělal pobyt ve vydýchané posilovně, kde by mi oranžově podsvícený displej neustále potvrzoval, že můj cíl je v nedohlednu a moje tempo je ubohé. Nad hlavou mi kvetly bílorůžovými květy kaštany a jejich velké zelené listy se elegantně pohupovaly v mírném vánku. Bylo tady krásně. Z druhé strany parku, kde se nacházelo dětské hřiště, sem občas po větru dolehl radostný dětský výskot.

Hilda měla pravdu, nebylo to tak zlé. Blízkost parku byla při pořízení domu rozhodujícím faktorem. Měla bych z toho vytěžit mnohem víc, než si jím jen krátit cestu do práce. Když jsem vyběhla ze stínu stromů a zahnula na trávník posetý fialovými maceškami, zahlédla jsem pár metrů před sebou dalšího běžce. A pak se mi málem zastavilo srdce. Znala jsem ho.

Byl to on. Určitě to byl on, i když mě zmátly vousy, které si za tu dobu nechal narůst. Pod vším tím porostem to byl určitě Ashwin Laghari, běžící přímo proti mně v šedých teplákách a starém tričku, na první pohled stejně marný jako já. *Bože, budeme se muset střetnout, tomu se už nijak nevyhnu!* Ještě si mě ale nevšiml.

Najednou se ve mně probudil naštvaný plamínek. Budu ho ignorovat. Budu dělat, že ho neznám.

Co když uděláme kompromis a sejdeme se oba dny?

Jeho poslední zpráva mi jasně vyběhla před očima. No jasně. Pěkně děkuju, Ashwine Laghari, za tu jedinou schůzku, kvůli které jsem si začala myslet, že je mezi námi něco víc. Za ten dlouhý rozhovor, kdy jsem nabyla dojmu, že jsme na tom podobně. Děkuju za sex, který mě přinutil si myslet, že mezi námi bylo něco jedinečného.

Předstírala jsem, že sleduju něco v dálce za jeho zády a zrychlila jsem. Propluju kolem něj jako plachetnice, jako profesionálka, která sem chodí běhat sedmkrát týdně, a budu předstírat, že jsem si ho nevšimla.

Moje tělo však začalo okamžitě protestovat. Dech mi sípal v plicích a srdce se mi snažilo boucháním vystřelit z hrudi. Nevím, jestli to bylo mojí chabou kondičkou, nebo nerozhodností. Chtěla jsem, aby si mě všiml, nebo ne?

Samozřejmě jsem toužila po jeho pozornosti. Aby obdivoval, jak rychle kolem něj pádím. O co všechno přišel.

Navzdory mému odhodlání běžet jako Mo Farah jsem se s jeho přibližující se postavou málem zastavila. To přece nemůže být on! Rozcuchané tmavé vlasy, neupravené vousy, vytahané tepláky a propocené tričko. Vypadal na hony vzdáleně tomu upravenému muži, který mě tak zaujal. Čím jsem byla blíž, tím míň jsem věřila tomu, co vidím. Jeho kůže nebyla snědá, jak jsem si pamatovala. Měla podivný žlutošedý nádech.

Co se mu…?

Ashwin Laghari už nevypadal tak sexy, jako když jsme se viděli naposledy. Byli jsme na tom stejně.

Nedívej se! Nedívej se na něho!

Nemohla jsem si pomoct.

Když mě míjel, střelil po mně pohledem, sklopil oči k zemi a pak se rychle vrátil k mojí tváři, překvapený jasným uvědoměním. Ty jeho jantarové oči! Byly stejně nádherné, jak jsem si je pamatovala. Najednou mnou projel starý známý pocit touhy. A pak se Ashwin lhostejně odvrátil a podíval se zpátky k zemi. *Au!* Moc dobře jsem to pochopila. Nechtěl se ke mně znát, což jsem už dávno pochopila, vzhledem k tomu, že už mi nikdy neodepsal, i když jsem se ještě jednou odhodlala a poslala mu zoufalou žádost o odpověď, což jsem nikdy dřív s nikým jiným neudělala. A byl pryč. *Tak si trhni nohou*, pomyslela jsem si a ovládala nutkání otočit za ním hlavu.

Neotáčej se, Claire! Ať tě to ani nenapadne! Takovou reakci si přece nezasloužíš.

Neodkláněla jsem pohled od okolní zeleně a rychle jsem běžela dál. Odmítala jsem přemýšlet nad tím, co se právě stalo.

Místo toho jsem začala analyzovat, jak se cítím. Teď, když jsem konečně našla správný rytmus, se můj dech uklidnil a nohy si samy našly vyhovující tempo. Celé tělo mi fungovalo v souhře, svaly, plíce, kosti, cítila jsem nepopsatelnou úlevu… Byla to euforie? Stáhla jsem ramena a vypnula hrudník, aby se mi líp dýchalo. Hilda měla pravdu. Tohle bylo mnohem lepší než nechat na sebe křičet v místnosti plné zpocených lidí. Užívala jsem si tu volnost, možnost zvolnit tempo kdykoliv se mi zachtělo, než jen frustrovaně šlapat, abych nerozčílila instruktorku spinningu. Pochopitelně mi docházely síly. Naštěstí jsem před sebou začala rozeznávat budovu kavárny.

Když jsem se se dvěma kelímky kávy vracela na výchozí místo – lehce unavená, zpocená a překvapivě euforická –, Hilda na mě čekala na lavičce. Druhou zabrala povědomá postava.

To snad ne!

„Claire, ta káva je pro mě?" Hilda se po ní natáhla s vděčným úsměvem. „Jaké to bylo? Celá záříš."

Sakra, měla moji tašku. Takže jsem odsud nemohla jen tak vypadnout.

„Tohle je Ash," řekla a mávla k němu rukou. „Moc toho nenamluví."

Jestli někdy nějaký muž potřeboval být sám, byl to teď Ashwin. Ještě víc se skrčil na lavičce a snažil se udělat neviditelným. Jako kdyby to snad v přítomnosti Hildy mohlo fungovat.

Pobídla mě, abych se vedle ní posadila, nemohla jsem ji ignorovat.

S rezignovaným úsměvem jsem se svalila vedle ní, vědoma si Ashe po levé straně. Dělala jsem, že tam není.

„Myslím, že bychom se měli představit," prohlásila Hilda. „Já jsem Hilda Fitzroy-Townsendová a tenhle mladý muž mi pomohl, když jsem dostala křeč. Myslel si, že mám infarkt."

„Claire Harrisonová." Mrkla jsem rošťácky na Ashe, jako bych říkala: *teď už mě nebudeš moct ignorovat.*

„Ashwin Laghari," pronesl suše a šlehnul po mně očima.

To musel být pořád tak nabručený? Vždyť to byl on, kdo se neozval. Neměl ani tolik slušnosti, aby mi odpověděl a vymyslel si nějakou hloupou výmluvu.

„Úžasné jméno!" Hilda se usmála a ignorovala napětí, které by se dalo krájet. „To zní jako nějaký sultán nebo mafián, který obchoduje se zbraněmi na černém trhu a jezdí obrovskou jachtou se všemi těmi satelity. Máš jachtu?"

Ash se na ni naštvaně podíval a ani se nesnažil odpovědět. Pohled na jeho tichý vzdor mě málem rozesmál. Na druhou stranu se mi svíralo srdce. Co se jen mohlo stát tomu atraktivnímu, sebevědomému muži, který seděl naproti mně ve vlaku?

„Claire, jak daleko jsi běžela?"

Vytáhla jsem z kapsy černých legín mobil a zkontrolovala aplikaci, která měřila moji aktivitu. Nešťastně jsem se zamračila. „Jen tři kilometry, to nic není."

Hilda mě pohladila po koleni. „Každý den o trošku víc a uvidíš, jak ti to půjde. Já běhám každý den jednu míli, jsem stará škola. A co vy, pane překupníku zbraní?"

Ash se zamračil, ale zalovil v kapse a vytáhl telefon. „Dva kilometry." A pak se k mému překvapení zeptal: „Kudy jsi běžela?"

Když jsem ho seznámila s trasou svého běhu – což jsem vůbec dělat nemusela, ale snažila jsem se před Hildou chovat slušně –, Ashwin zakroutil hlavou. „To jsou taky jen dva kilometry. Ty apky jsou někdy nespolehlivé. Záleží na tempu, jakým běžíš."

Nakrčila jsem nos, nechápala jsem jeho rozhořčení. Aspoň jsem si ho pořádně prohlédla. Jeho vlasy ztratily lesk, vypadaly nemytě a zanedbaně. Většinu tváře mu pokrývaly přerostlé vousy. Ten chlap byl na míle vzdálený uhlazenému fešákovi ve značkovém obleku, který do mě tenkrát vrazil.

Všiml si, že si ho prohlížím, a reagoval cynickým výrazem. Ta ústa, která jsem líbala. Srdce se mi zachvělo. Co se mu mohlo stát? Jak je možné, že plamínky, které dřív zářily v jeho očích, byly nadobro pryč? Kam se poděl ten skutečný Ashwin Laghari? Kam zmizel ten vášnivý milenec? Když jsem ho naposledy viděla, díval se na mě s obdivem. Teď tam zbyla jen hořkost a rezignace. A bolest. Víc bolesti, než jsem si dokázala představit. I když jsem se na něj snažila zapomenout, myšlenky na Ashwina Laghariho v podstatě nikdy neopustily můj mozek.

Hilda najednou vyskočila z lavičky. „No, takže vás tady oba uvidím zítra. Prospěje vám to. Hlavně tobě."

K mému překvapení se otočila k Ashwinovi a dloubla ho do žeber. Čekala jsem, že odpoví něco v tom smyslu, že kdyby potřeboval znát názor nějaké drzé babky, zeptal by se sám, ale ještě víc se skrčil na lavičce, jestli to vůbec bylo možné.

To poraženecké gesto mě zasáhlo. Vypadal ztraceně. Chtěla jsem se k němu naklonit, obejmout ho a říct Hildě, aby ho nechala na pokoji.

„Nemůžu tady s vámi zůstat, mám něco na práci, musím běžet." A vmžiku se dala do pohybu. Zářivé tenisky za ní poletovaly jako veselí motýli.

Počkala jsem, dokud nám úplně nezmizí z obzoru.

Mohla jsem se na něj zlobit, ale v jeho zlomeném gestu bylo něco, co mě nutilo k slitování. Vypadal tak, jak jsem se cítila uvnitř. Byl mým odrazem. Po odtržení od práce, kterou jsem milovala, jsem se stala neukotvenou. Moje práce mě definovala, bez ní jsem nebyla nikým. Dodávala mi sebevědomí, prestiž a určitou nadřazenost. Klidně mě za to zastřelte, ale v tom, co dělám, jsem byla sakra dobrá! Lepší než většina mých kolegů. A ráda jsem byla nejlepší. Ráda jsem přijímala komplimenty a obdiv.

Ash vypadal, jako by ho někdo připravil přesně o totéž.

„Jsi v pořádku?" zeptala jsem se a opatrně k němu natáhla ruku.

Trhnul sebou. Napadlo mě, jak dlouho se ho asi nikdo nedotknul. Přestože vypadal neupraveně, nebyl z něj cítit alkohol. Stáhla jsem ruku, ale pořád jsem ho sledovala. Chtěla jsem, aby mi odpověděl. Po delší chvíli zvedl hlavu a já jsem v jeho pohledu zachytila zmatek. „Ashwine?"

Několikrát zamrkal a zaostřil na mě ty svoje úžasné, ale unavené oči.

Poškrábal se na čele. „Nejsem v pořádku."

Jako by mi někdo sevřel srdce ledovou pěstí. „Můžu pro tebe něco udělat?" Zeptala jsem se a znovu jsem se ho chtěla dotknout. Sledoval moji dlaň, konečky mých prstů, které letmo přejely po jeho zápěstí. Pak zvedl hlavu, sevřel rty a postavil se, čímž odsunul moji ruku stranou. „Ne, nemůžeš udělat nic." A otočil se k odchodu.

Trhni si nohou!

Můj soucit se najednou vytratil. Když jsem pozorovala, jak těžké jsou jeho kroky a jak pokleslá má ramena, musela jsem si povzdychnout.

Vypadal, že potřebuje oporu. Taky jsem někoho potřebovala. Hilda mi nevědomky do života vnesla víc radosti, než kolik jsem jí prožila za několik posledních měsíců. Vytáhla jsem telefon a rychle naťukala zprávu.

Jsem tady, kdybys někoho potřeboval. Claire

9

První doušek kávy… Kofein je zázrak.

Posadila jsem se na lavičku v parku. To ale bylo ráno! Čtvrtek, zatím nejhorší odchod do školy ze všech. Nechala jsem obě neteře ve škole v slzách, a navíc jsem musela potupně podepsat knihu pozdních příchodů. Kdo něco takového vymyslel? To nestačil prostý fakt, že dítě přišlo pozdě? Člověk k tomu musel vymyslet krátkou esej – dobře, možná trochu přeháním –, z jakého důvodu to nestihl včas, a tohle vysvětlení bylo poskytnuto všem ostatním k nahlédnutí. I těm příšerným matkám, které se neustále potulovaly kolem vchodu do školy. Uznale jsem obdivovala ženu, která sepsala tohle:

Nemožný otec, který nás opustil kvůli mladý holce, je nechal celý víkend do noci hrát na Xboxu, takže jsou teď úplně hotoví a já jsem ta zlá matka, která je ráno musela dostat z postele.

Tak se ukaž, Claire! Přišly jsme pozdě a holky ještě teď vzlykají. Včera jsem se nechala ukolébat marnou představou, že mám všechno pod kontrolou. Večeře se povedla, upekla jsem kuře na citronech (poděkování patří časopisu s recepty) a připadala jsem si jako šéfkuchařka ve slavné restauraci. Pomohla jsem Avě s hláskováním a nechala Poppy dívat se na *Hollyoaks*, zatímco se Ava koupala. A pak je obě včas uložila do postele.

Z nějakého důvodu se ale ráno všechno pokazilo. Probudila jsem se v osm místo v sedm, protože mi prostě nezazvonil budík. Za to mohla Poppy. Odpojila mi telefon z nabíječky, aby si nabila tablet, který jsem jí nedovolila mít přes noc v ložnici, protože jsem ji předchozí noc nachytala, jak si ještě o půlnoci čte. Ava dostala záchvat vzteku, když zjistila, že ke snídani nemá vařená vejce, a když jsem jí je konečně uvařila, znovu se naštvala, že jsem je nakrájela jinak, než vyžadovala. A když už jsme skoro vycházely ze dveří, Poppy mi jen tak mimoděk připomněla, že je čtvrtek, kdy si mají obě přinést vlastní oběd.

Z oblíbené tetičky Claire se najednou stalo monstrum z pekel. Popravdě jsem se v téhle situaci nelíbila ani sama sobě. Křičela jsem na ně jako pomatená. Ještě že se Alice zítra vrací. Myslím, že se za ten týden jasně ukázalo, proč jsem nikdy nechtěla mít děti. Tohle byl stres na úplně jiné úrovni.

Chyběla mi práce.

Nedostatek pracovního vytížení mi dělal v hlavě guláš. Potřebovala jsem mluvit s někým dospělým. Konverzovat se skutečnými lidmi. Samou sebelítostí jsem se najednou rozplakala.

Proboha, já jsem ale praštěná! Nenávidím se za to.

Kelímek s kávou se najednou pohnul a v mém zorném úhlu se objevily nohy ve žlutých teplácích. Kolem ramen se mi ovinula paže a přitáhla si mě do levandulového objetí. „Jsem tady, Claire. Klidně se vyplakej.“

Na chvilku jsem se zarazila a tiše plakala, až jsem se s hlasitým vzlykem nadechla a podívala se do Hildiných očí plných otazníků. Podala mi kávu a balíček papírových kapesníků, který už pamatoval lepší časy. Usrkla jsem si kávy, a abych ještě nějakou chvíli nemusela odpovídat, zadívala jsem se na její tenisky.

Podala jsem jí kávu zpátky, aby se napila, a vytáhla z ohmataného balíčku kapesník, do kterého jsem se s hlasitým zafrkáním vysmrkala. A pak jsem si utřela uplakanou tvář.

Znovu jsem se nadechla, snažila jsem se uklidnit roztřesený dech a dát se nějak dohromady. Připadala jsem si trapně. Nikdy jsem na veřejnosti nebrečela. Aspoň donedávna. Pak se ale všechno změnilo a teď mě rozhodí každá maličkost.

„Proč tolik slz, zlatíčko? Chceš si promluvit?"

Promluvit? Ani ne. Nechtěla jsem se s ní podělit o svoje selhání. To jsem si chtěla nechat pro sebe. Dneska jsem měla jen slabší chvilku.

Hilda mě pořád ještě objímala, prsty mi kroužila na rameni. Bylo to příjemné. „Věci nikdy nejsou tak strašné, jak vypadají." Odmlčela se a naklonila hlavu stranou. „To je vlastně hloupost, že? Když můj manžel zemřel, druhý manžel, zařekla jsem se, že nikdy nebudu používat klišé. Tohle by se mohlo rovnou považovat za lež. Ve skutečnosti jsou věci někdy mnohem horší, než se zdají. Tak to ze sebe vysyp."

Řekla to s takovým nadšením, že jsem se rozhodla jí svěřit, i když to nebyl můj původní záměr.

„Starám se o neteře a… ukázalo se, že to s dětmi vůbec neumím. Myslela jsem si, že to zvládnu. Dobré jídlo, čisté oblečení, uklizený dům." Ve srovnání s Alicí jsem tohle všechno zvládala na jedničku. Myslela jsem si, že jde všechno jako po másle.

„Ve skutečnosti mi to vůbec nejde. Dneska ráno kvůli mně obě brečely. Chybí jim máma, která se nám za celý týden neozvala, a já si teď připadám jako monstrum. Vůbec to není jejich vina, že odjela pryč." Ach jo, řeknu jí to teda všechno. „Doktor mě poslal na nemocenskou kvůli stresu. Na celý měsíc. Měla jsem povýšit. Teď si o tom můžu nechat leda tak zdát. Kvůli stresu… Už jste se s tím někdy setkala? Nebýt těch holek, ani bych nevěděla, co si mám počít."

Co mám dělat, když nemůžu jít do práce?

Copak můj život nebyl o ničem jiném?

„No, ty holky jsou stále naživu, to je velké plus."

Hildina poznámka mě rozesmála.

„I když máš ještě pořád dost času je zabít, pokud si myslíš, že to s nimi neumíš."

„Děkuju za radu," řekla jsem. Vlastně měla pravdu. Kromě dnešního rána byly holky celkem v pohodě. Něco jsem musela dělat dobře. A obě měly rády jídlo, co jsem uvařila.

„Řekla jsem žádná klišé. Starat se o cizí děti je vždycky náročné. Je to zápřah na hlavu."

„To mi povídejte. Dostat je dneska do školy byl nadlidský výkon. Přišli jsme o půl hodiny později."

Hilda se opřela zády o lavičku a překřížila nohy. „Umřel při tom někdo?"

„Ne!" zasmála jsem se znovu.

„Tak vidíš, pro začátek dobrý. Bylo to vážně tak zlé?"

Když jsem si začala před očima promítat dnešní drama, abych jí ho celé zrekapitulovala, uvědomila jsem si, že místo aby projevila soucit, směje se tak hlasitě, že se málem zakuckala. Když jsem historku dokončila, odkašlala si a řekla: „Promiň, zlatíčko, ale to je ta nejvtipnější věc, co jsem v poslední době slyšela. Tam, kde bydlím, jsou všichni skoro mrtví. A ti, co nejsou mrtví, jsou k smrti nudní. Největší vzrušení nastane tehdy, když k nám zabloudí kočka z vedlejšího kostela. Freda Ericksonová je na její chlupy tak alergická, že si málem vychrchlá plíce z těla. Ty tvoje holky jsou potvůrky. Víš přece, že tě jenom zkouší."

„Vážně?"

„Myslíš si snad, že jim tvoje sestra ráno vaří vajíčka natvrdo? Taky jsem chodila do práce." Na chviličku vypadala smutně, ale pak rychle dodala: „Děti to na cizí lidi vždycky zkoušejí. Myslí si, že jim to projde. Můžu ti dát radu?"

„Stejně mi ji dáte, i kdybych řekla ne," odpověděla jsem poučená její povahou.

„Vidíš, jak už mě znáš. Rutina. Přesně to s dětmi potřebuješ. Rutinu. Pak vědí, kde jsou. Musíš jim to všechno říct předem, aby nebyly překvapené. Půjdeme se umýt, přečíst knížku a spát. To samé ráno. Trvej na tom. Žádné ty novoty – nechte děti, ať se rozhodnou samy – nefungují. Sice neschvaluju fyzické tresty, ale za mých mladých let to bylo běžné."

„O fyzických trestech jsem vůbec nemluvila," řekla jsem rychle.

„To bych od tebe ani nečekala, i když jsem vlastně překvapená, že jsi jednu z těch mršek ráno nepřetrhla vejpůl."

Vděčně jsem se na ni usmála, když mě pohladila po paži kostnatou rukou. „Ukaž mi matku, která nikdy neztratila trpělivost. A nemyslím si, že si musíš najít něco nového, co bys nutně měla dělat. Jsi jako já. Práce je naší součástí, a když najednou není, zanechá po sobě hlubokou propast." Její pohled mě ujistil, že ví naprosto přesně, jak se teď cítím. Její dotek mi byl moc příjemný. „Myslela jsem si, že mě důchod odrovná. Naštěstí jsem poznala George. Pohyb je pro člověka moc dobrý. Už jsi dneska běhala?"

„Neměla jsem čas, zatím jsem se jen utápěla v sebelítosti," připustila jsem se smutným povzdechem.

„Zjistila jsem, že se po běhu cítím mnohem líp, i když mi ty zatracené kyčle dávají pořádně zabrat a vbočené palce mi to moc neulehčují. Když se mi vyplaví endorfiny, pokaždé jsem ráda, že jsem přežila další den. Tenhle můj každodenní běh je jediná možnost, jak přežít tu nudu v Údolí stínů, jak tomu našemu domovu říkám." I když jako vždycky přeháněla, z jejího výrazu jsem poznala, že říká pravdu.

Ve chvíli ticha jsem si uvědomila, že toho s Hildou máme navzdory věkovému rozdílu hodně společného. Byla stejně nespoutaná jako já.

„Nechtěla byste v sobotu přijít na oběd?" zeptala jsem se znenadání, překvapená vlastní myšlenkou.

„To je od tebe moc milé. Ráda," odpověděla Hilda a usmála se. „Děláš dobrou kávu?"

Zasmála jsem se. „Můžu vám jednu rovnou přinést."

„Myslela jsem, že se nezeptáš. Běž si zaběhat. Zůstanu tady a procvičím si tai-či. Však to znáš, všechny ty pozice jako orel lovící hada nebo osel, co si vyhodil z kopýtka."

Netušila jsem, jestli lže, nebo takové pozice v tai-či skutečně existují. Nedivila bych se, kdyby si to zase všechno vymyslela.

„Děkuju za kapesníky."

„Není za co, zlatíčko," řekla, zamávala mi a ustrnula v dost nepřirozené póze. Doufala jsem, že aspoň trochu ví, co dělá.

„Oběhnu si kolečko a přinesu vám kávu." To bylo to nejmenší, co jsem pro ni mohla udělat, když mě nechala vyplakat se na rameni. Když jsem se uklidnila, ani jsem moc nechápala, proč jsem se vlastně tak zhroutila. Možná jsem nebyla úplně v pořádku. Přestože jsem se sama sobě snažila namluvit pravý opak.

Pomalu jsem pokračovala do kopce a snažila se sama sebe přesvědčit, že už se mi dýchá o poznání líp. Před sebou jsem najednou uviděla Ashe ve vytahaných teplákách. Kdyby mi to nebylo hloupé, při pozorování jeho boje se psem, který se mu při běhu neustále pletl pod nohy, zasmála bych se nahlas. Byl to ten stejný pes, kterého jsme s holkama viděly před několika dny na dětském hřišti. Ash se po několika metrech zastavil a začal k psovi promlouvat. Ten se posadil a naklonil hlavu stranou, jako by mu naslouchal. Ash se s potěšením narovnal, zamával psovi přes rameno a dal se znovu do běhu.

Když jsem ho doběhla, lehce na mě kývnul. Jeho spokojený výraz prozrazoval, že je pořádně hrdý na lekci, kterou právě té němé psí tváři udělil. Na moji zprávu nikdy neodpověděl. Už jsem to vlastně ani nečekala. Byla to pro mě záhada, proč mě zničehonic začal ignorovat. Předběhla jsem ho a musela jsem se usmát, když jsem koutkem oka zahlédla, jak se mu pes znovu přilepil na paty. Tady Ashova lekce skončila.

Dneska jsem se rozhodla svoji trasu prodloužit o další část cesty vinoucí se kolem dřevěného posezení se zvonicí, které by si zasloužilo rekonstrukci, a roztomilé zahrádky s růžemi, až jsem se napojila na cestičku vedoucí zpátky ke kavárně. Musela jsem uběhnout dobré čtyři kilometry.

„A jste zpátky," odtušila Sascha. „Jste takový můj vzor. Stačí mi pohled na vás a už mám pocit, jako bych sama spalovala kalorie. Musím vám dát věrnostní kartičku. Každá sedmá káva je zdarma."

„Při tomhle tempu se to určitě vyplatí. Dneska si vezmu dvě."

„Jste tady nová?"

„Přistěhovala jsem se asi před půlrokem. Na Park Road."

„Tam je to moc hezké," řekla Sascha a přilila napěněné mléko do mého a Hildina cappuccina.

„To ano," přitakala jsem. Můj dům byl hezký, ale mohl za tu dobu být mnohem hezčí. To bude můj další projekt. Začnu hned o víkendu, až si Alice vyzvedne holky.

„Zítra ve stejnou dobu?" zeptala se Sascha, když mi podávala dvě kávy.

„Asi ano," přikývla jsem. Rutina, jak řekla Hilda. Tu potřebovaly nejen děti, které u mě přespí už jen jednu noc, ale i já.

Příští týden už je nebudu muset vozit do školy, ale stejně si nastavím budík a půjdu si zaběhat. A pak se pustím do zušlechťování domu.

Popadla jsem kávy a vyrazila s nimi za Hildou.

Přivítal mě veselý štěkot a chlupatá koule vyskakující až ke kelímkům, které jsem držela v rukách. Zvedla jsem je nad hlavu, zatímco Ash překvapivě galantně vyskočil na nohy a snažil se ode mě psa odehnat.

„Sedni," řekl mu autoritativním hlasem, který mi připomněl starého dobrého Ashe.

„Ash má nového kamaráda," prohlásila Hilda rošťácky a natáhla se po kávě.

„Vidím."

Když pes nepřestával vyskakovat, Ash na nás vrhnul unavený pohled. V tu chvíli jsem s ním chtěla zatřepat jako se sněžítkem, aby se v něm probudily emoce a stal se zase tím nadšeným mužem plným životního elánu, jak jsem si ho pamatovala. Možná ho ale napadlo to samé, když poprvé v parku uviděl mě. Rozhodně jsem poslední dobou nehýřila nadšením. Ale to se brzy změní. Z toho volna vytřískám maximum a pak se vrátím do práce jako hvězda.

„Potkala jsem ho před několika dny na dětském hřišti," posadila jsem se vedle Hildy a sledovala jsem, jak pes natočil hlavu mým směrem.

„Chudáček, je opuštěný. Má hlad... Podívej, jak čuchá k té kávě." Hilda najednou vytáhla z kapsy tousty zabalené do potravinové fólie.

„Chtěla jsem si je nechat na později, ale myslím, že tenhle nešťastník má větší hlad než já."

Pes k ní okamžitě přiběhl, zvedl packu a tiše zakňučel.

„Tady máš. Je to jen marmeláda, ale lepší než nic." Zvedla toust do výšky, ale než se Hilda nadála, pes okamžitě vyskočil a chňapnul po něm.

„To vždycky běháte po parku s toustem v kapse?" zeptal se Ash, když jsme všichni tři sledovali toho hladovce, jak po zemi honí každý drobek.

„Vyzbrojená a nebezpečná, to jsem celá já," řekla Hilda a uchechtla se vlastnímu vtipu. Pak vybalila druhý toust a podobným způsobem znovu nakrmila pejska.

„Pečovatelky nemají rády, když nesním snídani. Neměla jsem hlad, nechtěly mě pustit ven, dokud jsem jim neslíbila, že si ten zatracený toust vezmu s sebou."

„Chudáček, ten má ale hlad," řekla jsem, když si pes sednul přímo před Hildu a zíral na ni hnědýma očima plnýma očekávání.

„Potřebuje se pořádně najíst, Ashi, vezmi ho k sobě," navrhla Hilda.

„Já?" Ash se rychle narovnal, jako by dostal ránu elektrickým proudem.

Probouzela se ve mně touha pomoct, a tak jsem se radši zhluboka napila kávy a snažila se ty myšlenky rychle zahnat.

„Samozřejmě že ty. Já si ho vzít nemůžu. A Claire toho má zrovna teď nad hlavu. Společnost ti udělá dobře."

„Ale to je něčí pes. Nemůžu si ho jen tak vzít domů. A vlastně ani nechci."

Hilda se zasmála. „Samozřejmě že chceš."

Ash se zamračil, a než stačil zaprotestovat, Hilda pokračovala: „Třeba se vážně jen ztratil, vezmeme ho do útulku, pracuje tam moje kamarádka Melanie, ta ho prohlídne. Třeba má čip."

„My?" zaprotestoval.

„Máš tady auto, ne?"

„Mám."

„No tak, jen se na něj podívej. Vždyť si tě sám vybral."

Kousla jsem se do rtu, byla to pravda. Pes seděl Ashovi u nohou a vypadal tak spokojeně, že si každý kolemjdoucí musel myslet, že ti dva k sobě patří. Když zjistil, že od Hildy už nic nedostane, přesunul se tam, kde mu bylo nejlíp.

Ash ho navíc spontánně začal drbat pod krkem.

„Vezmeš ho domů, nakrmíš ho a za hodinu a půl mě vyzvedneš Na Výsluní. Zajedeme společně do útulku," oznámila mu rázně Hilda. „Claire, chceš jet s námi?"

„Nechce," odpověděl za mě Ash. „Mám porsche, vzadu není moc místa. Ten pes se tam sotva vejde."

„Ty máš porsche? To nevadí. Claire je skladná, nacpe se dozadu."

„Myslím, že má lepší věci na práci." Zněl dost nevrle.

„To nemá. Poslali ji z práce na měsíc domů kvůli stresu."

Hildin rozvázaný jazyk mi vehnal stud do tváří. Zabila bych ji za to. To neumí mlčet? Tohle byla poslední věc, o kterou bych se chtěla s Ashwinem podělit. Čekala jsem sarkastickou poznámku, a když se nic nedělo, podívala jsem se jeho směrem. Sledoval mě nečitelný pohledem.

„Přidáš se k nám, že mám pravdu, zlatíčko?"

10

Být nacpaná na zadní sedačce Porsche 911 se psem, který mi funí za krk, zrovna nepatřilo na seznam mých vysněných přání. Abych vůbec vlezla dovnitř, musela jsem se zkroutit do nepřirozené polohy a sednout si půlkou zadku na místo, kde už většinu zabíral ten zatracený pes. Ten navíc ani chvilku neposeděl. V jednu chvíli jsem ho měla na klíně, pak mi lízal krk a vzápětí se snažil přes řadicí páku dostat na přední sedačku.

„Sedni!" poručil mu Ash hlubokým hlasem, když už to i jemu začínalo lézt na nervy. „Můžeš ho tam aspoň chvilku udržet?" vykřikl na mě.

„Jasně," odpověděla jsem, psa objala a přitáhla ho k sobě. Bez varování na mě vyskočil, třikrát se protočil a uhnízdil se mi v klíně, odkud na mě hleděl těma nazlátlýma očima. „Hloupý pes," zašeptala jsem, ale hladila ho po měkké srsti na hlavě. Na stehnech jsem cítila jeho bušící srdce.

„Má tě vážně rád, Claire." Hilda se na mě otočila ze sedadla spolujezdce.

„Nemá," reagovala jsem.

Hilda předstírala, že mě neslyšela, a otočila se zpátky k Ashwinovi, který se snažil do navigace nastavit náš cíl.

„To nepotřebuješ," řekla mu Hilda. „Já tě navedu. Musíš jet dolů po Church Road a pak odbočit doleva na Hookleigh."

„Jak to tam znáte?" zeptala jsem se.

„Majitelka útulku občas přivede nějakého z těch ubožáčků k nám do domova, aby nás nějak rozptýlila. Musím přiznat, že některým to opravdu zlepší den. Moc se na to těší."

Bavilo mě, jak se s ostatními obyvateli domu s pečovatelskou službou Na Výsluní nechce ztotožňovat.

Motor s rachotem naskočil a auto se dalo do pohybu s takovou rychlostí, že mě na chvíli zpětná síla zatlačila do sedačky. Snažila jsem se co nejpohodlněji posadit, i když jsem se koleny málem dotýkala brady.

Muž za volantem získal ztracené sebevědomí a opět se z něj stal Ashwin Laghari suverénně řezající zatáčky. Ale to jsem nemohla pořádně ocenit, když jsem byla natlačená na zadním okně.

„Hildo," ozval se najednou, „na té značce je napsáno, že Hookleigh je vpravo."

„No jistě, vpravo. Strany se mi vždycky pletly. Když jsem dělala u kontrarozvědky, občas z toho byl problém."

Ash ve zpětném zrcátku zachytil můj pohled a zvedl obočí. Nikdo z nás tu informaci nekomentoval. V tu chvíli si pes nahlas upšoukl.

„No jéje!" ozvala se Hilda. „Já to říkám pořád, že marmeláda nedělá starým lidem dobře. Není divu, že u nás každý prdí, musím si promluvit s vedením."

Snažila jsem se zadržet dech, zatímco Ash rychle spouštěl dolů okénka.

Viděla jsem, že taky zadržuje smích, ale když se naše pohledy znovu setkaly, zvážněl a opětoval mi ho o pár vteřin dýl než předtím. Vypadal, že se mě snaží prokouknout, jako bych mu snad něco provedla. Musela jsem odvrátit zrak. Svoji šanci už promarnil. A já mu další nedám.

Melanie z útulku nás přivítala veselýma očima a tím nejzářivějším úsměvem, jaký jsem kdy viděla. V šedých montérkách a červených gumácích vypadala jako z nějakého sci-fi seriálu. Okamžitě si klekla a přivítala se se psem.

„No ty seš ale rozkošný pejsek," prohlásila silným yorkshirským přízvukem a nechala si na uvítanou olízat ruku. „A hladový. Cítíš ze mě jídlo, že?"

„Dal jsem mu pár kousků vařeného bio kuřecího masa," bránil se Ash.

„Pokud nežral několik dní, jídlo se mu musí dávkovat pomalu." Melanie ho nepřestávala drbat. Kdyby to nebyl pes, už by hlasitě předl. „Kde jste ho našli?"

„V parku," řekla Hilda. „Už tam běhá několik dní."

„Nemá obojek a nikdo ho dlouho nemyl ani nekartáčoval. Někdo ho vyhodil z domu, to je jasné. Proč to lidi dělají? Copak je tak těžké je nakrmit, vyvenčit, mít je rád? Lidi si psi prostě nezaslouží."

Z hluboké kapsy vylovila zařízení připomínající skener v supermarketu. „Můžu se podívat, jestli nemá čip, ale moc tomu nevěřím."

Přejela zařízením kolem jeho krku, podél hřbetu až k zadním nohám. „Přesně tak. Lidi, kteří psa vyhodí, než by se mu snažili najít nový domov, se většinou neobtěžují s čipováním."

Postavila se, dala si ruce v bok a konečně si prohlédla, kdo se psem vlastně přijel. „Nemůžu si ho tu nechat, bohužel. Nemáme vůbec žádné volné místo. Nemám dostatek žrádla ani pro ty chudáky, které tady mám." Mávla rukou za sebe k nízké budově, odkud se ozýval štěkot a vytí.

„Jste tady tři." Její úsměv se proměnil v lehce vzdorný pohled. Ash i já jsme se jako na povel začali ošívat.

„Já bych si ho nechala hned, ale v domově nemají pro domácí mazlíčky pochopení. Však to víš, Melanie," vysvětlila Hilda a obrátila se na nás.

„To je vážně škoda. Někomu u vás by to udělalo velkou radost. Elsie Goodmanová se dokonce usmála, když jsem před třemi týdny přivezla ty dva teriéry. Úsměv jsem u ní neviděla už roky."

„Narodila se tak." Hildin přívětivý tón najednou pochytil něco z Melaniina přízvuku. „Prý měla hroznou pověst, když vedla galanterii na High Street."

„Já si to pamatuju. Moje máma tam posílala tátu pro vlnu, protože se jí bála," dodala Melanie.

„A vidíš, jak ji takový malý pes dokáže povzbudit. Zvířata přinášejí lidem tolik radosti." Hilda k nám vyslala další ze svých pronikavých pohledů. Ta intrikánka, moc dobře jsem věděla, o co jí jde.

„A co vy dva?" Otočila se k nám Melanie. Pes mezitím přešel k Ashovi a svalil se u jeho nohou.

„Já psa nechci," odpověděl Ash. „Jsem tady jen jako řidič."

Melanie překvapeně zvedla obočí. „S takovým autem si určitě můžeš dovolit žrádlo pro psa. Možná i pro dva."

„To vám radši přispěju na provoz," odpověděl rychle, protože si uvědomil, že je to jeho jedinečná šance, jak se zbavit odpovědnosti.

„Finanční pomoc moc ráda přijmu, ale místo pro toho chudáčka stejně nemám." Pohotově mu zavřela únikovou cestu. „Jestli si ho necháte jen dočasně, třeba se mi tu nějaké místo uvolní."

Než mohl Ash odpovědět, Hilda začala nadšeně poskakovat. „To určitě může. Říkal, že si momentálně hledá práci, to načasování je parádní. A navíc ho má ten pes rád. Občas ho můžu pohlídat." Pak se podívala na mě a zpátky na Ashe. „Ty toho psa potřebuješ mnohem víc než Claire."

Jeden druhého jsme si změřili pohledem.

„A je to vyřešeno." Melanie se rozzářila, a když se Ash začal ošívat a vymýšlet si výmluvy, proč si psa nemůže vzít, nenechala ho ani doříct větu. „Můžu ti prodat nějaké psí žrádlo, obojek, vodítko a pelech, jestli chceš."

„Vyřešeno," přisadila si Hilda a poplácala Ashe po rameni. „To by ti mohlo pomoct, ne? Nemusíš to nikde shánět." Pak následovala Melanii do budovy na druhé straně dvorku.

Ash se zamračil a obrátil se ke mně. „Jak se to stalo?"

Pokrčila jsem rameny a snažila se nesmát. Byla jsem ráda, že se psem nakonec neodcházím já. „Netuším."

Umírala jsem zvědavostí zeptat se, proč přišel o práci. Odešel sám? Hledá si něco lepšího? Co změnilo toho sebevědomého muže ve zhroucenou postavičku ve vytahaných teplácích? I když jsem vlastě taky přešla od nažehlených košil k legínám a obyčejnému tričku. Nejvtipnější na tom bylo, že se mi po saku a sukních vůbec nestýskalo.

11

Telefonát ve čtyři ráno vždycky znamená potíže. Když jsem běžela po studených schodech do kuchyně, mozek mi našeptával ty nejhorší možné scénáře. To jsou určitě rodiče.

Bože, prosím, ať jsou v pořádku!

Na hrudníku se mi usadil balvan, rychle jsem to zvedla.

„Proč nebereš mobil?"

Alicin nedůtklivý hlas měl podrážděný nádech.

„Cože?" Rozespalé oči a mozek náhle vytržený ze spánku nechtěly spolupracovat s rychlostí mých nohou.

„Mobil. Proč ho nezvedáš?"

„Nechala jsem ho dole v obýváku." Konečně mi její věta dávala smysl. „Jak se máš? Líbilo se ti tam? V kolik ti to letí?" Odhadovala jsem, že se právě chystá nastoupit do letadla. „Holky se těší, až tě vyzvedneme na letišti." Tolik jim chyběla. Bude to jako scéna z *Lásky nebeské*, ta úvodní část mě pokaždé rozbrečí. Plánovaly jsme po škole rychle odjet do Manchesteru a čekat ji v příletové hale o půl šesté.

„O tom jsem s tebou chtěla mluvit, Claire. Nějak se… no, prostě jsem zmeškala let. Kvůli sesuvu půdy."

„Cože?" Zmeškaný let byl na seznamu mých nočních můr. „Proboha, jsi v pořádku?"

„Uklidni se. Věděla jsem, že budeš hned panikařit. Vážně ti někdo bude muset napravit čakry."

„Zmeškala jsi let. Co budeš dělat?" Hlas mi strachy vyskakoval do pískotu. Takhle se ale přece měla cítit moje sestra, ne já.

„Moc toho asi nenadělám, ale pokusím se." Její teatrální projev najednou vystřídal mnohem klidnější tón. „Claire, měla bys to vidět. Je tady nádherně. Ještě nikdy jsem necítila takové propojení se svojí vnitřní silou. Tábor je úžasný a ti lidi... Miluju Indii. Je tak duchovní. Cítím se znovu jako člověk. Očištěná. Můžu znovu dýchat. Jako bych byla celý život zavřená v nějaký bedně a teď jsem zase volná. Jako motýl, který se vyklubal z kukly, aby ochutnal život. Je to ten nejlepší pocit na světě."

„Holky budou hrozně nešťastné," vrátila jsem ji zpátky do reality. Ava bude zničená, bude strašně plakat, ale nejhorší na tom bude, že Poppy to nechá naprosto klidnou. Úplně vidím její stoickou tvář. „Kdy ti to teda letí?"

Na druhé straně se dlouho nic neozývalo.

„No, to je další věc... Nic dalšího neletí až do příští neděle."

„Příští neděle? Ne téhle neděle?"

„Jo, přesně jak říkám, to ten sesuv..."

„Takže jsi tam odříznutá?"

„Jo," chytila se okamžitě mých slov. „Ale jsem v pořádku, je to jen týden. Myslím, že v neděli už to poletí. Nemůžu to slíbit, ale dám ti vědět. Holky mají školu a kamarádky. Určitě jim chybět nebudu. Tenhle výlet mi změnil celý život. Vrátím se jako úplně jiný člověk. A holky si to s tebou určitě ještě užijou."

„Vážně nemůžeš přiletět dřív?" zeptala jsem se zbytečně, zatímco mi hlavou prolítávaly praktické otázky. „Příští týden máš třídní schůzky a další věci."

„Claire, to všechno zvládneš levou zadní. Je to pořád to samý, úkoly a čtení s Avou."

„Ale…"

„Claire, uklidni se. Holky to s tebou v pohodě zvládnou."

Postarám se o ně, ale ony… potřebují mámu. Věděla jsem, že jako náhrada stojím za starou bačkoru.

„Letenku už máš? Dáš mi číslo letu? Přijedeme tě vyzvednout."

„No, ještě jsem si žádnou nekoupila… Tady ta komunikace… trochu vázne."

Překvapivé, náš hovor nebyl přerušený ani jednou.

„Ale přiletíš v neděli."

„V neděli, možná v pondělí."

„Alice!"

„Jak říkám, nemám věšteckou kouli. Prostě si tu letenku nevykouzlím. Předpokládám, že to bude v neděli."

„Máš o tom snad nějakou představu."

„Hned jak ji budu mít, dám ti vědět."

„A co mám asi tak říct holkám? Nechceš jim večer zavolat? Máš wi-fi?"

„Zkusím to."

„Ne, Alice, musíš jim zavolat! Chybíš jim."

„Řekni jim, že je miluju a vrátím se domů, hned jak to bude možné."

Zavrčela jsem. Tohle si rozhodně nezasloužília.

„Claire, proboha, žij trochu! Tady je to tak nádherný, připadám si konečně fakt živá. Nemusíš sledovat čas, nemusíš nikam chodit, jen se vnitřně očistíš. Je to úžasný! Holky budou v pohodě a tobě to rozhodně pomůže trochu se s nima sblížit. Nic proti, ale stejně bys jinak neměla co dělat."

Spánek mě nadobro přešel a zbytek brzkého rána jsem strávila přemýšlením, jak tuhle novinku holkám sdělím a jak je o víkendu zabavím, aby na to aspoň trochu zapomněly. V kině toho zrovna moc nedávali.

Přesně podle mých předpokladů mi Ava pofňukávala na klíně, i když jsem jí k snídani udělala sendvič se slaninou. A Poppy jen zamračeně přikývla, bez jediného slova snědla snídani a zmizela v ložnici.

„Pojď, Avo, učešu ti vlasy." Její hlava každé ráno vypadala jako hnízdo po náletu dvou rozzlobených vran. „Běž nahoru a najdi prosím kartáč a sponky. Hned tam přijdu za tebou. Jen rychle opláchnu nádobí."

Sotva jsem napustila dřez vodou, seshora se ozval hrozný křik. Nechala jsem nádobí nádobím a rozběhla se za zvukem.

Rychle jsem zkontrolovala Poppy, která stála s nevinným výrazem mezi dveřmi, a vrazila jsem do ložnice, kde na posteli seděla kvílící Ava. V náruči svírala hromadu plyšových hraček a snažila se vyhrabat z hromady oblečení na své straně postele.

„Co se to tu děje?" zeptala jsem se.

Ava začala popotahovat. „Poppy je na mě zlá. Podívej, co udělala."

Otočila jsem se k Poppy, která pořád stála ve dveřích.

„Ten nepořádek jsi udělala ty?" zeptala jsem se nevěřícně.

Poppy pokrčila rameny. „Mám toho jejího bordelu plný zuby. Její hračky a oblečení se válejí úplně všude. Jen jsem to uklidila."

Počítej do deseti, Claire. Počítej do deseti. „Myslíš tím, že jsi to všechno nahrnula na její stranu postele." Zněla jsem docela vyrovnaně, i když jsem dlaně v kapsách pyžama sevřela v pěst. Tohle byla rozhodně stresová situace. A těch jsem se měla podle doktora vyvarovat. Cítila jsem, jak se mi zvedá tlak.

„Dobře jí tak." Poppy se škodolibě ušklíbla.

Bylo mi jasné, že je to jen bezmocná reakce na to, že se Alice nevrátila domů podle plánu. Nebyla to jejich vina. Kousla jsem se do rtu a očima jsem přeletěla zaneřáděný pokoj, který spolu musely sdílet ještě další týden. Musela jsem uznat, že rozumím Poppyině frustraci. Avina ignorace šuplíků, poliček a dalších úložných prostorů by asi rozčilovala každého.

„Poppy, musíš Avě pomoct tu postel uklidit. Avo, přestaň brečet. Musíš se naučit po sobě uklízet." Zvedla jsem prst a rovnou zarazila námitky, které se obě dvě snažily vykřikovat. Hlasem přísné tetičky Claire, sestřenice Darth Vadera a nejstrašidelnější osoby na světě, jsem pronesla: „Už nechci slyšet ani slovo. Za dvacet minut odcházíme do školy."

Sjela jsem je krutým pohledem, až mě to zamrzelo, ale potěšilo mě, že obě nadskočily a daly se do práce. Konečně jsem se zase jednou cítila, jako že vím, co dělám. *Děkuju, Hildo!* Její moudrost mi pomáhala, zavedla jsem ranní rutinu a po týdnu soužití už jsem věděla, na co holky slyší.

Později dopoledne si vedle mě na lavičku, kde jsem se vzpamatovávala ze svého zatím nejdelšího běhu, přisedla Hilda. Podle chytré aplikace jsem zdolala čtyři kilometry. I když můj telefon podle Ashe měřil úplně špatně, až tak mimo to být nemohlo. Omámená úspěchem, kterého jsem ráno s holkama dosáhla – nejenže jsme přišly do školy včas, ale dokonce jsme nezapomněly na věci na tělocvik –, jsem se přinutila ráno oběhnout další kolečko. Měla jsem ze sebe skvělý pocit. Začínala jsem být na běhání závislá.

„Dobré ránko," zacvrlikala Hilda. Než jsem před ní stačila schovat kávu, už po ní chňapla.

Když se po prvním doušku zakuckala, příjemně unavená jsem se usmála. „Ble, kde je moje cappuccino?"

„Zaprvé není vaše. A zadruhé, dobře vám tak."

„Nevěra v říši kávy by se měla zakázat."

„Říkal kdo? Po ránu jsem potřebovala espresso. Půlku noci jsem vůbec nespala."

„Já to říkám, samozřejmě," prohodila Hilda, vyhrabala z kapsy několik pytlíků s cukrem, a než jsem ji stačila zastavit, vysypala je do kelímku s dvojitým espressem.

„Proč jste to udělala?"

„Černou kávu můžu pít jen s cukrem," odpověděla, jako by snad bylo pochopitelné, že tím neznehodnotila můj nápoj.

„To už si ji rovnou nechte," zamumlala jsem.

„Ráda si ji nechám. Tak proč to espresso? Povídej."

„Konečně se mi ozvala sestra. Uprostřed noci."

„Neříkej, že má její letadlo zpoždění."

„I tak se to dá říct." Povzdychla jsem si. „Týdenní zpoždění."

„Proboha, kam to letěla? Na Mars?"

„Do Indie. Dobrá zpráva je, že tam konečně našla sama sebe. Špatná, že se tam někde sesula půda a ona se nemůže dostat na letiště."

„To jí asi vyhovuje," řekla Hilda. „A to zjistila až dneska?"

„Očividně." Hilda jen prohloubila pochyby, které se mě už ráno zmocnily. „Holky jsou z toho dost nešťastné." Mrzelo mě, že jim to Alice nemohla oznámit sama. „Obě ráno brečely. Říkala jsem jí, že jim má večer zavolat a promluvit si s nima."

„To dává smysl. Ale jsou ještě malé, nebude těžké je něčím zabavit, aby na to nemyslely. Co třeba dort? To vždycky zabere."

„Zabralo by, kdybych uměla péct."

„S tím bych ti mohla pomoct. V kuchyni jsem hotová kouzelnice. Mary Berry vždycky říkala, že dělám ten nejlepší piškot na světě. Pečení mi chybí. Teď už se k němu nedostanu. V Údolí stínů se po tom, co jsem jednou uprostřed noci dostala chuť na popcorn a spustila všechny protipožární alarmy, ke kuchyni nesmím ani přiblížit. Člověk by si myslel, že budou vděční, že se jim tu evakuaci podařilo nacvičit. Ale co čekat, když ty senzory dělají tak citlivé?"

Usmála jsem se. Představa desítek důchodců se zahřívacími lahvemi v rukách mi úplně zaměstnala hlavu. Evakuace domova důchodců uprostřed noci musela být pohroma.

„Jaký dort mají ty holky nejradši?"

„Myslím, že tohle nenapraví jen dort. Obě jsou naštvané, navíc spolu budou muset vydržet další týden v jednom pokoji a jedné posteli. Ava je roztěkaná a nepořádná, Poppy je pravý opak."

„Nemůžou být každá v jiném pokoji?"

Nakrčila jsem nos. „Je to jediný pokoj s postelí. Nastěhovala jsem se tam sice už před půlrokem, ale ještě jsem neměla čas další pokoje vybavit nábytkem." Ano, bylo to k smíchu. Co mě tak zaměstnávalo? Samozřejmě práce.

Teď jsem měla příležitost se do toho pustit. Ne kvůli sobě, kvůli holkám.

„Promiňte, Hildo, nebude vadit, když zítřek vynechám? Vezmu holky do Ikey, nakoupíme nějaký nábytek, ať můžou spát každá ve svém. To by je mohlo trochu rozptýlit."

Hilda se narovnala. „Výborný nápad. Pojedu s váma."

Chvilku jsem na ni hleděla. Když pojede s námi, do auta už se žádný nábytek nevejde. Pokud se chystám pořídit nábytek do dvou pokojů, budu si muset objednat dopravu... Takže se Hilda vejde do auta k nám. „Dobře. Můžeme jet hned ráno. Něco vybereme a domluvím si dodávku, která to všechno přiveze."

„Mám nápad. Syn mojí sousedky Dottie, Vin, ten má velkou dodávku." Vytáhla telefon, a než jsem stačila zaprotestovat, už všechno domlouvala. „Ahoj Dottie, tady Hilda," křičela do telefonu a pak se ke mně otočila. „Vždycky si ráno zapomene nasadit naslouchátko," vysvětlila a pokračovala v hovoru. „Tady Hilda, ano Hilda! Díky bohu! Ano, jsem v pořádku. Jsem v parku." Obrátila oči v sloup a zakryla mobil rukou, jako by to bylo telefonní sluchátko, což mě rozesmálo. Hilda očividně neměla ponětí, jak mobilní telefony fungují. „Chce, abych jí přinesla nějaké kondomy." A pokračovala: „Ano, Dottie. Přinesu. Ty tenké. Jasně. Ne ty pro intenzivní prožitek. Co dělá zítra Vin? Můžeš mi dát jeho číslo?" Hilda otevřela stříbrnou kabelku, začala se v ní přehrabovat a pak mi podala tužku a notýsek. „Nula, sedm…" Opakovala hlasitě čísla a já jsem je pečlivě zapisovala. „Děkuju, Dottie. Za chvilku jsem tam." Pak si ode mě vzala notýsek a rovnou vyťukala další číslo.

„Ahoj Vine, tady Hilda. Zítra bych od tebe něco potřebovala." Pak rychle zopakovala: „Dvanáct třicet?" A podívala se na mě.

Přikývla jsem.

„Můžeme se potkat u Ikey v Leedsu? V půl jedné. A dostaneme slevu pro přátele, že?"

Slyšela jsem, jak se hluboký mužský hlas v telefonu zasmál.

A najednou bylo všechno zařízené. Hilda se naparovala jako páv. „Tak to bychom měly. Vždycky jsem se do toho obchodu chtěla podívat, přesvědčit se, proč se kolem toho tolik napovídá."

„Jste si jistá?" Sobotní ráno v Ikee by spousta lidí považovala za sebevraždu.

„Nic lepšího zatím v plánu nemám. Tohle, nebo Arthur Sanditon, který bude předčítat nekrology z Timesů."

Začala jsem si v hlavě zítřek pomalu plánovat. „Můžeme si tam dát oběd. Chcete, abych vás vyzvedla?" Hilda se na to, že by ji někdo vyzvedával z domu s pečovatelskou službou, moc netvářila, takže navrhla, abychom se setkaly v přilehlé ulici. Vysvětlila to tím, že by každý Tom, Dick a Herbert chtěl, aby jim něco přivezla.

„Doufám, že to místo bude plné urostlých Švédů. Což mi připomíná… Viděla jsi dneska ráno Ashe? Dostala jsem další brilantní nápad."

Zůstala jsem sedět s pusou dokořán, protože někdy bylo nemožné s touhle akční babčou udržet krok.

„Viděla jsem ho běžet se psem na druhou stranu parku, když jsem dobíhala sem." Dokonce mi na dálku zamával.

„Výborně, to tady za chvilku bude."

Uvědomila jsem si, že se za ten týden stalo takovou nepsanou dohodou, že jsme se všichni tři po ranním běhu scházeli na lavičkách vedle kavárny. I když se Ash naší společnosti naoko vyhýbal a předstíral, že to, že se nachází ve stejnou dobu na stejném místě, je naprostá náhoda.

„Jaký je ten brilantní nápad?" zeptala jsem se a trochu mi při té myšlence zatrnulo.

Hildin úsměv mě jen utvrdil v tom, že má za lubem nějakou lišárnu.

„Není to brilantní nápad?" Hilda se posadila zpátky na lavičku a spokojeně si založila paže na hrudníku. Naproti ní seděl Ash a tvářil se stejně překvapeně jako já.

„No tak, lidi, trochu nadšení! Jako by snad někdo z vás dvou měl něco důležitého na práci."

Když to řekla takhle natvrdo, měla samozřejmě pravdu.

„Je to… váš nápad, Hildo," přitakala jsem, „ale vůbec nevíte, jestli s tím budou ostatní souhlasit."

„Samozřejmě že budou. Neznáš Bibli? Noemovu archu? Začni stavět a oni přijdou. Na to nezapomeň."

„Mám pocit, že to bylo ve filmu s Kevinem Costnerem, ne v Bibli," odpověděl Ash. „Nejsem si jistý, že bude v Churchstonu o takovou akci zájem."

„Ale prosím tě," uzemnila ho Hilda. „Pro místní to bude parádní příležitost. Už jsem si to vyhledala na internetu. Podobné běhy se pořádají po celé zemi. Jsou jich stovky. Nevím, proč bychom něco takového nemohli mít tady. Nejbližší je až v Harrogatu, a to je skoro hodinu odsud. Úplně to vidím. Parádní událost pro místní komunitu. To lidi sblíží, přesně jako vás dva."

S Ashem jsme si vyměnili šokované pohledy, ale Hilda si jela po svém. „Tenhle park má mnohem větší potenciál. Přitáhlo by to do něj víc lidí. A víc lidí by se věnovalo pohybu. Ty bys mohl běžet s tím psem."

„Jmenuje se Bill," oznámil nám Ash.

„Bill?" Hilda se hlasitě rozesmála.

„Vypadá jako Bill," vysvětlil Ash a pak se samolibě usmál. „Nikdo jiný za něj vzít zodpovědnost nechtěl, takže vám do jeho jména nic není."

„No dobrá. Tak co na to říkáš?"

Přišlo mi to jako bláznivý plán unuděné babči. Pětikilometrový organizovaný běh v parku. Každou sobotu. Kdo by chtěl jezdit právě do Churchstonu a běhat po parku? My tři jsme byli jen rekreační běžci. Pod jejím přísným pohledem jsem vyměkla. „Můžeme se poptat, jak by to mohlo fungovat. Za to nic nedáme." Předpokládala jsem, že ten nápad zadusíme hned v počátku. Místní radní jakékoliv inovace nesnášeli.

„Hildo, vy už jste někdy nějaký parkrun běžela?" zeptal se jí Ash. „Máte ponětí, co to obnáší?"

„Ne." Odpověděla nenuceně. „Ale v rádiu jsem o tom jednou slyšela někoho mluvit a znělo to parádně. Myslím, že přesně tohle náš park potřebuje. Všichni ví, jak je pohyb důležitý. Běhání může předcházet kardiovaskulárním problémům. A podívej se na sebe, jak ti běhání svědčí."

Ashovi zacukalo v koutcích. Její poznámku ale nechal bez komentáře a otočil se ke mně. „A co ty? Ty už jsi snad nějaký parkrun běžela?"

„Ne. A ani jsem po tom nikdy netoužila. I když můj kolega Dave zorganizoval podobný charitativní běh na pět kilometrů v Hyde Parku. Ale je profesionální běžec. Každý den běhává do práce, osm kilometrů tam a osm zpátky. Má neuvěřitelnou sbírku elasťáků a dovolené tráví běháním maratonů někde v Athénách nebo Bostonu. To mi jako dovolená moc nepřijde," zamumlala jsem.

Já jsem rozhodně mezi profesionální běžce nepatřila. Poklus v parku měl pro mě jediný smysl – dostat se do kondičky, zlepšit si zdravotní a psychický stav a po návratu do práce se zapsat do Daveova týmu, abych všem dala najevo, jak dobře na tom jsem.

Už teď mi bylo jasné, že mi běhání začíná dělat dobře. Že jsem si na něj zvykla. Že dalo mým dnům jasný řád a mojí hlavě možnost utřídit si myšlenky. Třeba dneska ráno už jsem si během svého obvyklého kolečka rozmyslela, jaké barvy bude mít moje nová kuchyně. Líbilo by se mi něco stylového. Tmavé, možná šedé stěny a podlaha v barvě břidlice. Proč jsem se do něčeho takového nepustila už dávno? Odpověď jsem dávno znala. Nechala jsem práci, aby mi úplně přerostla přes hlavu.

„Claire!" Hilda mi mávala před obličejem.

„Pardon, přemýšlela jsem."

„Vidíš?" pokynula k Ashovi. „Claire si taky myslí, že je to dobrý nápad."

„Co když si to všichni tři necháme přes víkend projít hlavou a promluvíme si o tom příští týden?" navrhl Ash.

Věnovala jsem mu vděčný úsměv a on se na mě přes Hildiny vlasy vlažně usmál.

„Výborně," prohlásila spokojeně Hilda. „Jednání proběhne v pondělí."

12

„Já chci postel pro princezny, jako je tahle." Ava se ponořila do nařaseného přehozu na dětské postýlce. „Ta je krásná. A prosím, prosím, můžu mít tuhle lampičku s vílou a taky toho růžového slona? Budu hodná, slibuju."

Při pohledu na její pusu otevřenou úžasem nad růžovo-bíle vybaveným Ikea pokojem plným neuvěřitelných doplňků jsem se musela smát. Uprostřed stála bílá dřevěná postýlka s růžovým baldachýnem a spoustou polštářů a plyšových hraček. Dokonce i jindy rezervovaná Poppy si neodpustila přejet dlaní po té růžové nádheře.

„Je to trochu moc dětský, nemyslíš?" uzemnila Poppy svoji sestru. Ava se na ni ublíženě podívala, ale než se jí začala třást brada, situaci zachránila Hilda. „Myslím, že je to pro slečny, jako jsi ty, perfektní," mrkla na ni potěšeně. „Úplně tě v té postýlce vidím, princezno Avo." Pak se otočila k Poppy. „Na druhou stranu rozumím, že mladá dáma jako ty bude vyžadovat něco sofistikovanějšího."

Musela jsem se její diplomacii zasmát.

Navzdory Poppyinu pohrdání jsem musela uznat, že když se na té posteli časem vymění povlečení a doplňky, bude použitelná dlouhodobě. Podle Avy byla síť s motýlky a lampička s vílou nutností, takže jsem je musela přidat na seznam věcí, které budeme muset vyhledat v druhé části obchodu.

S Poppy to bylo složitější. Její pohled pokaždé spočinul na cenovce, ale pro nic se nenadchla. Ava byla naštěstí zaměstnaná Hildou a její snahou vybrat z různých variant světel to nejrůžovější, takže dala Poppy pokoj.

„Co tahle?" zeptala jsem se asi popáté a přejela dlaní po pelesti jednoduché, téměř dospělácké postele z borovicového dřeva.

„Ta je v pohodě."

Už jsem se chystala zapsat si kód postele, abychom ji mohly vyzvednout ve skladu, když jsem si uvědomila, že nechci, aby Poppyina postel byla prostě jen *v pohodě*. Chtěla jsem, aby se Poppy ve své ložnici cítila dobře. Alici možná na materiálních věcech nezáleželo – někdy jsem měla pocit, že si ve své nezávislosti libovala, což bylo samozřejmě chvályhodné, až na to, že to rozhodně nedělala kvůli záchraně planety. Dobře jsem si pamatovala, že věk, ve kterém se teď Poppy nachází, je pro vývoj zásadní. Úplně jasně jsem si vybavila situaci, kdy jsem prosila mámu, aby mi koupila krásné barevné povlečení. A jak zklamaná jsem byla, když za mě bez diskuze vybrala obyčejné modré. Alice s tou barvou nesouhlasila a v obchodě udělala takovou scénu, že jí dovolili koupit set s malou mořskou vílou, který po dvou týdnech začala nenávidět a už v něm nikdy nespala.

Poppy měla ráda, když byly věci obyčejné. Rozuměla jsem jí. Připomínala mi mě samotnou.

Ale její postel prostě obyčejná nebude.

Obrátila jsem se k ní zády a začala znovu procházet po místnosti. Tentokrát jsem ale místo postelí pozorovala Poppy. Moc se neprojevovala, ale když její dlaň spočinula na posteli s bílým kovovým rámem, věděla jsem, že je to ta pravá. Něco mezi dětskou postelí a elegantní ložnicí malé dámy.

„Tahle je moc hezká," prohodila jsem.

„Je. Ale je hrozně drahá. Nechci, abys za mě moc utrácela. Vždyť je to jen na týden."

„To je možná pravda, ale ty ložnice stejně potřebuju vybavit a neměla jsem vůbec ponětí, jaký nábytek by se tam hodil. Jsem ráda, že mi s tím pomůžeš. Taky bych byla ráda, kdybys tu ložnici považovala za svoji. Abys věděla, že tam můžeš kdykoliv přijít. Můžete tam s Avou spát, když bude máma pryč."

Najednou jsem zatoužila, aby mi je Alice dávala častěji a aby u mě zůstávaly přes noc. Spolu, nebo každá zvlášť. Hlavně Poppy potřebovala být někdy sama, ne být pořád tou starší sestrou. Vážně jsem si užívala, že jsem je obě za posledních pár dní líp poznala. Dvě naprosto odlišné osobnosti ukryté v dětech mojí sestry. Moje neteře. Až mě z toho zašimralo v břiše. Ty holky teď byly na chvilku moje.

„To bych moc ráda," zašeptala Poppy. „Seš si jistá, že ta postel není moc drahá?" Kousla se do rtu a zamračila se. „Moc se mi líbí."

„Není moc drahá. Jsem ráda, že se ti líbí."

„Děkuju, teto Claire," vydechla s úlevou a její úsměv mě téměř zvedl ze země.

Než jsme došly k pokladně, musely jsme si pořídit druhý nákupní vozík a s Hildou jsme se prohýbaly pod tíhou barevných doplňků. Polštáře, kobeřečky, povlečení, ručníky ve všech barvách duhy. Dokonce i Hilda si přihodila na hromadu ručníky v barvě limetky. Samozřejmě nechyběly vonné svíčky a čtyři sety světýlek s vílami, které si kromě Avy nakonec pořídila i Hilda. A taky metr a půl vysokou palmu a zvětšovací zrcadlo, díky kterému si prý konečně bude moct vytrhávat chlupy z brady. Muž, který stál v tu chvíli vedle Hildy, se málem zadusil smíchy.

Díky bohu, že po zaplacení Hilda zaměstnala Avu a Poppy mi pomohla všechno zorganizovat tak, abychom mohly odjet. Samotné by se mi to nikdy nepodařilo. Uvědomila jsem si, že by mě nikdy dřív nenapadlo říct si o pomoc.

„Vypadá to, že máš plné ruce práce," protáhl malátný hlas. Když jsem zvedla hlavu, uviděla jsem Ashe opírajícího se o futra se dvěma hrnky čaje v rukách.

„Nech mě hádat, poslala tě Hilda?" vydechla jsem a rychle pohledem přejela po změti šroubků, nářadí a částí polic, které jsem měla v plánu sestavit pro Avu. S Poppy jsme zvládly dát dohromady dvě zásuvky, postel už byla taky hotová a velkou radost jsme měly z toho, když jsme strhaly plastový obal z matrace a pozorovaly, jak se nafukuje do původního stavu jako spící housenka.

„Myslel jsem si, že budeš potřebovat pomoc."

Nemělo smysl to popírat. Ještě pořád jsem před sebou měla krabici s komodou, šatní skříní a další postelí. „To je od tebe moc milé. Vzhledem k tomu, jaký jsi kutil."

Sotva jsem tu větu dořekla, chtěla jsem ji vzít zpátky. Bylo to jasné přiznání toho, že se známe. Že jsme spolu něco zažili, což jsme doteď oba popírali.

Ash se na chviličku zamračil, jako by se pokoušel na ten okamžik vzpomenout, a pak přikývl.

„Tohle je Poppy, moje extrémně snaživá pomocnice."

„Ahoj Poppy." Usmál se a podal mi hrnek s čajem. „Hilda vzkazuje, že na tebe v kuchyni čeká sklenice džusu a…," přehnaně zavětřil vzduch prosycený vůní linoucí se z trouby, „prý potřebuje někoho, kdo by vylízal mísu od těsta."

Poppy vyskočila a rychle se na mě podívala.

„Jen běž a schovej kousek dortu i pro mě."

„Dort!" Oči se jí nadšením rozšířily a rozběhla se dolů do kuchyně. Ozývalo se za ní nadšené dupání po schodech.

Ash se na mě usmál. „Děti jsi nikdy nezmínila."

Podívala jsem se na něj s vážným výrazem. „To jsou moje neteře. Hlídám je, zatímco je moje sestra pryč."

„Aha, promiň."

Pokrčila jsem rameny a usrkla čaje. Bála jsem se mu podívat do očí. Cítil se taky tak divně jako já? Připadala jsem si trapně, sama s ním v pokoji, ve svém domě, s hromadou věcí, které jsme si nikdy neřekli.

„Jak dlouho už tady bydlíš?" zeptal se a rozhlédl se po prázdném pokoji.

„Jen půl roku. Předtím jsem měla byt v Leedsu…" Málem jsem se pustila do osobní roviny. Rozhodně jsem neměla v plánu přiznat svoji slabost. Vždycky jsem chtěla tenhle dům proměnit v pinterestový sen, ale nikdy jsem na to neměla čas. Ne že by nábytek z Ikey do dvou dětských pokojů něco z toho zachránil. Měly to být pokoje pro hosty, i když jsem si teď jasně uvědomovala, že jsem neměla nikoho, kdo by za mnou jezdil.

Ash zvedl obočí, ale nic neřekl. Nedopovězená věta visela ve vzduchu.

Tak jsem si radši sedla, schovala obličej za clonou svých vlasů a přichystala si části třetí zásuvky. „Nikdy jsem se v tom bytě necítila jako doma." Byl to jen prostor, kde jsem trávila čas mezi prací. Stěhování do nového domu mělo zahájit další část mého života. Života, který něco znamená. Kdy budu pořádat večeře pro další úspěšné kolegy z práce, budou ke mně chodit na oběd moji rodiče a budou obdivovat, jak je můj dům krásný. A táta ocení, jak výhodná investice to byla. Ale všechno se vrátilo do starých kolejí. Jen to okolí je hezčí.

„A tady se cítíš jako doma?" rozhlédl se po prázdných stěnách a stropu s obyčejnou žárovkou.

Zamračila jsem se na něj, po čtyřech dolezla k velké modré tašce a začala se v ní přehrabávat.

„Tady, ať jsi k něčemu užitečný." Hodila jsem po něm stínítkem růžové lampy a schválně jsem mu mířila na hlavu.

Samozřejmě že se pohotově natáhl a zachytil ho nad hlavou, tričko se mu přitom zvedlo a já jsem zahlédla tmavé chloupky na jeho břiše. Až mi při tom pohledu vyschlo v krku.

Zvedl nabubřele jedno obočí, jako by snad věděl, co se mi právě honí hlavou a jak se snažím krotit touhu. Docela mě tím pohledem naštval.

„A až to budeš mít hotové, můžeš začít s tímhle," ukázala jsem prstem na úhledně srovnanou hromádku dřevěných desek u mých nohou.

„Jsi dost organizovaná. Myslel jsem si, že taková budeš. Určitě už jsi přečetla všechny manuály."

„Samozřejmě." *Proč zním tak upjatě?* V jeho blízkosti se ani jinak chovat nemůžu. Sexy svůdnici už jsem jednou zkoušela, a jak to dopadlo.

„To bude hotové raz dva."

Společně jsme pracovali překvapivě rychle. Možná proto, že jsme se oba soustředili na to, abychom se náhodou jeden druhého nedotkli nebo neřekli něco příliš osobního. Dokonce i mí dlouhé roky sezdaní rodiče při podobných projektech jeden na druhého štěkali. Ash nepotřeboval žádné instrukce, a pokud ano, stačil mu krátký pohled a hned mu bylo jasné, co kam patří. Vzpomněla jsem si, že vlastně vystudoval strojírenství.

Komoda už byla skoro hotová, chybělo umístit poslední zásuvku, kterou jsem ale dovnitř zasunula pod špatným úhlem a nemohla jsem přijít na to, jak ji dostat ven.

„Chceš s tím pomoct?"

Bez rozmýšlení jsem zaostřila na jeho dlouhé prsty, kterými mávnul ve vzduchu. Hlavou mi proletěla vzpomínka a začervenala jsem se. Ash se mi zadíval do očí a já jsem mu pohled oplatila. Viděla jsem, jak semknul rty, a radši jsem se otočila, zostuzená jeho reakcí a neschopností přiznat, že ta noc a všechno, co se mezi námi odehrálo, bylo skutečné.

„Ne, nějak to zvládnu sama," prohlásila jsem.

„Nezvládneš. Trčí ti tam šroubek." Přiblížil se ke mně se šroubovákem v ruce.

Podívala jsem se na něj a chňapla po šroubováku. „To je dobrý, udělám to sama."

Jeho výraz zjihl. „Nerada si říkáš o pomoc, co?"

„Nechceš se radši pustit do těch dalších šuplíků?" zeptala jsem se a ignorovala jeho otázku. Nepotřebovala jsem jeho pomoc. I když nám díky jeho přítomnosti práce ubíhala mnohem rychleji.

Než na nás Hilda zespodu zavolala, abychom si dali přestávku a ochutnali její výtvor, měli jsme komodu hotovou a přesunuli jsme se do vedlejšího pokoje, kde měla stát nová postel.

„Teto Claire, podívej, co jsem upekla!" Ava poskakovala uprostřed kuchyně, bílá od mouky, s rozcuchanými vlasy a ukazovala na talíř plný zlatavých koláčků.

„Vypadají úžasně." Otočila jsem se k Hildě. „Jsem ohromená. A ten dort!" Obdivovala jsem čokoládový korpus s polevou, který chladnul na mřížce vedle dřezu.

„Nebylo to úplně jednoduché. Potřebuješ nějaký pěkný ubrus a utěrky. V pondělí spolu zajdeme nějaké koupit."

„Dobře, Hildo." Kajícně jsem se na ni usmála. Musela jsem uznat, že to v mojí poloprázdné kuchyni neměla jednoduché. Stůl byl prostřený papírovými ubrousky a velkými talíři, protože jsem žádné menší neměla. Většinou jsem nádobí ani moc nepoužívala, stačily mi krabičky, které jsem si přinesla z restaurace. A hosty jsem tu měla za celou dobu možná dvakrát. Pokaždé šlo o kolegy z práce. Karen z personálního oddělení byla asi nejbližší osobou, kterou jsem mohla nazvat kamarádkou. Na mojí pracovní pozici nebylo pro ženské řeči moc prostoru. Když jsem někoho potkala na konferenci nebo školení, většinou šlo o stejně vytížené kolegyně, jako jsem byla já. Příležitostná pozvání na kávu se jen málokdy opakovala a nemohla přerůst v něco stálejšího.

Mary, Ellie a Jenna byly moje kamarádky z univerzity, ve třetím ročníku jsme si společné bydlení opravdu užily, ale když jsme začaly pracovat, už jsme na sebe neměly moc času. A taky kvůli tomu, že jsem se odstěhovala na sever. Jejich trávení víkendů mi přišlo jako plýtvání drahocenným časem. Časem, kdy jsem mohla pracovat. Aspoň tak mi to tenkrát připadalo. Jenna se snažila ze všech nejdýl, dokonce mě párkrát přijela navštívit do Leedsu. Když jsem neměla čas zúčastnit se její svatby, vzdala to i ona. Neměla jsem jí to za zlé. Když se ohlédnu nazpátek, jako kamarádka jsem za moc nestála. Jak bych se asi cítila, kdyby mi někdo neustále dával najevo, že je jeho práce důležitější než já? Byla to moje vina. Jenna si určitě zasloužila lepší kamarádku. Měla bych se jí ozvat. Zeptat se jí, jak se má.

„Můžeš si sednout na královský trůn," řekla Ava Ashovi a ukázala na moji kancelářskou židli, kterou sem přitáhla z pracovny, protože v kuchyni jsem měla jen čtyři židle.

„Děkuju." Ve tváři mu poskakoval pobavený výraz. Ash se na ni usmál a mým směrem vyslal vřelý úsměv, který mě zahřál u srdce. Samozřejmě že mu to šlo i s dětmi. Jen na odpovídání na zprávy očividně neměl talent.

„Kávu, nebo čaj? Doporučila bych čaj, protože Claire má jen ten instantní patok. Já to prostě nechápu."

„Neměla jsem nikdy čas udělat si doma pořádnou kávu," zaprotestovala jsem.

„Hmm. Aspoň že máš Yorkshire Tea. I když konvičku na čaj taky nevedeš."

„Dám si čaj," přerušil nás Ash s pobaveným výrazem. Nevím, co mu přišlo k smíchu. Jak je vůbec možné, že má teď tolik času, když nedávno zmizel z mého života rychlostí světla?

Koláčky mizely jeden za druhým. Holky měly marmeládu až za ušima.

„Mňam." Ava hleděla na Hildu s rozzářenýma očima.

„Měla byste dát tetě Claire recept," řekla Poppy. „Jsou vynikající."

„Jsou tak jednoduché, že malá dáma jako ty je zvládne upéct sama. Vždyť jsi mi s nimi stejně pomáhala. Dám ten recept tobě, Poppy." Hilda mrkla na moji neteř, která se dmula pýchou.

„Můžu je upéct mámě, až se vrátí. A naučit ji, jak se dělají. Ona není... Nemá vaření moc ráda."

„Já jsem taky malá dáma," křičela Ava a mávala koláčkem nad hlavou, až všude odpadávaly drobky.

„To jsi, ale nesmíš se přiblížit k troubě, pokud tam nebude máma nebo Claire, je ti to jasné? Příště vám ukážu, jak se dělají tyčinky z listového těsta."

Příště. Cuklo mi ve tváři. I když byly koláčky vynikající a dort voněl úžasně, v kuchyni to vypadalo, jako by se jí prohnalo tornádo. Dřez přetékal špinavým nádobím, linka byla pokrytá rozšlehaným vejcem a celý prostor pokrývala mouka. Myslela jsem si, že už jsem se vyrovnala s nepořádkem, který kolem sebe holky neustále dělaly, ale mít tady Hildu, to byl další stupeň chaosu.

Rozhlédla jsem se po místnosti. Všichni vypadali šťastně – dokonce i Ash měl ve tváři spokojený výraz, když sbíral drobky, které kolem sebe rozhazovala Ava. Se vší tou vůní a lidmi kolem stolu mi najednou moje vlastní kuchyně připadala útulná. A z nějakého nepochopitelného důvodu mi znovu vytryskly slzy z očí. Cítila jsem se jako doma. Hilda zachytila můj pohled a dala mi najevo, že je to v pořádku. A pak se hned vrátila k Avě a jejímu proudu náhodných otázek. Klidně bych si na dům plný lidí zvykla. Líbil se mi pocit, který to ve mně vyvolávalo. Dnešek byl tak pestrý, že jsem neměla na všechny ty pochybnosti a úzkosti čas. Nahradilo je něco jiného.

Podívala jsem se na hodinky. Pět odpoledne. Ještě pořád máme dost času na to, aby holky dneska spaly každá ve své ložnici. Odhodlaně jsem se postavila. Do večera se z tohohle domu stane domov.

„Spěcháte někam?" zeptala jsem se Hildy a Ashe.

Ash neodpověděl, jen pokrčil rameny. Okamžitě mi bylo jasné, že na sobotní večer žádné plány nemá.

„Pro tyhle dvě roztomilé holky obětuju všechen čas světa," prohlásila Hilda a objala Poppy a Avu kolem ramen. Byla to babička k pohledání. Vlastně jsem ani nevěděla, jestli má vnoučata. Jen jednou se zmínila o synovi.

„Co když to půjdeme nahoru rychle dokončit a já vám potom za odměnu objednám pizzu?" Na ledničce jsem měla pár letáků a slevových kupónů, které jsem si tam bůhví proč odložila. Netušila jsem, jak brzo je budu potřebovat.

„Super," odpověděla Ava s očekávaným nadšením. „Miluju pizzu!"

„Já jsem nikdy pizzu, kterou by mi někdo přivezl domů, nejedla." Hilda spokojeně zatleskala. „Každý den je nové dobrodružství."

„Budu se muset vrátit za psem. Pokud teda nechcete, abych ho přivedl sem. Změna prostředí by mu asi prospěla."

„Pes!" Poppy nastražila uši.

Zasmála jsem se. „Pamatujete si toho pejska, kterého jsme potkaly v parku?"

„Ten chlupatý koberec?" Poppy zacukalo v koutku. Samozřejmě že si to pamatovala. Vysvětlila jsem jim, že Hilda přemluvila Ashe, aby si ho nechal. A pak radostně zavýskaly, když jsem se k němu otočila a řekla: „Samozřejmě že můžeš Billa přivést."

„Billa? Tak mu teď říkáme?" Poppy si Ashe prohlížela. „Proč se jmenuje Bill?"

Ash pokrčil rameny. „Podle mě vypadá jako Bill. Nic zvláštního, prostě obyčejný pes. Prostě Bill. Je kamarádský. I když je pravda, že vypadá jako chlupatý koberec. Ale to by se dost špatně vyslovovalo."

Poppy ho obdařila jedním ze svých vzácných úsměvů. „Ano, je to náš kamarád. Bill se pro něj hodí."

„To přesně jsem si myslel." Ash se na Poppy podíval a oplatil jí plachý úsměv. Musela jsem odvrátit pohled. Byl na ni neuvěřitelně milý.

„Tak, to bychom měli," prohlásila jsem rychle. „Ty běž pro psa a já objednám pizzu." Přinesla jsem si z ledničky letáky. „Hildo, co když s holkama vyberete, na co máte chuť? Ashi, co by sis dal ty?"

„Pokud tam nebude tuňák nebo ananas, je mi to jedno."

„Mně taky. Ananas a tuňák na pizzu nepatří."

„My se na něčem shodneme?" Ash překvapeně zamrkal.

„Vypadá to tak." Sjela jsem ho pohledem a vrátila jsem se k Hildě. „Tak prosím něco vyberte, a pokud by to nevadilo, Hildo, nechám vám na starost peřiny, povlečení a dekorace."

„Jsem výborná dekoratérka," pochválila se Hilda. „Když jsem kdysi dávno provozovala starožitnictví, pomohla jsem Judi Denchové vybrat lampičky od Tiffanyho do jejího domu v Londýně. A princezna Diana od nás několikrát objednávala nejlepší kousky do Kensingtonského paláce. A to jsem si vždycky myslela, že to místo musí být vzácnými dekoracemi přecpané k prasknutí. Tak pojďte, holky, pustíme se do toho."

V dnešním oranžovém outfitu s bílými pruhy vypadala jako něco mezi hokejovou fanynkou a mandarinkou. Popadla obě holky za ruku a táhla je do pokojů v poschodí. Já a Ash jsme v kuchyni osaměli.

Seshora se ozýval výskot a rámusení. Občas Poppy přiběhla dolů, vyhrabala něco z modré tašky a odnesla to nahoru. Když jsem si pak na chvilku odskočila do koupelny, modré ručníky už tam byly úhledně naskládané na poličce a pověšené na háčku, držák na zubní kartáčky nahradil obyčejnou skleničku a plastová nádobka s tekutým mýdlem byla vyměněna za krásnou tmavě modrou lahvičku, kterou jsem přihodila k nákupu na poslední chvíli.

„A je to," prohlásil Ash, když o hodinu a půl později přejel po hraně posledního kusu nábytku. Šlo mu to dobře od ruky. „Kam to mám dát?"

„Zatím vedle postele. Můžeme tam postavit noční lampu. Později přikoupím další, ale tohle bylo všechno, co jsme dneska zvládly. I tak toho bylo dost."

„Takže jsme hotoví?"

„S nábytkem ano. Už nechci vidět šroubovák aspoň několik týdnů."

„Já taky ne, i když se to tu hezky zútulnilo. Zajdu pro Billa."

„Už to máte hotový?" Ava vběhla do pokoje a poskakovala mezi vybalenými krabicemi, plastovými obaly a polystyrenem.

Slyšela jsem všechny tři z kuchyně. Doufala jsem, že se Hilda postarala o tu pizzu. Kdybych to nechala na Avě, objedná všechno, co mají v nabídce.

„Pojďte se podívat, jak vypadá můj pokoj."

Ash posbíral odpadky a já jsem se vydala nahoru po schodech. Hned ve dveřích jsem se musela usmát. „Vypadá to nádherně." Jako pokoj pro princeznu.

„Nádhera," zopakovala po mně Ava a rozběhla se zapnout světla, která s Hildinou pomocí propletla skrz rám čela postele. „Podívej se na tohle." Zablikala několikrát lampou.

Otevřela jsem zásuvku a překvapeně jsem zjistila, že Hilda přeskládala celý Avin šatník do úhledných komínků. Nedokázala jsem si představit, jak dlouho její oblečení v takovém stavu vydrží.

„Všechny moje hračky tu novou postel milují. Hilda říkala, že se jim víc líbí v rohu postele, cítí se tam bezpečněji a žádná z nich nespadne na zem." Za to musím Hildě poděkovat. Myslím, že se té malé breberce bude hned líp usínat, když nebude zavalená plyšáky ze všech stran.

„Líbí se ti tu?" zeptala jsem se.

Objala mě nadšeně kolem pasu. „Děkuju, teto Claire."

„Jsem ráda, že jsi spokojená." Sklonila jsem se a přitáhla ji k sobě. Voněla po vanilce. S chutí jsem jí zabořila nos do vlásků. Pohltil mě ochranitelský pocit. Už nikdy jsem to tělíčko nechtěla pustit. Už podruhé ve stejný den mě napadlo, že bych si na tohle všechno rychle zvykla.

13

„Byl to moc hezký večer." Hilda se poplácala po břiše, které jí oranžová teplákovka těsně obtahovala. „A to víno je výborné. Miluju malbec."

Zvedla jsem skleničku a přiťukla si s ní i s Ashem. Holky nás před chvílí opustily, aby se ve vedlejší místnosti mohly dívat na televizi, a milostivě s sebou vzaly i Billa, který radostí nevěděl, kam dřív skočit. „Moc děkuju za všechnu pomoc. Bez vás bych to určitě nezvládla. Moc si toho vážím." Odmlčela jsem se a nervózně se zasmála. „Většinou si neumím říct o pomoc."

Ash se pousmál. „O tom mi povídej."

„Ale prosím tě, drahoušku, vždyť o nic nešlo." Hilda se káravě podívala na Ashe. „Už si ani nepamatuju, kdy jsem se naposledy takhle nasmála. Ty holky jsou hotový poklad. Zapomněla jsem, jaké to je, mít kolem sebe rodinu."

„Hlasité a chaotické," vrátila jsem ji do reality. I když dnešek se popravdě řadil k pozitivním dnům. Myslím, že si to užil i Ash. Několikrát jsem si všimla, že zvedl koutky úst k úsměvu.

„Nádhera. Cítím, že zase žiju." Hilda si podepřela bradu dlaní a spokojeně se zadívala do dálky. Pak mě pohladila po dlani. Mezi mojí bledou a její vráščitou, téměř průsvitnou kůží byl značný kontrast. Bylo těžké odhadnout, jak stará vlastně

Hilda je. Když se člověk zadíval na její zelené gelové nehty, nikdy by neřekl, že každé ráno běhá v parku. Podle vrásek nejspíš byla ve skutečnosti mnohem starší, než se zdálo.

Mrkla jsem rychle na Ashe. Neusmíval se, ale konečně se ani nemračil.

„Ještě víno?"

„Ano, zlatíčko, moc děkuju. A až dopijeme, měli bychom zatočit s tím nádobím. Ashi, byl bys tak hodný a naskládal ho do myčky?"

Dolila jsem nám skleničky, a když jsem se posadila zpátky na židli, Hilda už uklidila, setřela stůl a položila před nás papíry a tužky.

„Napadlo mě, že bychom si rovnou udělali plánovací schůzku."

Ashův výraz kopíroval ten můj. Ve stejnou chvíli jsme se na sebe zamračili.

„A co přesně, drahá Hildo, plánujeme?" Ashův blahosklonný tón mě přiměl stisknout rty.

„Náš parkrun samozřejmě. Neříkejte, že jste na to zapomněli."

Znovu jsme se na sebe s Ashem podívali a on unaveně obrátil oči v sloup.

Hilda si povzdychla. „Laskavě si přestaňte dávat znamení, já to vidím." Natáhla se a chytila Ashe za ucho. „Nejsem ani hloupá, ani senilní. Je to výborný nápad. Pravidelná aktivita by vám oběma udělala moc dobře. Po dnešku jsem ještě víc přesvědčená, že jsme ten správný tým, který by se do organizace měl pustit. Claire, ty jsi neuvěřitelně organizovaná, to šlo vidět hned, jak jsi vešla do obchodu, všechno jsi naplánovala a pak před sebou rozložila nábytek tak, aby se ti dobře skládal. Ty, Ashi, dostaneš úkol a za každou cenu ho dotáhneš do konce. A já mám nápady. Jsme naprosto ideální tým. Churchstone potřebuje parkrun. Myslela jsem si, že by si někdo mohl promluvit se Saschou z kavárny, určitě by se taky ráda zapojila. Bude ráda, když bude v parku víc lidí."

„Určitě by prodala mnohem víc kávy," odtušil Ash suše.

Hilda po něm hodila kritickým pohledem, až Ash bezbranně zvedl ruce nad hlavu.

„Claire?"

Popravdě to nebyl vůbec špatný nápad. Proč by ne? Hilda měla pravdu. Dovybavení domu mi už tolik času nezabere a vidina nového dobrodružství a výzvy mě docela bavila. Něco takového jsem ještě nikdy nedělala. Mohlo by být fajn mít vedle práce i nějakou jinou aktivitu. „Jak už jsem řekla, za zeptání nic nedáme."

„Ashi? Potřebuješ něčím zaměstnat hlavu."

„Děkuju, Hildo. Ale nepotřebuju, abys mi organizovala život."

„Ale potřebuješ." Založila si paže na prsou a já jsem musela potlačit smích.

Ash znovu obrátil oči v sloup. „Můžu se tomu věnovat jen krátkodobě, ale až se vrátím…" Pokrčil rameny a Hilda přikývla.

„Dobře. Měli bychom asi začít tím, že v sobotu ráno půjdeme běhat a zeptáme se lidí v parku, jestli by se chtěli zapojit."

„Mám lepší nápad," řekl Ash. „Zmínil jsem se o tom před svým bratrem a ukázalo se, že mám bratrance, což není překvapení, mám jich asi dvacet, jmenuje se Darren a ten by nám s tím mohl pomoct. Pořádá parkrun v Tringu. Mluvil jsem s ním. Mohli bychom tam zajet a podívat se, jak to probíhá."

„Pořádá?" zeptala jsem se. To znělo dobře.

„Ano, stará se o to, aby všechno šlapalo, jak má. Koordinuje dobrovolníky, kteří značkují trať, navádějí návštěvníky, měří časy a podobně."

Hilda radostně zatleskala. „Vzal sis ten úkol vážně k srdci."

Představila jsem si davy běžících šílenců, které se budeme snažit udržet pod kontrolou. Začínalo mě to zajímat. Chyběla mi práce, chybělo mi plánování každého kroku, potřebovala jsem vědět, že jsem to nezapomněla. Docela jsem se na tenhle projekt začínala těšit.

„To zní výborně. Měl by ses s ním setkat, zaběhat si a na všechno se zeptat," prohlásila Hilda a promnula si dlaně. „Kde je vlastně Tring?"

„Hertfordshire, severně od Londýna. Autem tam budu za chvilku. Počkejte, zavolám mu." Ash vyskočil na nohy a vyšel do zahrady. Sledovaly jsme, jak tam pochoduje s telefonem u ucha.

„Vidíš, už se do toho dostal. Vypadá líp, že jo?" poznamenala Hilda.

Věděla jsem, že na mně visí pohledem, a tak jsem radši dál sledovala Ashe, než bych se jí podívala do očí. I když se dal po fyzické stránce trochu do pořádku, pořád z něj vyzařovala zahořklost. Uzavřel se pokaždé, když už to vypadalo, že i na jeho straně země začíná svítit slunce. Co se mu jen mohlo stát, že se změnil v úplně jiného člověka?

„To bychom měli." Ash se vrátil ze zahrady a s ním do místnosti zavál večerní chlad. „Bratranec nás pozval, abychom v pátek přijeli a v sobotu ráno se zúčastnili běhu v parku. Můžeme tam nabrat nějaké zkušenosti."

„Tak to je paráda. Claire, pojedeš tam s Ashem."

„Já? To nemůžu!" Určitě ne s Ashem. Ne jeho autem. „Mám přece holky. A moje sestra se vrací až v neděli." I když ani to nebylo jisté.

„Já je pohlídám," oznámila mi Hilda. „Pět kilometrů stejně neuběhnu. Pro vás to bude dobrý trénink, nemusíme u toho být všichni tři."

„Nemůžu s vámi holky nechat."

„A proč bys nemohla? Mám to v hlavě naprosto v pořádku. Žádný strach. Postarám se o ně."

„Tak jsem to nemyslela, Hildo. Je to velká zodpovědnost. Nechci vás tím otravovat." Zas tak dobře jsem ji neznala, ale bylo mi jasné, že v lepších rukách by se holky ocitnout nemohly.

„Otravovat? Blbost! Sama jsem se nabídla. Navíc si to taky užiju. Můžeme se podívat na film a upeču jim sušenky. A dostanu se aspoň ven z Údolí stínů, to je na tom to nejlepší."

Oba čekali, co ze mě vypadne. Hilda nadšeně, Ash s tím otravně zvednutým obočím. Kdybych se k němu dostala blíž, tak mu to obočí snad oholím. Samotná myšlenka na to mi zvedla náladu.

„Děkuju za ten krásný pokoj, teto Claire." Poppy – zabořená mezi bílými a modrými polštáři, s tenkými pažemi a úzkým obličejem, svírající čtečku jako Bibli – vypadala jako viktoriánský náhrobek.

„To je v pořádku, zlato. Jsem ráda, že se ti tu líbí. Oba pokoje se proměnily k nepoznání."

„Teď musíš dodělat zbytek domu." Poppy vykouzlila na tváři uličnický výraz.

„Naznačuješ tím snad, že je s mým domem něco v nepořádku?" zeptala jsem se naoko uraženě, i když jsem moc dobře věděla, že moje ložnice vypadá oproti těm jejich jako holobyt.

„Jen… vypadá trochu smutně a opuštěně, jako by tady nikdo nebydlel."

Opuštěně, to bylo zajímavé slovo, které bych od tak malé holky nečekala. Poppy měla rozhodně zajímavý způsob myšlení.

„Prostě jsem se k tomu kvůli práci nikdy nedostala. Nikdy jsem… neměla na nic jiného čas." Sotva jsem tu větu dořekla, věděla jsem, že to úplně nebyla pravda. Času jsem měla dost, jen jsem s ním špatně nakládala. Většinu jsem věnovala práci, a na to jsem se teď vymlouvat nemohla.

„Hilda ti pomůže. Má spoustu nápadů."

„Taky ráda nosí oranžovou teplákovku," namítla jsem. „A využívá se v limetkově zelených ručnících."

Poppy se zasmála. „Je moc milá a fakt dobře vaří. Ještě nikdy jsem dort nepekla. Bylo to úžasný. Nechala to skoro celý na nás."

„Nikdy jste s mámou nepekly?" divila jsem se. „Ani s babičkou?"

Když jak jsem nad tím tak přemýšlela, naše máma taky nebyla zrovna rozená cukrářka. Uměla výborně vařit a kuchyni měla pod kontrolou. Nepekla dorty, ale zato nás brala do cukrárny, kde jsme si mohly vybrat, na co jsme právě měly chuť. A to i když nám bylo přes třicet.

„Ne, když jsme u babičky s dědou, většinou nás berou někam ven. Nakoupit oblečení nebo do kina." Poppy se zachichotala. „Děda má moc rád filmy od Pixaru. Viděla jsi *Frčíme*? Byli jsme na tom třikrát."

„Děda brával do kina i mě s vaší mámou." Musela jsem se nad tou vzpomínkou pousmát. „Nebyla jsem v kině už ani nepamatuju. Možná bysme mohly jít zítra, když budou něco zajímavého dávat."

„Super."

„Nevadilo by ti, kdyby vás Hilda příští víkend hlídala? Už jsem ti říkala o jejím nápadu se sobotním během v parku?"

Vysvětlila jsem jí to málo, co jsem zatím o parkrunu věděla, a že se mám příští týden vydat na výzvědnou misi s Ashem.

„Ty s ním chodíš?"

„S Ashem? Ne!" skoro jsem vykřikla. „Ani ho neznám. Jen přes Hildu." Rychle jsem tu lež polkla.

„A proč nemáš žádnýho kluka? Seš moc hezká, dokonce i bez make-upu. Ty nechceš mít děti?"

Hleděla jsem na ni, jako by mi srdce sevřela ledová pěst. „Nikdy jsem neřekla, že nechci mít děti."

„Alice," tohle nebylo poprvé, kdy o své matce mluvila jako o Alici, „říkala, že nemáš děti, protože seš provdaná za svoji práci. Tomu moc nerozumím, protože jak se můžeš provdat za něco, co není člověk? Myslím, že si nemůžeš vzít ani psa, nebo snad jo?" Nakrčila roztomile nos a já jsem se musela natáhnout a dát jí na něj pusu, i když mě to vnitřně bolelo.

„To se jen tak říká." Poškrábala jsem se na tváři. „Znamená to, že dáváš práci před vším přednost. Ale děti bych jednou měla ráda... Jen jsem ještě nepotkala toho pravého, s kým bych je chtěla mít." To byla odpověď přijatelná pro děti. „A máš pravdu, za psa se fakt provdat nemůžeš."

„Bill je hodný. Kdyby byl můj, pořád bych mu říkala Chlupatý koberec. Myslíš, že by mohl znovu přijít?"

„Asi jo. Ash se o něj stará jen dočasně. Tak jako já o vás."

„Půjde zpátky za svým páníčkem?"

„No, nejspíš dostane nového páníčka." Mezi Poppyino obočí se vloudila ustaraná vráska. „Ta majitelka útulku by ho nenechala jít nikam, kde by ho neměli rádi, neboj."

Poppy si povzdychla. „To je dobře. Já bych chtěla psa. Ava by chtěla štěně, ale mně by se líbil pejsek jako je Bill, který potřebuje nový domov." Najednou jí zajiskřilo v očích a rychle se v posteli posadila. „Myslíš, že bychom si ho mohly... Mohla by sis ho nechat? Chodily bychom se o něj s Avou o víkendech starat. Aspoň bys nebyla sama, až se vrátíme domů."

Zasmála jsem se. „To je výborný nápad, ale až se vrátím do práce, Bill by byl celý den sám. A to by se mu asi moc nelíbilo."

Když její tvář najednou posmutněla, píchlo mě u srdce, že jsem ji připravila o naději. „Promiň, zlato. Možná sem můžete vzít Billa, až příští víkend pojedeme s Ashem pryč."

„To by bylo fajn," odpověděla smutně.

„Tak a teď už spát. Ne že si budeš celou noc číst." Rozcuchala jsem jí vlasy a políbila ji na čelo. „Dobrou noc, Poppy."

„Dobrou, teto Claire. A děkuju za krásný den."

Zabila bych Alici za to, že jí bylo jedno, že mi tady nechala svoje děti. Nemluvila s nimi už přes týden. Proč jim prostě nezavolá?

Poppy byla opravdu kouzelná. V některých směrech mnohem snesitelnější než její sestra, jejíž dětskou duší cloumaly nejrůznější nálady, a podle toho se s ní taky muselo jednat. Ava byla rozmazlená. Stejně jako v jejím věku Alice. Měla jsem Poppyin úsměv před očima ještě několik minut, když jsem sešla dolů po schodech. Najednou jsem si uvědomila, že se na příští týden těším.

14

„Mohla bys s tím přestat?" Hilda počkala, až jí z úplně nového kávovaru nateče do šálku espresso. Pak se posadila ke stolu, který konečně s mým svolením ozdobila ubrusem v olivové barvě s motivem slepic.

Nervózně jsem poklepávala tužkou do poznámkového bloku. „Prostě mám pocit, že se zbavuju zodpovědnosti za holky, když mi je jejich máma svěřila do péče." Navíc jsem se jí zase několik dní nemohla dovolat. Dneska bylo úterý a jako by se po ní zase slehla zem. Dokonce jsem se snížila k tomu, že jsem napsala dlouhý a naléhavý e-mail rodičům, aby jí domluvili a donutili ji ozvat se jejím dětem.

Plánovaný výlet do Tringu byl jen jednou položkou na seznamu věcí, které mě stresovaly. Upřímně jsem moc nevěřila, že by ta schůzka k něčemu byla. Ani tomu, že by o parkrun v našem městě byl zájem. Ale když jsem si našla web parkrunu, ohromilo mě, o jak úspěšnou událost jde. Na světě probíhalo více než tisíc takových běhů ve dvaadvaceti státech, kde bylo zaregistrovaných přes šest milionů běžců. Mým prvním úkolem bylo sehnat povolení k užití parku, což zpočátku vypadalo dost složitě, ale nevzdávala jsem se. Možná za to mohla euforie z nakupování.

Utratila jsem spoustu peněz, ale musela jsem uznat, že můj dům vypadal od seznámení s Hildou mnohem útulněji a na hony vzdáleně představě, kterou jsem měla, když jsem si ho pořídila. Po naší společné návštěvě obchodu Dunelm na okraji města jsem teď byla hrdou majitelkou velké sady porcelánu obsahující i dózu na máslo nebo čajovou konvičku a šesti nových židlí v barvě šalvěje, které ladily s tou nádherou rozprostřenou na stole. A abych nezapomněla, nemohly jsme odejít bez mixéru, skleněného servírovacího tácu, vykrajovátek na sušenky a forem na pečení.

Hřejivé barvy a venkovské motivy nebyly úplně tím, co jsem od svého domova očekávala, ale rychle jsem si uvědomila, že jsou pro návštěvníky mnohem vlídnější, takže jsem změnila názor. Můj dům se z prostoru pro přespání mezi dvěma pracovními dny změnil v místo, kde jsem ráda trávila čas. Trochu jsem se při tom přiznání zastyděla. Jak jsem mohla dopustit, aby kromě práce nemělo nic jiného v mém životě význam?

„No tak, vychovala jsem vlastní dítě a zvládla čtyři manžely.“ Hildiny námitky mě nakonec umlčely. „Můžeš mi věřit, že se o Avu a Poppy zvládnu postarat. Bude to legrace.“

Z toho jsem možná měla největší strach.

„Čtyři manžely?“ Usrkla jsem kávu a spokojeně se usmála, když mě hořká chuť pohladila po jazyku. Proč mi trvalo tak dlouho pořídit si pořádný kávovar?

„Ano, i když Frank – číslo tři – nebyl můj oficiální manžel, ale všichni si mysleli, že jsme svoji, dokud se na jeho pohřbu neobjevila jeho manželka. To překvapilo i mě.“ Zvedla prošedivělé obočí. „Dalo mi pořádně zabrat prokázat, že ten dům je můj. Chtěla mi půlku sebrat, potvora. Málem jsem ho přepsala na syna, aby si na něj náhodou nedělala nároky. Ještě že jsem to neudělala, prodal by ho a stejně by mě poslal do domova důchodců.“

„Kolik je vašemu synovi?" zeptala jsem se zvědavě. Nikdy o něm moc nemluvila.

„Bude mu šestačtyřicet. Měla jsem ho dost pozdě. Manžel číslo dva, to byla největší paráda." Spokojeně se usmála. „Nebyl tak hezký jako ten první, ale pořádně jsme si to spolu užili. Občas toho bylo až moc. Vlastnil starožitnictví, ale několik let po tom, co zemřel, jsem zjistila, že to vlastně byl krycí název pro padělatelství. Ještě že jsem celý ten podnik prodala."

Zamrkala jsem, ale Hilda nerušeně pokračovala dál, z čehož jsem usoudila, že si nejspíš dělá legraci.

„Dostala jsem ho v rozvodovém řízení. Ta káva je moc dobrá." Vstala a nacpala do přístroje další kapsli.

„Myslela jsem, že jste říkala, že vám káva nedělá dobře. Nechci mít na svědomí váš špatný zdravotní stav."

„Vypadám snad, že mi není dobře? To mi jen tvrdí v tom našem starobinci. Proč si myslíš, že trávím tolik času v parku?" Uhladila si vlasy. „Musím si zajít ke kadeřnici, než vyzvednu v pátek holky ze školy. Nechci, aby si někdo myslel, že jsi je na víkend nechala nějaké čarodějnici."

Zasmála jsem se. „To se tam na vás budou muset pořádně vyřádit."

„Možná máš pravdu, drahoušku," přitakala s klidem. „Obleču si svoji nejlepší teplákovku. Tu bílou s červenými pruhy."

„Tu jsem snad ještě ani neviděla."

„Schovávám si ji pro zvláštní příležitosti."

Kousla jsem se do rtu, abych při představě příležitostí, při kterých by si člověk na sebe vzal teplákovku Adidas, nevyprskla smíchy. „Nevadí vám, že budete s holkama tak dlouho?"

Ash navrhnul, abychom vyrazili už v pátek ráno. Prý se tak vyhneme dopravní špičce. Dávalo to smysl, ale pro mě to spíš znamenalo strávit s ním ještě víc času, než jsem předpokládala.

A taky nechat Hildu s holkama přes čtyřiadvacet hodin. Dřív než v sobotu v poledne se určitě nevrátíme. To je příliš mnoho času v autě s někým, s kým jste se jednou vyspali a teď vší silou předstíráte, že se to nikdy nestalo. Ten chlap mi ještě pořád dluží vysvětlení.

„Nevadí. Zažijeme spolu spoustu legrace. A spoustu pečení. Teď mi řekni, jak jsi pohnula s tím povolením z radnice."

„Točím se v kruhu," posteskla jsem si. „Je to na hlavu. Celý včerejšek jsem strávila na telefonu. Nemůžu se dovolat správné osobě, je tam spousta možností, z nichž ani jedna nesedí na naši situaci, a pak se hovor přeruší. Zkoušela jsem jiné cesty, poslala jsem několik e-mailů, ale nikdo se mi neozval." Když jsme si vytyčili skutečné cíle a kroky k jejich dosažení, přestala jsem se soustředit na to, jestli je náš projekt vůbec realizovatelný. Prostě jsem tomu musela věřit. Potřebovala jsem Hildu přesvědčit, že se o něco snažím.

„To je typické. A to jsou ti byrokrati placení z našich daní. Zjistila jsi ještě něco?"

„Pročetla jsem celý web o parkrunu, je tam spousta zajímavých informací. Pracují pro ně ambasadoři, kteří nám s tím můžou pomoct, ale dokud nebudeme mít potvrzení od města, moc toho nezmůžeme. Už teď je mi ale jasné, že budeme potřebovat spoustu dobrovolníků."

„To nebude problém," řekla Hilda sebevědomě.

Tím jsem si nebyla až tak jistá. „Ani nevím, kde začít."

„Tak zajdi za Saschou do kavárny." Hilda se potutelně usmála. „Jen si představ, jak se jí zvedne prodej kávy."

Hmm, možná tam přijde dalších dvacet lidí a jeden pes, pomyslela jsem si, ale uznala jsem, že za zeptání nic nedám.

„Možná by nám v kavárně vyvěsila nějaký plakát. Nebo bychom tam mohli udělat informativní schůzku. Zjistit, kdo by měl vlastně zájem."

„Sascha je v místní komunitě oblíbená. Před pár lety o ní kolovaly drby, ale já jsem tomu nikdy nevěřila. Ty senilní drbny z Výsluní nemají nic jiného na práci. Pěkně mě to tam začíná sr...“

„Ale Hildo,“ usměrnila jsem ji.

„No co, Claire? Umím se taky pěkně rozčílit, nemysli si. Stejně jako královna. Když jsme jí hlídávali psy, to ještě s mým prvním manželem, měl velmi dobré společenské postavení, občas nás pozvala na čaj. Ta uměla nadávat jako dlaždič.“

„Vážně?“ Začínala jsem být přesvědčená o tom, že některé z Hildiných historek byly – jak to jen říct – lehce přibarvené. Nebo úplně vymyšlené.

„Mrzí mě, že s tebou nemůžu zajít za Saschou, ale musím se ukázat na Výsluní, aby si nemysleli, že mě někde klepla pepka. Volali by synovi, což je to poslední, co bych teď potřebovala.“ Sebrala ze stolu stříbrnou kabelku a zmizela z kuchyně jako pára nad hrncem.

Osaměla jsem u stolu a zaposlouchala se do ticha, které v domě nastalo. Promarnila jsem značnou část svého života, tolik možností. Hilda svým bezostyšným způsobem přinesla světlo do temných koutů nejen mého domu. I teď, když jsem si vybavila její historky o manželství, mi vzpomínky na tváři vykouzlily úsměv. Určitě by nenechala odejít Ashe úplně bez vysvětlení. Zatlačila by ho do kouta a vymáčkla z něj odpověď na každou otázku. Najednou jsem se u stolu narovnala a zvedla bradu. Přesně tohle bych měla udělat i já.

Ptáci vesele prozpěvovali a já jsem pomalým tempem míjela záhony vysázené drobnými bílými a růžovými květinami. Jaro se definitivně měnilo v léto a vysoké stromy stínící zadní část parku doslova zářily svěže zelenými listy. Sundala jsem si kabát, abych cítila teplé paprsky a užila si vzácnou chvíli naprostého klidu.

Vždycky jsem se snažila žít nejlíp, jak jsem mohla. Chtěla jsem využít každé situace a všechno mít perfektní, což bohužel znamenalo, že jsem spíš všude dobíhala na poslední chvíli a spoustu věcí dotahovala pět minut před dvanáctou. Najednou mi to došlo. Proč jsem si vždycky stanovila tolik cílů na tak krátkou dobu? A proč jsem vždycky musela být za každou cenu nejlepší? Bylo to snad proto, že Alice celý život dávala rodičům tak zabrat, že jsem se snažila jim nepřidělávat další starosti? Obzvlášť po tom, co otěhotněla? Hloupost. I dřív jsem se o sebe uměla postarat sama. Ve škole mi to šlo, takže mě rodiče moc nekontrolovali. Přesto jsem toužila po jejich pozornosti. Předpokládám, že právě tehdy jsem to se svým úsilím začala přehánět.

Zpočátku mě to naplňovalo, ale později se z toho stal zajetý zvyk. *Není divu, že jsem byla ze všeho tak vystresovaná.* Konečně jsem si to přiznala. Minulý týden se ten pocit, že neustále balancuju na hraně útesu, konečně rozplynul. Když jsem teď pomalu kráčela na slunci, jasně jsem cítila, že jsem dřív žila ve stresu. A přišlo mi to k smíchu.

To uvědomění mi připadlo, jako bych pomalu vypouštěla vzduch z nafouknutého balonku. Nikam jsem nemusela spěchat. Strašně mě to osvobozovalo. Měla jsem všechen čas jen sama pro sebe.

Bylo v podstatě jedno, kdy přesně do kavárny U Šťastného zrnka dorazím. Posadila jsem se na lavičku, pohodlně jsem se opřela a zavřela oči. Slunce mě příjemně hřálo na obličeji a odhalených pažích. Oblékla jsem si šaty, protože jsem ve skrytu duše měla z rázné Saschy obavy. Bylo to k smíchu, protože v práci jsem byla zvyklá jednat s lidmi úplně jiného kalibru. Je zvláštní, kolik sebevědomí jsem ztratila od doby, kdy mi bylo řečeno, že nezvládnu dál dělat svoji práci. Nenáviděla jsem tu diagnózu.

O tolik mě připravila. Možná jsem konečně dospěla do stavu, kdy jsem měla začít o svoje postavení bojovat.

Po pěti minutách jsem se postavila. Sascha mě přinejhorším odmítne. Možná ale ne. Hildino odhodlání a schopnost se vším se poprat mě dneska ráno nakoply. S nadšením, jaké jsem už dlouho neprožívala, jsem vešla do kavárny.

Když jsem otevřela dveře, okamžitě jsem Saschu zaznamenala. Měla na sobě duhovou šálu hrající všemi barvami. Přesně jako park.

„Dobrý den," řekla jsem.

„Dneska neběháš?" Sascha přešla rovnou k tykání a podle mého oblečení usoudila, že dneska svůj oblíbený okruh vynechám.

„Ne…" Usmála jsem se na ni. „Chtěla jsem vypadat profesionálně. Mohla bych s vámi na chvilku mluvit?"

Nadšeně zvedla obočí. „Hledáš práci?"

„Ne," odpověděla jsem rázně. „Chtěla jsem s váma probrat jeden nápad… Týká se to parku."

„Jasně. Dáš si kávu?"

„Cappuccino, prosím."

Zkušeně vykouzlila dvě kávy, a když do nich nalívala napěněné mléko, kývla bradou k peněžence, kterou jsem vytáhla z kabelky. „Dneska je to na mě."

Posadily jsme se do stejného kouta, kde jsem před několika týdny seděla s Alicí, což mě přimělo zamyslet se nad tím, kolik se toho od té doby v mém životě změnilo. Všechno bylo najednou jasnější a zbavila jsem se dřívější paniky. Zdá se, že na mě mělo běhání dobrý vliv. Dalo mi důvod každé ráno vstát a snažit se pokořit své cíle. Uběhla jsem dobré čtyři kilometry bez zastavení.

„Všechno v pořádku?" zeptala se mě Sascha.

„Ano."

„Tak co jsi se mnou chtěla probrat? Jestli jde o venkovní přímotopy, tak říkám ne. A jestli prodáváš biologicky rozložitelné kelímky na kávu, už jsem nad tím přemýšlela. Nehodlám měnit dodavatele kávy a všechny dorty peče moje sestra. Jestli máš něco jiného, poslouchám."

„Účetnictví?" zeptala jsem se se smíchem.

„Můj táta."

„To je dobře, protože já nic prodávat nechci."

„Tak to máš recht, protože už jsem potřebovala přestávku. Tak co tady řešíme?"

„Máme takovou skupinu," to znělo mnohem líp než já, jedna stará bába a chlap se psem, „a přemýšleli jsme o zorganizování běhu v našem parku. Chtěla jsem se zeptat, jestli byste nám nějakým způsobem nepomohla tu myšlenku zpropagovat. Jestli bychom tu nemohli třeba pověsit plakát nebo uspořádat informativní schůzku. Potřebovali bychom shromáždit místní dobrovolníky a zjistit, kolik lidí by mělo zájem."

„Parkrun?" zbystřela. „Jako ten v Harrogatu? Přítel mojí sestry tam běhá každou sobotu, i v dešti."

„Vážně?" zeptala jsem se zvědavě. „To má docela daleko."

„Miluje to. Říkal, že je to paráda. Každý týden se tam sejde tak pět set lidí."

„Tolik? To jsem v šoku." To číslo mi připadalo neskutečné. „Tolik jich sem asi nepřijde. Aspoň ne ze začátku."

„Proč by ne? Harrogate je odsud skoro hodinu. Pro spoustu lidí z okolí to sem bude blíž. A od Steva jsem slyšela, že účastníci rádi navštěvují nové lokality. Říkají tomu *běžecký turismus*."

„Ještě nemáme představu, jak velký zájem tady bude."

„Myslím, že budete příjemně překvapení."

„Ještě než s tím vůbec začneme, musíme zjistit, kdo všechno by se připojil a kolik lidí by bylo ochotných nám pomoct. Nejdřív musíme zařídit povolení města k užití parku, ale s tím nemůžu vůbec pohnout. Nevíte náhodou, na koho bych se měla obrátit?"

Sascha se zasmála. „Tak to vím naprosto přesně. Na Neila Blenkinsopa… Ano, tak se jmenuje. A ano, je to nudný patron, ale ve skrytu duše dobrý člověk. Má na starost parky a volnočasové aktivity." Pak vytáhla z kapsy ohmataný diář a zalistovala v něm. „Tady na něj máš kontakt."

Rychle jsem si číslo uložila do telefonu.

„Mohli bychom si sem dát plakát?"

„Jasně, žádný problém. Někdy nechám otevřeno dýl a můžete si tu udělat schůzku. Připravím vám nějaké občerstvení." Usmála se.

„Vážně?" překvapeně jsem se na ni podívala. „To by od vás bylo moc milé."

„Kam si asi všichni ti nadšení běžci půjdou doplnit energii, koupit si domácí brownies, kávu nebo čaj? Myslím, že přidám na menu položku *Sobotní parkrun speciál*."

„Zatím neslibuju, že se toho vůbec dočkáme," varovala jsem ji.

„No, to nedočkáte, pokud to nezkusíte. Když jsem otevírala kavárnu, taky mi všichni říkali, že to nebude fungovat. A podívej! Kdy chcete uspořádat tu schůzku?"

„No… my… ještě…" Budeme to muset ještě naplánovat. „Nejdřív zjistím, jestli dostaneme to povolení."

„Tak mu hned zavolej."

„Musím to mít písemně."

„Zavolej mu. Proto s sebou nosíš telefon na každém kroku, ne?" pokynula k mobilu, který ležel na stole vedle mojí ruky.

„Asi jo." Pokrčila jsem rameny a uvědomila jsem si, že mě nenechá odejít.

Neil můj hovor zvedl po druhém zazvonění.

„Neil Blenkinsop."

„Dobrý den, pane Blenkinsope, ráda bych se zeptala, jestli byste mi mohl s něčím pomoct. Dostala jsem na vás kontakt od Saschy z kavárny U Šťastného zrnka."

„Aha," odpověděl vágně. Měla jsem pocit, jako bych v jeho hlase zaslechla rezignaci. „Jak vám můžu pomoct?" zeptal se odměřeně.

„Rádi bychom ve Viktoriině parku uspořádali parkrun. Bylo by možné přes vás zjistit, jak požádat o povolení?"

„Parkrun? Ve Viktoriině parku? Tady v Churchstonu?"

„Ano," odpověděla jsem a snažila se do svých slov vložit co nejvíc entuziasmu.

„Pětikilometrový běh?"

„Ano."

„Hmm, to zní zajímavě." Pak se na delší dobu odmlčel a mě začínaly opouštět síly. Možná jsem za ním měla zajít osobně, měla jsem se na to setkání pořádně připravit. „Kdy byste se do toho chtěli pustit?"

„Šlo by o opakovanou akci. Běželo by se každé sobotní ráno."

„Už jste mluvili s Churchstone Harriers?" Náhlá změna tématu a jeho odměřený tón mi sebraly zbytky naděje.

„No, ne, vůbec je neznáme."

„Místní běžecký klub. Běhávají tam každou středu večer. Měli byste zavolat Charlesi Engwellovi. Vede to tam. Pomůže vám. Mají skupinu na Facebooku. Můžete mi poslat e-mailem návrh, jak by to asi mělo probíhat?"

„Určitě," odpověděla jsem rychle a šokovaně se podívala na Saschu.

„Městská rada zasedá příští čtvrtek v sedm večer. Můžu váš návrh zařadit na program. Pokud oslovíte Harriers a další místní kluby, mohli byste se tam všichni sejít a návrh podpořit."

„Znamená to, že můžeme počítat s vaší podporou?"

Na druhé straně se ozvalo hluboké povzdychnutí. „Viktoriin park je klenotem na koruně distriktu Dower Dale, ale momentálně je nedostatečně využívaný. Máme tady jeden z nejhezčích altánů a pódium na kulturní akce, ale už si ani nepamatuju, kdy tam nějaká kapela hrála. Je to tragédie. Přijde mi, že tam lidi chodí jen kvůli Saschině kávě. Děti si radši zajdou do tělocvičny, zatímco jejich rodiče popíjejí v hospodě. Městská rada už připravila několik návrhů, aby obyvatele přiměla k pohybu, ale nic se zatím neuchytilo. Tohle by mohlo vyřešit hned několik problémů najednou.“

Když jsem ukončila hovor, cítila jsem, že to mám pod kontrolou. Vyjde to.

„Šlo to překvapivě dobře, děkuju.“

„Ani se mi tomu nechce věřit. Právě jsi uhodila na správnou strunu Neila Blenkinsopa. Nikdy jsem ho takhle nadšeného neslyšela.“

„Nadšeného?“

„To si piš. Jindy ani nezvedne hlas. Mám pocit, že jsem o něm někde četla, že se účastnil nějakého běhu na severu, zřejmě jsi mu tím nápadem kápla do noty.“

Najednou jsem si uvědomila, že to nejhorší už asi máme za sebou. A že se nám zřejmě podaří parkrun uspořádat.

15

„Užijte si to tam," řekla Hilda a prostrčila hlavu otevřeným okýnkem auta. Bill se hned pokusil udělat to samé, ale ve výskoku dosáhl jen na okraj skla. „Máte všechno?"

Její komentář byl vzhledem k tomu, že sama před chvílí vystoupila z Ashova auta s miniaturní kabelkou v ruce, přehnaný. Vypadalo to, že si s sebou vzala jen kartáček na zuby.

„Nejedeme na dovolenou," poznamenala jsem a znovu jsem zalitovala, že jsem se k něčemu takovému nechala přemluvit. *O čem si tak asi budu s Ashem tři a půl hodiny povídat, když jedinou otázku, kterou jsem měla celou dobu na jazyku, jsem mu odmítala položit?*

„Změna prostředí vám oběma prospěje. Třeba to spolu nakonec ještě dáte dohromady."

„Brzděte, Hildo," zarazila jsem ji, protože na mě začala mrkat a naznačovat, jako by byla naše dohazovačka. Kdyby tak věděla, co se mezi námi stalo. Vsadím se, že by se pak k němu nechovala jako pohádková babička.

Slyšela jsem, jak si Ash něco zabrblal pod vousy. Pořád pro mě bylo záhadou, proč je ke mně tak odtažitý, když to mezi námi nedávno tak jiskřilo.

Prvních deset minut jízdy proběhlo v naprosté tichosti. Ash mě jen několikrát zkontroloval pohledem. Měl by se mít na pozoru. Pořád jsem se připravovala na svůj proslov a rozhodně jsem nikam nespěchala. Měli jsme před sebou další tři hodiny cesty.

„Můžeš si zapnout vytápění sedaček, jestli je ti zima."

„To je v pohodě." Posunula jsem si sluneční brýle výš, slunce svítilo už od časného rána. Budu si s ním pohrávat jako kočka s myší. Ano, přesně to udělám. Budu ho pomalu dusit.

Znovu jsme se ponořili do ticha, dokud jsme nenajeli na silnici A1M. Pak už jsem se přestala ovládat.

„Takže, Ashwine Laghari, co se vlastně stalo?"

Zhluboka vydechl a znovu se na mě vyděšeně podíval. „Dlužím ti omluvu."

„To je hezké, že sis to konečně uvědomil," vyštěkla jsem na něj. Jeho ignorace už mě přestala bavit. „Dlužíš mi toho ale mnohem víc. V jednu chvíli jsi samý kompliment a úsměv, a pak jako když utne. Klasika."

Zamračil se a zaryl prsty do volantu. „Máš pravdu. Nebylo to fér. Omlouvám se. To sis nezasloužila."

„To se pokaždé chováš jako kretén?" Líbilo se mi, že jsem ze sebe konečně mohla dostat vztek, který mě drásal během všech těch dní, kdy jsem opakovaně kontrolovala zprávy v mobilu a přehrávala si náš společný večer. *Jak jsem ze sebe mohla udělat takovou krávu?*

Ash zatnul zuby.

Než stačil něco odpovědět, znovu jsem se ujala slova. „Jednu věc musím uznat, jsi fakt dobrý herec." Nemohla jsem si přece přiznat, že jsem pořád věřila tomu, že mezi námi proběhlo něco skutečného. „Naletěla jsem ti jako nějaká školačka. Děláš to běžně? Nebo si svůj šarm schováváš jen pro náhodná setkání ve vlaku?"

Ash nehnutě sledoval silnici, ale moc dobře jsem si všimla, jak nervózně polykal.

„Věřila bys mi, kdybych ti teď řekl, že to nebyla žádná hra? Že ta noc byla…"

„Ať už byla jakákoliv, dost rychle jsi na ni zapomněl."

„Přišel jsem o práci." To tiché přiznání mě donutilo na chvilku složit zbraně. „Hned další pondělí. Vůbec jsem to nečekal."

„No a co? To jsi nebyl schopný napsat zprávu nebo zvednout telefon? Mohl jsi mi přece říct, že se něco stalo. Pořád by to bylo lepší než se takhle vypařit."

Prohlížela jsem si jeho profil, zatnutou čelist a zrak upřený na silnici. Samozřejmě jsem přemýšlela, proč nechodí do práce a má tolik volného času, ale myslela jsem si, že jen čeká na lepší příležitost. Potřeboval si trochu odpočinout nebo jen hledá nový smysl života. Když jsem na něj vychrlila všechen svůj vztek, trochu jsem s ním soucítila.

„Máš pravdu, ale…" Na několik vteřin se odmlčel. „Jak ses cítila, když tě poslali na nemocenskou?"

„Cože?"

„Jak ses cítila? Co se vlastně stalo?"

„Já se za to nestydím," vyštěkla jsem a nechápala, proč mi prostě nedokáže odpovědět. Já jsem se zeptala první. Zadívala jsem se z okna a sledovala modrou značku v dálce oznamující další křižovatku.

„Ale stydíš."

Měl pravdu. Strašně jsem se styděla. Teď už to v práci musel vědět úplně každý. Nikde jinde už pořádnou nabídku nedostanu. A když se vrátím na původní místo, všichni mě budou sledovat. Budou mi moct důvěřovat? Dostanu dál na starost důležité projekty? Budu se umět správně rozhodovat? Nebo se znovu zhroutím? Budou na mně všichni hledat známky selhání? Už nebudu ta suverénní profesionálka, za kterou mě dřív měli. Ta, za kterou si chodili pro radu, pro názor, kterou zmiňovali na schůzkách a konferencích. Bude mě vůbec ještě někdo respektovat? Přišla jsem o všechno, na čem jsem tak dlouho pracovala. Nepovýší někoho, kdo se při první příležitosti sesype.

„Lidi na pozici jako já by se neměli zhroutit kvůli práci."

„Já vím," odpověděl Ash tiše. Potěšeně jsem se na něj usmála. Vždycky jsem na něm oceňovala upřímnost. „Ale ty ses zhroutila... protože jsi obyčejný člověk. Tvoje tělo ti dalo jasně najevo, že máš zpomalit. Ano, v práci na to zřejmě nikdy nezapomenou. Neutečeš před tím, ale můžeš si to přiznat, být k sobě upřímná, akceptovat to a zapracovat na tom, že budeš k práci přistupovat jinak, a zodpovědněji ke svému tělu. Kolegové tě budou respektovat mnohem víc, než kdybys předstírala, že o nic nešlo nebo že se vůbec nic nestalo. Manažeři nepředstírají, že nedělají složitá rozhodnutí, hlásí se ke svým chybám a učí se z nich, dostávají se přes náročná období a jsou upřímní ke svým spolupracovníkům. Tak si získávají respekt. Neschovávej se před tím, Claire. Pouč se z toho."

„Nečekala jsem, že se mi někdy něco takového stane," řekla jsem tiše. Měl naprostou pravdu. Řekl přesně to, co bych sama poradila někomu v podobné situaci. Jen se mi nelíbilo slyšet to zrovna od něho.

„Aspoň tě nevyhodili."

„Tebe jo?" zeptala jsem se šokovaně.

„Zbavili se mě jako špinavého psa. Prý pro nadbytečnost." Cítila jsem tu hořkost v jeho hlase. „A teď nemůžu nic jiného sehnat. Nikdo nechce zaměstnat někoho, kdo byl propuštěný."

„Nadbytečnost je přece něco jiného, než kdyby tě vyhodili jen tak," upozornila jsem ho ještě pořád trochu rozhozená, že mě přiměl mluvit o takových věcech.

„Nenabídli ti pomoc s hledáním nové práce? Velké firmy, kterým záleží na dobrém jméně, takové služby nabízejí jako součást benefitů."

„Bohužel to taková firma nejspíš nebyla. Nakonec se vždycky ukáže, že dělat dobré věci pro špatné lidi se prostě nevyplácí."

„Co se vlastně stalo?" Rozčiloval mě, jak se neustále vyhýbal odpovědím. Zavrtěla jsem se v sedadle a přehodila si nohu přes nohu.

Ash znovu hluboce vydechl. „Vážně to chceš vědět?"

„Ano."

„Jednalo se o případ, který byl u soudu. Moje kolegyně Marine Barnierová žalovala firmu kvůli nerovnocenným platovým podmínkám. Dostávala o třicet tisíc liber ročně míň než její kolegové, všichni muži. Já jsem byl jedním z nich. Její bonusy byly taky jen zlomkem toho, co jsme dostávali my."

„To je hrozné, tak by to rozhodně být nemělo."

„Přesně. Mám ji rád. Je chytrá, vyrovná se chlapům, zaslouží si mnohem lepší ohodnocení. Slíbil jsem jí, že se za ni postavím, když půjde na personální oddělení. Myslel jsem si, že to bude rychlá akce. Nikdy by mě nenapadlo, že se to dostane až před soud. I když firma očividně nejednala fér, zapojila do toho svoje právníky a rozjela velkou hru. A Marine musela držet krok, nic jiného už jí nezbylo." Zatvářil se zhnuseně. „Předvolali mě jako svědka. Jediné, co jsem měl udělat, bylo popsat svoji práci přesně tak, jak ji dělám. Což jsem pod přísahou udělal. Udělal bych to tak jako tak, ale mělo mě napadnout, že to bude kariérní sebevražda. Bláhově jsem si myslel, že pro ně něco znamenám. Očividně vůbec nic."

„Přece se tě nemůžou jen tak zbavit. Bezdůvodně."

„Legálně ani morálně ne, ale den po tom, co Marine vyhrála soud, svolali schůzku a oznámili reorganizaci firmy. Následující den mě označili za nadbytečného."

„To přece nemůžou. Musí ti dát výpovědní lhůtu, čas na to, aby sis našel novou práci. Musí dodržovat určité postupy, jinak to není legální."

„Pokud potřebuješ slušné odstupné a dobré reference, nemáš moc na vybranou. Buď přistoupíš na jejich vyděračské podmínky, nebo hned druhý den skončíš."

„To je podraz." I když ho to pořád neomlouvalo, že se mi vůbec neozval.

„Velký podraz, protože se to samozřejmě hned v branži rozkřiklo. Všichni to vědí, úplně všude. Pracoval jsem tam dvanáct let. Neozval se mi jediný člověk. Všichni mají strach, že na ně padne špatné světlo." Rychlým trhnutím volantu přejel do vedlejšího pruhu, čímž mě zatlačil do sedadla. „Poslal jsem žádost o práci do desítek firem. Nikdo se mi neozval, natož aby mě pozvali na pohovor. Kontaktoval jsem spoustu lidí přes LinkedIn, ale asi se ze mě stal vyvrhel."

„To snad není pravda," řekla jsem zhrozeně. „Určitě se časem něco objeví." Ta věta postrádala smysl. Co jsem mohla vědět? Nehledala jsem novou práci už několik let. Jak bych se asi cítila já? Stačilo, že jsem na nemocenské. Být úplně bez práce, to si snad ani neumím představit.

„To se ti snadno říká."

„Promiň…" Zaostřila jsem pohled na jeho přerostlé vousy a vlasy. Opravdu mi to bylo líto, chápala jsem, jak se teď cítí. „Jak to zvládáš?" zeptala jsem se opatrně, protože jsem si moc dobře uvědomovala, že kdyby nebylo toho škrábance na paži, dopadla bych mnohem hůř. „Možná by sis o tom měl s někým promluvit."

Způsobem, jakým přivřel oči, mi jasně naznačil, co se mu odehrává v hlavě.

„Nevím, jak by mi to mohlo pomoct, pokud psychologové nepracují zároveň jako náboroví pracovníci," pronesl s tichou hrozbou v hlase. Jakákoliv emoce byla dobrá. Skoro už jsem si zvykla na to, že se ten člověk vůbec neprojevuje. Možná ho někdo jen musel vyprovokovat, aby se zase cítil ve své kůži.

Rozhodla jsem se to risknout. „Možná že se teď necítíš úplně… nejlíp. Sama jsem si neuvědomila, jak špatně na tom jsem, dokud jsem nešla k doktorovi." Teď už jsem věděla, že ta chvíle, kdy mi oznámil, že se mnou něco není v pořádku, pro mě byla vlastně vysvobozením.

„Nepovídej, Sherlocku. Samozřejmě že mi není nejlíp. Přišel jsem o práci. To žádný doktor nespraví."

„Stejně by nebylo od věci si s někým sednout a promluvit. Co tvoje sestra? Možná by ti mohla nějak pomoct."

„Jak? Že bych třeba v nemocnici převážel pacienty?"

„Chci jen, aby ses postavil na vlastní nohy a našel si nějakou činnost."

Když se začal nepříčetně smát, napadlo mě, že jsem to možná přehnala.

„My jsme ale dvojka. Možná by po nás mohli pojmenovat značku džínů, něco jako *Stressed and Depressed*. A než se toho zase chytíš, měl jsem depresi. Už se cítím trochu líp. Běhání mi kupodivu pomáhá. A taky Hilda. Je třeba brát ji s rezervou, ale byla ve správnou chvíli na správném místě. Protože těch šest piv, co jsem měl každý den k večeři, to asi jen zhoršilo."

Usmála jsem se. „Hilda umí být pořádně otravná, ale je to hodná babča."

„Asi jsi chtěla říct *pěkně drzá*. Ale je s ní legrace. Omlouvám se, že jsem ti neodepsal. Nebylo to kvůli té noci, kvůli tobě… Prostě jsem se cítil pod psa a strašně jsem se litoval. Zachoval jsem se jako vůl a moc toho lituju." Smutně se na mě usmál.

Co to pro nás teď znamená? zvažovala jsem. Pořád jsem na vedlejší koleji.

„Popravdě jsi poslední člověk, který by si něco takového zasloužil. Jsi jediná, kdo se od té doby, co jsem ztratil práci, zeptal, jak mi je."

„Co tvoji přátelé a rodina?"

Viděla jsem, jak nakrčil nos. „Ještě jsem to nikomu z nich neřekl. Popisoval jsem ti, v jakém prostředí jsem vyrostl, ne? Už tak si na mě ukazovali, protože jsem neměl podle jejich měřítek *pořádné* povolání. Rodiče odjeli na pár měsíců do Indie, řeknu jim to, až se vrátí. Sestra je pořád v práci a brácha toho má tolik, že si sotva všimne, že jsem se mu nějakou dobu neozval."

„Kamarádi?"

„Víš, co je vtipné? Rozplynou se jak pára nad hrncem, když je přestaneš zvát na drinky do luxusních barů. Přestal jsem utrácet, když si teď ani nejsem jistý, jestli budu schopný dál platit hypotéku. Dostal jsem slušné odstupné, ale bez práce musím dávat na výdaje pozor. Většina z nich stejně jako kamarádi za moc nestáli."

Promnula jsem si nervózně obočí a uvědomila jsem si, že v tomhle s ním můžu naprosto souhlasit. Bylo jedno, jestli přátelství skončilo během několika měsíců, nebo přes noc.

„Ještě že máme Hildu," zasmála jsem se.

„Trochu zoufalé, že dvěma třicátníkům nakonec zůstala jako kamarádka jen stoletá babka."

Ash si prohrábnul vlasy a já jsem se usmála. S odrostlými vlasy se mi líbil mnohem víc. Zjemňovaly ostré rysy jeho tváře.

Hilda do mého života vnesla radost a světlo. „Sobota se povedla, ne? Lepší než jíst o samotě u televize studenou pizzu. Kdo říkal, že přátelé musí být ve stejné věkové kategorii?"

Ash na to nic neřekl, ale viděla jsem, že se mu moje slova honí hlavou.

„Myslíš, že bychom si jí všimli, když jsme ještě byli těmi přepracovanými a trochu povýšenými osobami před několika týdny?" Rychle po mně šlehnul pohledem.

„Asi ne. A takových starých osamělých lidí musí být kolem stovky. Možná ani ne tak starých. Prostě jen opuštěných."

Pak jsme se oba ponořili do vlastních myšlenek. Měl pravdu. Kromě práce jsem vlastně byla osamělá už dlouho. Uvědomila jsem si, že stěhování do Churchstonu bylo pokusem na tom něco změnit. Ale stejně to vůbec nepomohlo. Místo toho jsem měla věnovat více času hledání a udržení si přátel. Ne ponořit se do práce a tvrdit, že jsem spokojená.

Cítí se Ash stejně osaměle jako já?

„Měla jsem obavy, že neseženeme dostatek dobrovolníků, kteří by nám pomohli s organizací běhu. Teď mám ale pocit, že s tím můžeme docela rychle pohnout. Seženeme lidi, kteří by se zapojili. Nemusí běžet, můžou pomoct s označováním tratě, se zápisem účastníků a podobně. Budeme potřebovat zdravé jádro, na které se budeme moct spolehnout, pokud se do toho opravdu chystáme pustit."

„Zdá se, že už ses do toho pustila."

„To Hilda. Ta snad ani nespí, posílá mi odkazy na různé články, třeba včera jsem si díky ní přečetla článek s názvem *Jak začít s parkrunem*. A bylo to docela poučné čtení. Už jsem ti říkala, že jsem na dobré cestě s tím povolením z radnice?"

Popsala jsem mu konverzaci s Neilem Blenkinsopem.

„Ten člověk od Harriers je v pohodě, potvrdil mi, že mají zájem se s námi co nejdříve setkat. Sascha nabídla, že můžeme kavárnu prozatím používat jako naše zázemí."

„To všechno jsi stihla za jediný týden?"

„No, možná jsem se trochu svezla na Hildině vlně nadšení." Prostě se mi líbilo být zase do něčeho zapojená. Až se holky vrátí zpátky k Alici, zůstane po nich neuvěřitelné ticho. Zvykla jsem si, že na čas zaplnily ten prázdný prostor v mém domě. Najednou jsem si uvědomila, že se vůbec netěším na to, až se sestra vrátí domů. Budou mi chybět.

16

Tring bylo pěkné městečko uhnízděné na kopcích Chilterns. Darrenův dům se nacházel na konci úzké uličky v památkové rezervaci.

„Ahoj chlape," pozdravil Ashe ze dveří, kde už na nás čekal. „Co je tohle?" Zatahal ho za přerostlé vousy. „Seš teď hipster?" V duchu jsem se zasmála. Možná hipster zkřížený s Robinsonem.

„Něco na ten způsob." Potřásli si rukama a pak se chlapsky poplácali po zádech. „Tohle je Claire."

„Pojďte dál." Měl štíhlou běžeckou postavu s opálenou kůží posetou stovkami pih a příjemný úsměv. Rozdíl mezi nimi byl zjevný. Jeden byl otevřený, optimistický a vstřícný, druhý uzavřený.

Prošli jsme společně chodbou do prostoru, který sloužil jako obývací pokoj a zároveň kuchyň. Pokoj byl světlý a zařízený moderním nábytkem. Na zdi visela obrovská televize, před ní dvě pohovky ve skandinávském stylu a za nimi podlouhlý barový pult se třemi vysokými stoličkami, který odděloval obývák od kuchyně se skříňkami ve vínové barvě. Na stole, který se částečně ukrýval pod schodištěm, byl otevřený laptop, hrnek s kávou a talířek prozrazující, že majitel pracuje z domova.

„Musím jen rychle něco dodělat a hned se vám budu věnovat. Dáte si čaj? Nebo kávu?" zeptal se přes rameno a smetl drobky z barového pultu. „Na večeři bychom si mohli zajít vedle do hospody. Je to jen za rohem, dobře tam vaří a mají výborné pivo." Usmál se. „I když doby, kdy jsem pil pivo po litrech, už jsou dávno pryč."

„Vážně? Co se ti stalo?"

„To ten parkrun, vážně. Pět kilometrů není jen tak. Běží se mi mnohem líp, když mi nečvachtá pivo v břichu. Odneste si věci nahoru, já dám zatím vařit vodu. Po schodech nahoru a doprava. Tady se nemáte kde ztratit. A když půjdete na záchod, musíte sundat víko a trochu tím vevnitř zahýbat, jinak to nefunguje."

Ash obrátil oči v sloup a zamumlal něco ve smyslu neschopného bratrance.

Popadli jsme zavazadla a vydali se po schodech do horního patra.

Nahoře to vypadalo přesně, jak Darren popisoval. Jedna koupelna a dvě ložnice.

Ash otevřel dveře jedné z nich a nám se naskytl pohled na manželskou postel, která byla vtěsnaná pod šikmou střechou s oknem. Na jedné straně sloužila papírová krabice jako noční stolek. Darren asi moc návštěv nehostil.

Oba jsme bez oněměle hleděli na postel.

„Scéna jako z romantické komedie," prohodil ironicky Ash. „Vypadá to, že budu spát dole na gauči."

Zavřela jsem oči a tiše jsem si povzdychla. „Viděl jsi, jak jsou ty pohovky malé? Proboha, jsme dospělí lidi, ne? Prostě si lehneme vedle sebe." Nechtěla jsem upozorňovat na to, že už jsme tak spolu přece leželi. „A ať tě ani nenapadne zvedat to zatracené obočí."

„Jaké obočí?"

„To, co ti vystřeluje až nad čelo. Jestli chceš spát na pohovce, klidně. Jestli chceš spát tady, obejde se to bez připomínek, jasný? Sdílet postel je v téhle situaci to nejpraktičtější řešení."

„Samozřejmě. A ne že bychom tak už jednou neleželi." *Bez poznámek, že?*

„Nemohl sis pomoct, co?" Naštvaně jsem si ho prohlédla. Ten zmetek se na mě ještě usmál.

„Jen se chci přesvědčit, jestli jsi náhodou nezapomněla. Seš si jistá, že se budeš umět ovládat?"

„Nezapomněla?" Snažila jsem se ovládnout, ale uvnitř mě při vzpomínce na tu žhavou noc všechno vřelo. „Nezapomněla na co?"

Usmál se. „Mám ti to připomenout?"

„Ne, díky," odpověděla jsem možná až moc rázně. „Jednou mi to stačilo a ty vousy mi nepřijdou moc sexy. Dokud to budeš mít na tváři, nikdo se k tobě ani nepřiblíží."

Ash se zatvářil uraženě, a než se stačil otočit, všimla jsem si, že jsem ho těmi slovy ranila. Kéž bych to mohla vzít zpátky. Chtěla jsem být vtipná, ale očividně jsem to přehnala.

Zamračil se na mě.

Trochu jsem se zastyděla. Moc dobře jsem věděla, že s ním ztráta zaměstnání zatočila úplně stejně jako se mnou diagnóza týkající se stresu. Ty vousy nebyly ani tak symbolem zanedbání jako spíš odrazem osobní rezignace. Když jsem ho v autě poslouchala, měla bych si teď dávat větší pozor na jazyk.

„Promiň, to ode mě nebylo moc hezké." Otočil se a založil si ruce na hrudníku. „Ashi, omlouvám se. Ty vousy se mi prostě nelíbí. Máš moc hezký obličej, neměl bys ho schovávat za takový porost. Nemáš se přece za co stydět."

„Děkuju, slečno Harrisonová. Máme tady půlhodinku amatérské psychologické poradny?"

„Proč od sebe všechny odháníš? Snažím se být milá."

Prohrábnul si vlasy, ale nepodíval se na mě. „Promiň. Na které straně chceš spát?"

„Na pravé."

Víc už se toho od něj dneska asi nedočkám.

Pak zaplul do koupelny, a když jsem vyšla z pokoje do malé chodbičky, viděla jsem, že právě zápasí se splachováním.

Pak se na mě podíval. „Mohla by ses zeptat Darrena, kde má nářadí?"

„Jasně. Zvládneš to opravit?"

„Samozřejmě. Darren je úplně marný."

„To mu mám taky říct?"

Po několika minutách jsem se vrátila s plátěnou taškou, ve které byl šroubovák, kladivo, kleště a francouzský klíč. Položila jsem ji Ashovi k nohám.

„To je všechno?"

„Vypadá to tak."

Z té bídné nabídky si vybral šroubovák. Neměla jsem ponětí, co dělá, ale bavilo mě sledovat jeho kmitající paže. Za deset minut se posadil na paty.

„Tak to bychom měli."

„Opravil jsi to?" řekla jsem obdivně.

„Není to žádná velká věda."

„To ne, ale instalatérství radši nechávám na odbornících."

U nás doma jsme vždycky museli na všechno volat řemeslníky. Odborné schopnosti mého táty končily u malování pokojů, a dokonce i na to si máma často stěžovala.

Ash pokrčil rameny a přiklopil víko zásobníku vody. „Darren potřebuje pořádné nářadí. Měl by si pořídit nový odtok, očistil jsem ten starý od vodního kamene, to by mělo pro začátek stačit."

Nemohla jsem si pomoct, jeho schopnosti mě fascinovaly. Moc dobře jsem si pamatovala, jak rychle sestavil všechen nábytek pro holky. „Vždycky ti to šlo takhle od ruky?" Sotva jsem to dořekla, uvědomila jsem si, že jsem si pěkně naběhla. Z jeho úlisného pohledu mi bylo hned jasné, že jsem v jámě lvové. „Na to by sis mohla odpovědět sama." Hodil po mně vyzývavým pohledem, který jsem si pamatovala z našeho prvního setkání, a nažhavil mě úplně stejně jako tenkrát. Samozřejmě že mu to šlo i v posteli. A moc dobře to o sobě věděl. I s rudnoucími tvářemi jsem byla ráda, že se ten starý dobrý Ash pomalu vrací zpátky.

Darren se živil programováním, což bylo podle jeho slov tak nudné povolání, že se o něm odmítal bavit. Když jsme se v hospodě posadili ke stolu a on řekl pár vět o sobě, musela jsem rychle vymyslet, jak pokračovat v konverzaci.

„Takže něco jako já," řekla jsem a upila naprosto božského ginu s tonikem s příchutí rebarbory a zázvoru. „Pracuju pro firmu, co dělá účetnictví."

„Tak to vyděláváš majlant, jako tady šejk Laghari, nebo ne? Pořád řídíš porsche?"

„Dost se mi to hodí, když se snažím nacpat mezi dva traktory."

„No tak, do města dojdu pěšky a na sobotní běh taky. I když bych se moc rád odstěhoval víc na sever. Vydělával bych tam mnohem víc. Ty taky bydlíš v Churchstonu?" podíval se na mě.

„Jo."

„Měl bys to zvážit," přitakal Ash. „Tvůj domek by se vešel do toho Claiřina dvakrát. Má krásný dům. Dvě terasy. Kamenné obložení, malá zahrádka. Přímo u parku."

Překvapeně jsem se na něj podívala. To byl za posledních pár týdnů nejobdivnější poznatek, jaký jsem od něj slyšela.

„Toho parku, kde chcete organizovat běh?"

„Přesně toho," odpověděla jsem a cítila, jak mě uvnitř hřeje poznání, že Ash konečně přiznal, že je něco v mém životě v pořádku.

„Tak co byste chtěli vědět?"

Zbytek večera jsme strávili vyzvídáním, jak to všechno funguje, na co bychom se měli připravit a o čem všem nemáme ponětí. S množstvím informací narůstal i můj neklid. Bylo toho tolik, o čem jsme neměli ani páru.

„Takže," shrnul to Darren trochu ironicky, „pro začátek budete potřebovat tak pět tisíc liber."

Ash vyprsknul pivo a já jsem zděšeně odložila svůj drink.

„Pět táců?" zopakoval Ash.

„Jo. Vzhledem k tomu, že nemáte žádné vybavení, budete muset všechno koupit nové. Skládací stoly, skenery, reflexní vesty, vysílačky, dopravní kužely, značky. Je toho docela dost. Se spoustou z toho vám pomůžou přímo z ústředí parkrunu, minimálně vás nasměrují, kde to všechno můžete pořídit, možná i se slevou. Taky existují různé granty a finanční podpora."

Zatmělo se mi před očima. Tohle nikdy nezvládneme. Poprvé mě napadlo, že jsme možná přecenili vlastní síly a že bychom měli Hildu vrátit do reality.

„Už se někdo z vás někdy registroval?"

„Ne." Vyměnili jsme si zklamané pohledy.

„To musíme?"

„Nemusíte," pronesl Darren. „Budete na výsledkové listině uvedení jako *beze jména*". Když se registrujete, dostanete vlastní kód, který na začátku a konci každého běhu naskenujete. Po běhu dostanete e-mail, kde bude uvedený váš čas, kolik lidí ten den běželo a jaké je vaše umístění. Je to docela zábava, spousta informací. Měli byste to zkusit. Bude vám to hlídat váš NČ."

„NČ?"

„Nejlepší čas. Můžu vám ukázat ty svoje, abyste se podívali, jak to vypadá."

Pak se přihlásil do svého účtu a detailně nám vysvětlil, kde co najdeme, ukázal nám svoje výsledky za poslední dva roky a spoustu dalších informací. Trochu mě to začínalo nudit, tak jsem se na chvilku odmlčela, ale Ash vypadal zaujatě a nahnul se blíž, aby líp viděl. Takhle pro něco zapáleného jsem ho už dlouho neviděla.

Pokládal spoustu otázek, jak daná technologie funguje a co všechno systém ukládá. Mě spíš zajímalo, co všechno budeme potřebovat, než budeme moct projekt rozjet. Měla vůbec Hilda ponětí, do čeho se pouštíme? Najednou jsem si uvědomila, že už se nemůžu dočkat. Doteď to bylo jen přešlapování na místě. Vlastně jsem vůbec nevěřila, že se do toho někdy pustíme. Ale teď? Co když se běh v Churchstonu podaří uspořádat? Jak velký by to byl úspěch?

Sdílení ložnice nebyl problém. Vůbec ne. Dokud nedošlo na trapné dohadování o tom, kdo půjde jako první do koupelny a tím pádem se jako první dostane do postele. Naštěstí jsem si s sebou přibalila celkem normální pyžamo, až na to, že velký výstřih toho z mého podprůměrného dekoltu ukazoval trochu víc, než bych chtěla.

Zabrala jsem si koupelnu jako první, převlékla jsem se a vyčistila si zuby. Když jsem se vrátila do pokoje s toaletní taštičkou a ručníkem přitisknutým na prsa, Ash si se mnou bez řečí vyměnil místo. Potěšeně jsem zhasla lampičku i hlavní světlo, vlezla do postele a přikryla se až po uši. Svůj polštář jsem umístila do rohu postele, až málem přepadával přes hranu, a se zavřenýma očima jsem čekala, až se Ash vrátí. Neměla jsem žádný důvod k nervóznímu pohrávání si s myšlenkou, co se bude dít, přesto moji mysl naplnily nedávno prožité scény. *Ne, Claire, fakt ne!* Radši jsem se zaposlouchala do zvuků vycházejících z koupelny a snažila se odhadnout, kdy se otevřou dveře.

I když jsem se ovládala, nakonec jsem přivřela oči a málem se při pohledu na polonahého Ashwina Laghariho zakuckala. Vzpomínky mi to samozřejmě neulehčily. Stál tam v boxerkách a pomalu skládal svoje oblečení na židli vedle skříně, až se mu napínaly svaly na zádech.

Když se chystal otočit, rychle jsem zavřela oči, což mi samozřejmě moc dlouho nevydrželo. Pohyb na druhé straně postele mě přiměl je znovu otevřít. Naskytl se mi pohled na jeho široký hrudník pokrytý tmavými chloupky. Polkla jsem, naše oči se setkaly a on se najednou zarazil a zaujatě si mě prohlížel. Ticho v pokoji doslova rezonovalo. Moje hormony se najednou převalily jako tsunami a z mého výrazu bylo jasné, na co zrovna myslím. Nemohla jsem z něj spustit oči. Pomalu odhrnul pokrývku a odhalil celé moje tělo. Uvědomovala jsem si, jak mi ztvrdly bradavky, rozkrokem mi projela horká vlna.

„Jestli na mě nepřestaneš takhle zírat, vousy nevousy, tak hrozí, že tě začnu líbat.“

Proč by to sakra neměl udělat on?

„Claire,“ řekl varovně hlubokým hlasem, který mě málem omráčil.

Znovu jsem polkla. *Co jsem si proboha myslela?*

Nahnul se ke mně a já jsem hleděla do těch očí, které ke mně vysílaly varovný signál. Zhluboka jsem se nadechla, což v tichu znělo dost děsivě, a zadívala jsem se na jeho rty. Chvěla jsem se nedočkavostí, až zjistím, jaký je to asi pocit dotknout se té zarostlé brady.

Další pohyb. Pauza. Jeho dlaně přistály kousek od mého pasu. Znovu jsem polkla. Další pohyb. Teď už byl koleny u mých stehen. Ticho mi hučelo v uších. Další pohyb. Už byl skoro obličejem u toho mého, téměř se mě dotýkal. Omdlím. Nesměle se usmál. Dál už se nehnul. Čekal, až dám povel. Jen se nade mnou trpělivě vznášel. Věděla jsem, že teď to závisí na mně. Byla to koneckonců součást naší společné výzvy.

Svůdně jsem se usmála a trochu zaklonila hlavu. Výzva. To nám oběma chybělo. Jiskření mezi námi bylo najednou nepopíratelné. A on si to uvědomoval stejně jako já. Cítila jsem, jak mi praská napětí v uchu, a konečně jsem se přiblížila a políbila ho na rty. S úlevným výdechem jeho tělo nakonec přikrylo to moje, s jednou dlaní kolem mého pasu a druhou na rameni, se rty přisátými k těm mým.

Byl to předlouhý polibek, naše rty se vzájemně poznávaly a ochutnávaly. Mým tělem projížděla jedna vlna uspokojení za druhou, vznášela jsem se a padala zároveň. Ashova ústa měkce přejížděla po mém krku, porost jeho tváře byl nakonec mnohem jemnější, než jsem předpokládala. Celá jsem se rozpouštěla.

Krátké zaklepání na dveře nás vyděsilo jako alarm. Ash okamžitě odskočil a přetočil se na svoji stranu postele, kde se snažil nenápadně zamaskovat rostoucí vzrušení.

„Ano?" řekla jsem zastřeným hlasem.

Ve dveřích se objevila Darrenova hlava.

„Sorry, že ruším. Teď jsem zjistil, že budu muset ráno odejít dřív, takže se s vámi potkám až tam." Následně nás obdařil zdlouhavým popisem cesty do parku a různými variantami, kudy můžeme sejít ze správného směru, protože se tam lidi budou scházet ze všech stran. Když byl konečně s výkladem hotový, moje vzrušení úplně opadlo.

Ve chvíli, kdy Darren zavřel dveře, jsem se natáhla, zhasla světlo a ulehla ke spánku.

„Záchrana v pravou chvíli," zamumlal do ticha Ash.

„Asi to tak bude lepší," odpověděla jsem tiše.

„Nejspíš máš pravdu," pronesl a otočil se ke mně zády. Udělala jsem to samé, i když mi srdce pořád bilo jako na poplach. Ten polibek mě zastihl úplně nepřipravenou. Sexuální napětí viselo ve vzduchu, ale nechtěla jsem se spálit. Až Ash najde novou práci, jeho život se vrátí do starých kolejí a zapomene na mě, když už teď ví, že nejsem až taková hvězda, za kterou jsem se vydávala. Byla jsem na dně, ale on se určitě zase vyšvihne na vrchol, až k tomu dostane příležitost. Prostě jsme si nebyli souzení.

Vyspat se s ním, i když jsem po tom zrovna teď toužila, by situaci jen zkomplikovalo.

17

Následovali jsme ostatní běžce úzkou pěšinou vedoucí do mírného kopce mezi vysokou zdí a plotem a pak jsme pokračovali po schodech nahoru k nadchodu přes dvouproudovou silnici, z něhož se mi naskytl pohled, který mi vyrazil dech. Přede mnou se rozprostíralo sídlo obklopené udržovaným porostem s dlážděnou cestičkou lemovanou stromy po levé straně a štrúdlem lidí vinoucích se po její pravé straně.

„Nečekala jsem, že tady bude tolik lidí," řekla jsem. Byla to první souvislá věta, kterou jsem toho rána pronesla vedle jednoslovných odpovědí odrážejících náladu včerejší noci. Když jsem se ráno probudila, postel už byl prázdná. Darren nám vytiskl kódy, které odložil vedle připravených hrnků.

„Myslím, že Darren říkal, že většinou běží kolem tří set lidí."

Otočila jsem se k němu. „Kde proboha vezmeme pět tisíc liber, které potřebujeme, abychom to celé rozjeli?"

Pokrčil rameny. „Nemám ani páru."

„Tohle je mnohem větší projekt, než jak to vidí Hilda."

„To máš pravdu, ale právě proto jsme sem přišli. Abychom zjistili, jestli na to máme."

Znovu jsem se zadívala na dav lidí, který se začal formovat na úpatí dvou kopců. Byl tam altán, několik stolů, cílová rovinka ohraničená tyčemi a bílou páskou. A taky velká plachta, na kterou si lidi odkládali svršky a batohy. A několik lidí v reflexních vestách, kteří se starali o organizaci. „Je to tady obrovské. Mnohem větší, než jsem si myslela."

„To jo. Hilda si představuje několik desítek lidí skotačících v parku. Nemá ponětí, co to všechno obnáší."

„Můžeme jí to nenápadně naznačit."

Když jsme se přiblížili, všimla jsem si cedule pro začátečníky a návštěvníky parku. Trochu jsem znervózněla. Když jsem se dostala tváří v tvář profesionálním běžcům, kteří se poctivě rozcvičovali a připravovali na pětikilometrový zážitek, začala jsem pochybovat, jestli jsem si neukousla trochu velké sousto. Někdo musí být poslední. To je jasné.

Ash odložil svoji mikinu na plachtu a já jsem na ni přihodila tu svoji. Když jsem o krok ustoupila, šlápla jsem někomu na nohu.

„Moc se omlouvám," řekla jsem rychle. Stála tam žena, o několik desítek centimetrů menší než já, která rozhodně nevypadala, že se běhu věnuje delší dobu. Muselo jí být kolem padesátky.

„Nic se nestalo. Krásné ráno, že? I když vítr se do nás opře přesně ve chvíli, kdy to budeme nejméně potřebovat."

„No… ještě nikdy jsem neběžela."

„Ne? Tak to si to moc užiješ." Pak se zasmála. „Až vyběhneš ten kopec."

Přikývla jsem. „Myslela jsem to tak, že jsem ještě nikdy neběžela parkrun."

„Tak vítej. Doufám, že nebudeš poslední. Začala jsem před rokem a nelituju jediného dne. Zvedne ti to po ránu náladu, všichni jsou tady hrozně příjemní."

„Trochu se bojím, že budu poslední," přiznala jsem.

„Když to zvládnu já, dokáže to každý," řekla. „Nikdy jsem se běhání nevěnovala. Přivedla mě sem kamarádka. Řekla, že můžu klidně jen jít. To jsem taky udělala, ale pak jsem měla pocit, že bych mohla chvíli běžet a chvíli jít, tak jsem to začala střídat. No a u příležitosti svých pětapadesátých narozenin jsem se rozhodla, že to zaběhnu celé. Zvládla jsem to a od té doby běhám každý víkend. Vždycky se tu sejdu s několika přáteli a pak společně zajdeme na kávu. Spousta lidí odsud míří do kavárny Akeman."

„To je hezké," řekla jsem.

„Neboj, to zvládneš."

Když jsem se otočila, Ash se bavil se dvěma muži, vlastně vypadali jako otec se synem. Pomalu jsem se k nim přiblížila.

„Claire, tohle je Dave a jeho syn Patrick. Chodí sem každou sobotu."

„Pokud teda Patrick nemá kocovinu," zasmál se Dave.

„Líbí se mi, že chodíte spolu."

Patrick se zasmál. „To jo, hlavně když tady toho starého páprdu pokaždé porazím."

„Máš mladší nohy," odpověděl Dave a šťouchnul do syna.

Byla tu celá škála lidí, dokonce i mladší než Poppy. Vůbec by mě nenapadlo, že by tu mohly být i děti. A psi. Napočítala jsem jich hned několik, všechny hezky na vodítku.

„Máme tady někoho poprvé? Nebo nějaké návštěvníky?" zavolala hlasitě žena vedle mě.

Vydali jsme se jejím směrem a mě hned uklidnilo, když jsem zjistila, že tam už stojí minimálně patnáct dalších lidí.

„Vítejte v Tringu. Tohle je běh, který se vrací stejným směrem, takže se musíte držet vlevo." Pak zvedla do vzduchu velkou mapu a všem vysvětlila, kudy se poběží. Popravdě mi to moc nedávalo smysl, dokud nepřidala jednodušší informaci. „Poběžíte ven a pak nahoru, vracíte se stejnou cestou. Trasu označují dobrovolníci, nemůžete se ztratit."

Pak přidala pár drobností a veselým hlasem dodala: „Potkáme se pak všichni v kavárně Akeman. Start je tamhle na kopci a cíl přímo tady před námi. Nějaké otázky?"

Všichni se dívali na špičky bot, nikdo se nechtěl projevit jako hlupák. Byla jsem jejím výstupem ohromená. Žena s pronikavým hlasem patřila mezi dobrovolníky, ale podle jejího oblečení to vypadalo, že s námi taky poběží.

Účastníci se pořád ještě scházeli, celé rodiny, skupinky přátel, dvojce i jednotlivci. Takhle jsem si to rozhodně nepředstavovala, ale byla jsem příjemně překvapená.

Pak začali svolávat ke startu. Přesunuli jsme se k vysokému štíhlému muži, který tu určitě nebyl poprvé, protože se proti tomu čím dál nepříjemnějšímu větru pořádně oblékl. Promlouval k davu amplionem.

„Je tady někdo poprvé?" Několik z nás zvedlo ruce a žena přede mnou se ke mně otočila a nadšeně zvedla palce.

„Návštěvníci?"

Zvedla se jedna ruka. „Odkud jste?"

„Delamere Forest."

„Někdo z větší dálky?"

Od Darrena jsem věděla, že někteří běžci rádi přejíždějí a zkoušejí nové tratě, jiní se zase snaží absolvovat co nejvíc destinací, něco jako ti nadšenci, kteří se snaží vylézt na všechny skotské kopce převyšující tisíc metrů.

A pak tu byli soutěživí jedinci. Muž po mojí levici sklidil potlesk za to, že má za sebou padesát takových běhů. Hned nato jsem si všimla několika dalších triček, které měly na zadní straně vyvedenou červenou padesátku. Další muž už pětadvacetkrát pomáhal s organizací běhu.

Po všech oficialitách si většina lidí zapnula chytré hodinky a byl odmávnutý start. Masa lidí se rozběhla ke kopci. Nechala jsem se unášet davem. Ash už mi utekl, i když jsem se mu dneska popravdě snažila co nejvíc vyhnout. Myslím, že od toho nočního debaklu nemyslel na nic jiného než jak se mě zbavit. Nejradši bych si za svoje hormony nafackovala. Najednou do mě narazil nějaký muž, musela jsem se soustředit, ne se litovat.

Proběhla jsem startem a zabočila vpravo na cestu lemovanou vysokými stromy. Dav podstatně prořídl viděla jsem, jak se přede mnou do kopce vine had z barevných těl. A když říkám do kopce, myslím tím do kopce. Už teď mě bolela stehna.

Sakra, tohle asi nebude jen malá procházka.

S potěšením jsem si všimla, že několik lidí kolem mě se dalo do chůze, a když jsem se ohlédla, ujistila jsem se, že poslední rozhodně nebudu. S rychlými výdechy jsem se znovu pokusila o pomalý běh, ale nakonec jsem taky zvolila chůzi. Tohle bylo sakra těžké. Sladila jsem se se ženou, která vedle mě mávala pažemi a kmitala nohama. Usmála se na mě. „Na konci si budeme připadat jako královny.“

Přikývla jsem. *Dělala si legraci?*

Pak jsem najednou zaslechla tóny písničky od Bruce Springsteena, které cestou na vrchol kopce zesilovaly. Nahoře stál jeden z organizátorů a u nohou měl položený vyřvávající reproduktor. S širokým úsměvem směroval dav a rozdával povzbuzující komentáře. Rytmus linoucí se vzduchem jako by dobil ostatním baterky, spousta lidí se znovu dala do běhu. Stoupání už nebylo tak příkré, a tak jsem se sama přinutila zapojit nohy. Měla to být přece zábava. Říkali přece, že když doběhneme nahoru, máme se obrátit a běžet zpátky. Znamená to, že jsme v polovině?

Na kopci se nacházelo klasicistní letní sídlo, kde se trať ztratila v pravotočivé zatáčce a mířila dál nahoru. Uběhla jsem dalších pár kroků a pak jsem se znovu dala do chůze. Nebyla jsem sama.

„Masakr, co?" pronesl muž, který se ke mně připojil. Hlasitě vydechoval a na zádech měl padesátku, kterou jsem před chvílí tiše obdivovala.

„Takových běhů za sebou máte asi spoustu," řekla jsem pískla-vým hlasem a ukázala na jeho záda.

„To neznamená, že je ten kopec pro mě jednodušší. Mám to radši směrem dolů. Až se dostaneme na vrchol, už to bude jen po rovince."

„Slibujete?" znovu jsem zasípala a rozhodla se, že už radši budu mlčet.

Mávnul rukou a dal se znovu do běhu.

Pokud se nám podaří něco podobného zorganizovat ve Vik-toriině parku, bude to mnohem jednodušší trať. I když i u nás by se pár kopečků našlo. Zatím jsem se jim vyhýbala.

Stoupání znovu zvolnilo a já jsem se dala do běhu. Mohl za to výhled na širokou cestu pnoucí se po rovině mezi stromy s velkými zelenými listy. *Ha, dostala jsem se až na vrchol!* Teď už to půjde, můžu se konečně začít kochat okolím. Prohlížela jsem si velké kmeny porostlé mechem a hromady spadaného loňského listí. Na tuhle stranu kopce se nedostal ani ten zá-keřný vítr.

Pak se stromy rozestoupily a měla jsem před sebou nádherný výhled na park a město rozprostírající se za jeho hranicí. A ješ-tě dál zelenou planinu.

Najednou jsem pocítila radost ze života. *Zvládnu to.*

S návalem energie jsem přidala, nohy si rychle přivykly no-vému tempu a plíce už to zvládaly. Vlastně jsem si to užívala. Před sebou jsem uviděla vysokou postavu sprintující mým smě-rem. *Co ten člověk dělá?* A za ním další a další.

Pak mi došlo, že jsou to nejrychlejší běžci závodu, kteří se vracejí zpátky. Sprintem? Já jsem sotva mlela nohama, a tihle chlápci pádili s větrem o závod. Bod, kde se všichni obrací, už musí být blízko.

Ale nebyl.

Počet osob v protisměru se najednou snížil. *Aha, to byli skuteční závodníci, kteří běží na čas.* Dojala mě zdejší atmosféra. To pokřikování: *Hej, Johne, poběž, paráda, Marie, to půjde!* Všichni si plácali, povzbuzovali se a jeden muž dokonce vytvořil z dlaní srdce a poslal ho ženě přede mnou. Plná emocí jsem se vyškrábala do posledního stoupání takovou rychlostí, že by mě předběhla i Hilda. *Měl bys plavat,* začala jsem si prozpěvovat hlášku Dory z filmu *Hledá se Nemo. Měl bys plavat.*

A tady byla, mytická nirvána, otočka, kterou jsem tak urputně vyhlížela. Hlídal ji další z organizátorů, navzdory letnímu počasí oblečený do několika vrstev a s velkou vlněnou čepicí. Ukázal mi dva zvednuté palce. „Už jste skoro tam, dámy! To už zvládnete! Odtud už je to jen dolů.“

„Díky,“ odpověděla žena vedle mě a mávla na něj. Já jsem se zmohla jen na přikývnutí. Teď už jsem věděla, co přesně je přede mnou, a mohla jsem se trochu uvolnit. Už jsem neběžela do neznáma. Skutečnost, že teď už je to jen z kopce, mě dost uklidňovala. Ztěžkly mi nohy, ale dech se mi zklidnil, i když jsem pořád dýchala, jako bych právě doběhla maraton.

Běžci se teď roztáhli po celé délce tratě, běžela jsem sama, několik kroků přede mnou běžela další žena a kousek před ní skupinka pěti lidí. Jediné, co jsem slyšela, bylo vlastní našlapování po štěrkové cestě. A možná ještě trochu ptačího štěbetání.

Byl to osvobozující pocit, píchání ve svalech pominulo. Uspokojovalo mě, že jsem venku na čerstvém vzduchu, uprostřed krásné přírody, se srdcem pumpujícím krev a svaly fungujícími v souladu. Byla jsem naživu, cítila jsem, jak mi celé tělo rezonuje.

Běžet venku bylo mnohem lepší než v posilovně na pásu. Nezáleželo na tom, jestli budu poslední. Nikdo se mi nebude smát, když nedoběhnu do cíle. Nikdo mě nebude soudit. Ani já sama sebe ne.

Vždycky jsem na sebe kladla vysoké nároky, chtěla jsem přede všemi obstát. Když jsem všechno zvládla sama, ostatní to na mně nechali. Izolovala jsem se. Nikdy jsem nepožádala o pomoc. Hilda musela sama zavolat Ashovi, aby mi pomohl s tím nábytkem. Nikdy bych nepřiznala, že to nezvládnu.

Stejně jsem se chovala i v práci. Zahnaná do kouta. Nikdy mi nikdo nenabídl pomoc, protože předpokládal, že ji odmítnu. Nikdy jsem žádný projekt nebo úkol nevzdala, protože jsem nechtěla, aby to vypadalo, že nepřijmu výzvu. Když jsem v práci začala, šlo většinou o malé firmy, kterým jsme pomáhali řešit reálné problémy, zlepšovat podmínky skutečných zaměstnanců. Protože jsem byla ve své práci dobrá, dostávala jsem větší a větší projekty, kde nikdo ani netušil, jaký dopad na jejich firmu bude moje rozhodnutí mít. Naskočila jsem na kolotoč bezejmenných tváří. Ztratila jsem pojem o tom, co moje práce vlastně obnáší. Co jsem na ní měla ráda. Poprvé v životě mě napadlo, že bych mohla konečně seskočit a rozběhnout se tam, kam mě to táhne.

Přemýšlení mi dodalo energii. Najednou jsem se objevila po boku ženy, která už nějakou dobu běžela kus přede mnou. Trochu přidala, možná mi chtěla znovu utéct, ale já jsem se jí nepustila. Byla trochu starší, ale zněla stejně udýchaně jako já.

„Jsi ok?" zeptala se mě. Tušila jsem, že můj obličej musí mít barvu rajčete.

„Jo… běžím… poprvé," dostala jsem ze sebe.

„Časem je to jednodušší. Já jsem začala… před… rokem,“ sdělovala mi mezi nádechy. „Do té doby jsem běhala jen na pásu. Ale tohle…,“ mávla rukou kolem sebe, „tohle je něco úplně jiného.“

Přikývla jsem a snažila se sebrat zbytky sil, abych vedle ní proběhla rovinkou, kterou jsem před chvílí obdivovala z kopce. Ranní opar zmizel. Teď jsem jasně viděla, jak vysoko jsme vlastně vyběhli. Bylo to naprosto úžasné. Prožívala jsem radost, kterou jsem nepoznala celé roky. Protože jsem se soustředila na nepodstatné věci.

„Tady si vždycky uvědomím, jak je na světě krásně,“ řekla ta žena.

Věděla jsem, jak to myslí.

Cesta před námi opět mírně stoupala. Svádělo mě to zase k chůzi.

„No tak,“ pobídla mě žena. „To zvládneš. To nejhorší je za námi.“

„Opravdu?“ vydechla jsem a ona se zasmála.

Běžely jsme bok po boku, vzduchem zněly naše výdechy, a pokaždé, když jsem zpomalila, ona zpomalila se mnou, aby mi dělala společnost. Pak jsme konečně doběhly k obzoru a daly se prudce dolů. Připadala jsem si jako pták. Když jsem se hnala dolů, nohy mi sotva stačily a paže mi vlály podél těla.

„Říkala jsem, že to bude jednodušší.“

„Díky bohu,“ dodala jsem. Seběhly jsme serpentinami z kopce a míjely muže s reproduktorem, který hrál Elvise. Jako koordinátor na letišti nám dal najevo, že se máme vydat vpravo.

Už jsme blízko, pomyslela jsem si. „Nechci vás… zdržovat,“ prohodila jsem směrem ke svému doprovodu.

„To… nevadí. Neběžím… na čas, jsem… ráda, že doběhnu… do konce.“ Chvilku se zamyslela a pak si mě prohlídla. „Můžu… se zeptat… proč… to děláš?“

„Jasně,“ odpověděla jsem překvapeně.

„S několika přáteli… jsme se rozhodli uspořádat vlastní parkrun." Píchlo mě na hrudníku. Běžet a povídat si, to nejde dohromady. „U nás v Churchstonu. Jsem tady na obhlídce."

„To je výborný nápad. Hodně štěstí. Změnilo mi to život." Očividně se jí podařilo dostat dýchání pod kontrolu. Pak potěšeně natáhla paži před sebe a ukázala mi zásnubní prsten. „Potkala jsem tady svého životního partnera."

„Vážně?" To by se Hildě líbilo.

„Ano. Byla jsem devět let rozvedená. Nikdy by mě nenapadlo, že znovu někoho potkám." Pak se zasmála. „Myslela jsem si, že jsem odsouzená žít sama s kočkama." Uběhly jsme pár metrů, než znovu navázala. „Můj soused mě prosil, jestli bych někdy nepřišla pomoct, měli málo dobrovolníků. Když jsem přišla… všimla jsem si, že je tady spousta žen jako já. Ne zrovna… atletické typy." Usmála se na mě. „Tak jsem si řekla, že to zkusím. Nikdy dřív jsem takhle venku neběžela. Poprvé mě to málem zabilo." Pak se se smíchem sehla, aby se vyhnula větvi trčící do cesty. „Ale… dostalo mě to ven na vzduch. Prvních pár týdnů jsem dobíhala jako poslední."

Soucitně jsem se na ni podívala.

Ale ona mávla rukou. „Někdo musí být poslední. Všichni byli tak přátelští. Gratulovali mi. I když vlastně nebylo k čemu." Pak se zase odmlčela, aby se pořádně nadechla. „Další týden jsem přišla znovu. A ten další taky." Pak se celá rozzářila a dodala: „Dneska jsem tu posedmdesáté."

„To je… neuvěřitelné." Zalapala jsem po dechu.

„Po pár týdnech jsem se s několika lidmi spřátelila. Někdo mě po běhu pozval, ať s ním zajdu na kávu. Tam jsem potkala Phila. Několik měsíců jsme si jen tak povídali." Málem se jí nahrnuly slzy do očí. „Dával si dost na čas. Pak mě pozval na večeři. A tak to začalo."

„No teda," vydechla jsem. „To je jako z romantického filmu."

„Přesně. A už dost o mně." Usmála se.

Uvědomila jsem si, že zatímco jsme si povídaly, přirozeně jsme zrychlily tempo a teď už jsme pádily dolů z kopce. Vítr mi cuchal vlasy. Měla jsem pocit, že snad vzlétnu.

„Už to není daleko."

Cílová rovinka byla za posledním kopcem, tu cestu už jsem poznávala, a tak jsem se přiměla zrychlit a následovat ženu, která mi zpříjemnila kus cesty. *Přece to teď nevzdám!*

Vydrápaly jsme se nahoru, kde se pár metrů před námi nacházela bílá brána.

„No tak!" zavolala žena přes rameno a rozběhla se jako šílená. „Sprint až do konce."

Rozběhla jsem se za ní a snažila se ji dohonit. Cíl se přibližoval, posbírala jsem všechny síly, zatnula svaly, naplnila plíce. Kousek před cílem žena zvolnila a otočila se ke mně. „Pojď, proběhneme spolu."

A tak jsme v naprosto nečekaném gestu dokončily závod ve stejný čas.

V tu chvíli jsem se do parkrunu zamilovala. V tu chvíli jsem se rozhodla, že těch pět tisíc někde seženeme. Vymyslíme něco, abychom ženy, jako je tahle, vytáhli z jejich domovů. Něco, co dá lidem naději, že život ještě neskončil. Něco, co budou moct dělat každý týden. Něco, na co budeme s Ashem hrdí. My ten parkrun v Churchstonu rozběhneme!

18

Ash mě sledoval přivřenýma očima, dokud neodemkl zaparkované auto. Tichou ulicí se rozeznělo pípnutí. „Co?" zeptala jsem se, když jsem vklouzla na kožené sedalo a zapnula si pás, zatímco on nakládal zavazadla do kufru. Přecpala jsem se. Darren nám nachystal pořádnou snídani – toust s avokádem, ztracená vejce a slaninu. Po ranním běhu jsem věděla, že si zasloužím každé sousto.

„Vítej zpátky."

„Jak zpátky?" zamračila jsem se a upravila si pás.

Neviděla jsem mu do tváře, ale když se uvelebil za volantem, všimla jsem si toho, že si mě téměř vyčítavě prohlíží. „Znovu ti září oči."

„Měla bych se ti za to snad omluvit?" Neměla jsem vůbec ponětí, o čem to tady mluví.

„Když jsme se tenkrát potkali, i když ses chovala jako ředitelka zeměkoule…"

„To teda nechovala. Ty ses předvedl jako největší nafoukanec…" Pak jsem si uvědomila, jak je to celé hloupé, a radši jsem zmlkla. A vyprskla jsem smíchy. „Někdy mě fakt vytáčíš, Ashi."

„To je všechno?"

„Přestaň se mnou flirtovat. Nehodí se to k tobě.“ Navzdory svému přesvědčení jsem si však nemohla pomoct. „Co jsi to vlastně říkal?“

„Jako kdyby se v tobě znovu probudil život. Když jsem tě potkal... okamžitě mě to na tobě zaujalo. Zářily ti oči, když jsi mluvila. Byla jsi plná energie.“

Bránila jsem se tomu, ale přesně jsem věděla, o čem to mluví. Jako bych dneska prošla nějakou bránou a vešla do prosluněné zahrady. Až teď jsem si uvědomila, jak dlouho jsem se potácela v naprosté mlze.

„Endorfiny,“ odpověděla jsem mu a protáhla si ve stísněném prostoru paže. Celé tělo mi po ranním zážitku vibrovalo. „Věděl jsi, že tenhle parkrun je sedmnáctý nejtěžší v celé Británii?“

„Ne, fakt? Nebyla to úplně procházka růžovou zahradou.“

„Koneckonců to byl tvůj nápad.“

„Měli jsme jet do Harrogatu.“

„Tam bychom se toho tolik nedozvěděli. Andy, ten chlápek, co zahajoval dnešní závod, mi toho dost ukázal. Stejně jako Katie, ředitelka místní organizace.“

Po běhu jsme se na chvilku zastavili v kavárně Akeman, kde se po závodu schází spousta lidí. Pobavili jsme se s několika lidmi, posbírali informace a načerpali inspiraci. Třeba s Lucianou, zapřisáhlou antiběžkyní, která díky parkrunu zhubla neuvěřitelných pětasedmdesát kil. Nebo s Elaine, která pravidelně běhávala se svými dcerami, kterým je deset a dvanáct let. Inspirace v pravém slova smyslu. „Jsem ráda, že jsme sem jeli.“ Z mých slov čišelo nadšení.

„Takže se do toho pustíme?“

„Po hlavě.“ Otočila jsem se k němu. „Jsi pro?“

„Asi jo. Bylo to... Uvěříš mi, když ti řeknu, že to byla zábava? Líbilo se mi, jak ta komunita drží při sobě.“

„Všichni byli moc přátelští. A vzájemně se podporovali. Jako bych…" Odmlčela jsem se, nebude to znít divně? „Jako bych najednou byla součástí něčeho většího, jako bych někam patřila… I když vlastně nejsem žádná běžkyně."

„A kdo jsou podle tebe běžci?"

„Ti chlapi, kteří se jako splašené stádo hnali naproti mně, když já jsem se sotva drápala do kopce."

Ash se od srdce zasmál, čímž mě upozornil na to, že jsem ho neslyšela se smát od naší první schůzky. „Jestli tě to trochu uklidní, pár z nich se v minulosti účastnilo olympiády."

„Tak teď si připadám jako superhrdinka." Teatrálně jsem si zabušila na hrudník. „Absolvovala jsem stejnou trasu jako olympijští běžci."

„Navíc tam byla většina lidí, kteří jako sportovci vůbec nevypadali. Překvapilo mě, kolik tam bylo dětí."

Potěšeně jsem vydechla. „Bylo to úžasné. A my něco podobného vytvoříme u nás."

„Hilda tě nakazila."

Zamnula jsem si ruce. „Až se vrátíme, dám dohromady seznam věcí, které budeme potřebovat. Teď už nás nic nezastaví."

„Když vidím tohle, skoro bych ti to věřil." Kývnul bradou mým směrem. Věděla jsem, že znovu upozorňuje na moje oči. Rozbušilo se mi srdce. Ale zamilovat se do něj podruhé by byla ta nejhloupější věc na světě.

„Nebude ti vadit, když si zavolám?" zeptala jsem se, když jsme se vydali zpátky. Úplně jsem viděla, jak se Ashovi vrací barva do tváře. Jako by ten jeden den představoval dovolenou v našich unavených životech. Probrali jsme spoustu detailů, ale jak jsme najeli na silnici M1, atmosféra v autě se změnila. Všimla jsem si, že se Ash zabořil hlouběji do sedadla.

„Jasně, zavolej."

Zaposlouchala jsem se do vyzvánění, když mi Alicin veselý hlas oznámil, že jí mám zanechat vzkaz.

„Ahoj, Alice, tady Claire. Volám, abych zjistila, jestli se ti podařilo sehnat letenku a v kolik tě máme zítra vyzvednout. Holky už se na tebe moc těší. Mohla bys mi zavolat nebo poslat zprávu?"

Pak jsem hovor ukončila.

„Pořád nic?"

„To se dalo čekat. Alice rozhodně nepatří mezi zodpovědné lidi." Stejně mě to mrzelo.

„Ale ty ano."

Pokrčila jsem rameny. „Aspoň jedna z nás taková být musí. Kdybych byla jako ona, rodiče by se už dávno zhroutili. I tak to máma sotva zvládala."

„Myslím, že v naší rodině jsem něco jako vaše Alice. Lúzr."

„Blbost, Ashi! Moc dobře to víš."

Sevřel volant tak pevně, až mu zbělely klouby na rukou.

„Až doteď jsi byl za hvězdu. Stoupal jsi vzhůru, jen jsi narazil na komplikaci, která tě trochu zpomalila. To je všechno. Víme to oba. Myslíš si, že když nepracuješ, jsi bezcenný. Vidím to na tobě."

Rozpačitě se na mě podíval, ale byl za moji upřímnost vděčný.

„A vím, že se mi to snadno říká, protože já mám práci, do které se můžu vrátit. A ty takovou taky brzo najdeš. Jen musíš být trpělivý."

„Spousta lidí už se ke mně obrátila zády. Co mám ještě udělat?"

„Přemýšlela jsem…"

Ash se na mě podíval s výrazem, že o mém návrhu nechce ani slyšet.

„Nechtěl bys pracovat v jiném oboru? Sám jsi naznačoval, že jsi teď za vyvrhele. Co se porozhlédnout někde jinde?"

Ash na to nic neřekl, ale ani mě nezastavil, že mluvím hlouposti.

„Máš vysokou školu. Obor strojírenství, pokud si dobře pamatuju. Co kdybys hledal v tomhle oboru, ale něco přes finance?"

Držel pohled na silnici, což mi dávalo naději, protože jinak už by mě sjel odmítavým pohledem.

„Je to jen nápad," řekla jsem s přesvědčením, že o tom bude aspoň přemýšlet.

„Nechám si to projít hlavou," odpověděl a radši zapnul rádio.

„Nemáš za co." No jasně, zase jsem musela mít poslední slovo. Šlo přece o Ashwina Laghariho a toho jsem nikdy nemohla nechat vyhrát. Pokud mu zbyla aspoň polovinu mozku, musí vědět, že je to výborný nápad.

Po téměř bezesné noci jsem zbytek cesty domů prospala. Probudila jsem se patnáct kilometrů před Churchstonem a musela jsem z hlavy vyhnat zbytky erotického snu, v němž Ash vystupoval úplně nahý a já jeho tělo pokrývala stovkami polibků.

„Mluvíš ze spánku," oznámil mi.

„Vážně?" Předstírala jsem, že o ničem nevím, ale cítila jsem, jak mi rudnou tváře.

„Neboj," Ash se na mě tajemně usmál, „neříkala jsi nic nevhodného. Jen jsi něco mumlala."

Uf!

„Možná to ale byly vzrušené vzdechy."

Ještě víc jsem zrudla. „Jsem ráda, že jsem tě na chvilku pobavila," vyštěkla jsem a přilepila rozpálenou tvář na studené boční okýnko.

„No však… Do prdele!" Zaklel a sledoval dění ve zpětném zrcátku.

Rychle jsem se otočila a zjistila jsem, že za námi jede blikající policejní auto.

Ash zpomalil a zastavil v odstavném pruhu, kam nás ani hlídka nemusela navigovat.

„Jak rychle jsi jel?" zeptala jsem se.

„Nevím, ale určitě to bylo pod limitem. Dávám si pozor, obzvlášť v tomhle autě."

Z vozidla za námi vystoupil vysoký mladý muž a lehce korpulentní starší dáma. Oba nasadili neutrální výraz. Žena se přiblížila k Ashově okýnku, její kolega stál za ní.

Ash zmáčknul knoflík a okýnko se otevřelo.

„Jste majitel vozidla, pane?"

„Ano."

„Můžu vidět váš řidičský průkaz?"

Ash se ošil, vylovil ze zadní kapsy džínů peněženku a beze slov jí podal malou kartičku.

„Máte u sebe doklady o pojištění?"

„Nemám, nevozím je s sebou."

„Potvrzení o technické kontrole?"

„Taky ne."

Nahnula jsem se, abych se na policistku usmála jako zákony dodržující občanka. *Proč jí Ash tak odsekával?* Srdce mi bilo na poplach. Podobným situacím jsem se vždycky snažila vyhnout.

Přesně takhle by se choval člověk, který si koledoval o to, aby ho násilím vytáhli z auta a nasadili mu pouta. Ne že bych to snad zažila, nikdy v životě mě policajti v autě nezastavili. Což se zřejmě o Ashovi říct nedá.

„Mohla bych vás poprosit, abyste nám sdělil, kam jedete a kde jste byli?"

Ash pokrčil rameny. „Jsme na cestě do Churchstonu a jedeme z Hertfordshiru." Žena se otočila ke svému kolegovi. „Bydlíme tam."

„Znáte se s paní Hildou Fitzroy-Townsendovou?"

Ash se na mě rychle podíval a mně zatrnulo. *Holky!*

„Je v pořádku?" zablekotala jsem. „Stalo se jí něco?" Začala jsem v kabelce hledat telefon. Když jsme vyráželi, napsala jsem jí zprávu, že jsme na cestě.

„Držte prosím ruce tak, abychom na ně viděli." Ženin hlas nabral na naléhavosti. V panice jsem pustila kabelku a zvedla ruce nad hlavu.

„Jen jsem se chtěla podívat, jestli mi neposlala zprávu."

„Vy paní Fitzroy-Townsendovou znáte?"

„Ano," přikývla jsem.

„Víte, kde teď je?"

Zvedla jsem hlavu a snažila se přečíst výraz v její tváři.

„Vím, kde by teď měla být," odpověděla jsem. „Chcete, abych jí zavolala?"

Žena se krátce podívala na svého kolegu.

„Rádi bychom ji viděli na vlastní oči."

„Myslíte, že měla nehodu?" zeptala jsem se.

Je zajímavé, jak dokážou udržet kamennou tvář.

„Kdy jste ji naposledy viděli?"

„V pátek ráno."

Ash přikývnul.

„Od té doby jste s ní nebyli?"

„Ne. Odjeli jsme pryč. Hlídá moje dvě neteře. Dneska ráno s nimi určitě byla, protože mi kolem osmé napsala, že je všechno v pořádku."

Mladý policista se zamračil a něco si poznačil do notýsku. „Takže jste s paní Fitzroy-Townsendovou byli dnes ráno v kontaktu?"

„Ano.“

„Kde dnes ráno byla?“

„U mě doma.“

„To je kde?“

Nadiktovala jsem jim adresu. „Právě tam jedeme.“

„Rádi bychom ji viděli. Existuje podezření, že je v nebezpečí.“

„Takže se nestala žádná nehoda?“ Všechno mě to najednou mátlo.

„O ničem takovém nevíme. Jen bychom rádi zjistili, kde se nachází.“

Zamračila jsem se. „V tom případě jsem si jistá, že je v naprostém pořádku. Klidně jí zavolám, jestli chcete.“

„Potřebujeme s ní mluvit osobně. Ujistit se,“ vážně se na mě podívala, „že se tam zdržuje dobrovolně.“

„Pardon?“ Snažila jsem se pochopit, co právě řekla. „Myslíte si, že jsem ji unesla?“

„Jen se snažíme ověřit některé skutečnosti. Její rodina se o ni strachuje.“

„A to se jí nepokoušeli zavolat?“

„Nereaguje na textovky, volání ani hlasové zprávy. Paní Fitzroy-Townsendová byla dnes ráno prohlášena za pohřešovanou. Naposledy byla spatřena v tomto autě.“

Vůbec mi to nedávalo smysl. Jediné, co jsme teď mohli udělat, je dojet v policejním doprovodu domů, kde se to snad všechno vysvětlí.

19

Když jsem otevřela dveře, dům byl tichý, ale linula se jím nádherná vůně po pečení, což mě hned uklidnilo.

„Hildo, jsme zpátky!" zavolala jsem a v domácím prostředí jsem se najednou cítila mnohem jistěji. Ti dva mi doslova dýchali za krk.

Udělala jsem pár kroků po černo-bílé dlažbě v hale vedoucí do kuchyně.

„Teto Claire, teto Claire!" Ava se ke mně rozběhla a objala mě kolem pasu, jako bych se vrátila z měsíční zámořské cesty, a ne z dvoudenního výletu. Za ní se objevila Poppy v obrovské zástěře a s ní Hilda s utěrkou zastrčenou za výstřih svetru. Společně rozdělovaly těsto do malých formiček ve tvaru květin.

„Děláme dortíky s motýlky a taky jsme upekly domácí müsli tyčinky a sušenky."

Hilda se udiveně podívala za naše záda. „Jste tady brzy... A dobrý den." Kývla na tu podivnou dvojici. „Máme společnost."

„Paní Fitzroy-Townsendová?" zeptal se mladý policista.

„Ano. Jak se máte?" zeptala se Hilda a otočila se, aby si utřela ruce od mouky. „Můžu vám nabídnout šálek čaje? Jsem si jistá, že Claire s Ashem si dají. Po tak dlouhé cestě musíte být unavení. Jak jste se tam měli?"

Nezkušený policista se podíval na svoji kolegyni. „Mohli bychom s vámi mluvit o samotě?"

„Proč byste to dělali? Před přáteli nemám co skrývat."

„Bylo by to tak asi lepší," prohlásila rázněji policistka a semkla přísně rty.

„Lepší pro koho? Claire a Ash jsou moji přátelé. Tak co máte za problém?"

„Můžeme se tedy posadit?"

„Poppy, mohla bys prosím pokračovat s těmi motýlky, než to tady vyřídím? Je to nuda, já vím." Pak znovu pohledem sjela dvojici a našpulila rty, aby jim dala rázně najevo, jak moc ji to otravuje. „Avo, pokud budeš poslouchat, co ti Poppy říká, můžeš jí s tím pomoct. Claire, nevadilo by, když se posadíme do předního pokoje?"

Zakroutila jsem hlavou a sledovala Hildu, jak si to rázuje ven z kuchyně.

Pak se otočila a zavolala: „Vy pojďte taky, Claire a Ashi."

Zamračili jsme se na sebe, ale následovali jsme skupinku do pokoje v přední části domu.

„Proč tady děláte takový cirkus?" zeptala se Hilda, která se zatím posadila do křesla, přehodila nohu přes nohu a založila si paže na prsou.

„Zdá se, že mají podezření, že jsme tě unesli," řekla jsem tiše a znovu jsem si uvědomila, jak hloupý je to nápad.

Policistka si hlasitě povzdychla a ujala se slova: „Paní Fitzroy--Townsendová, vaše rodina měla pochybnosti o vaší bezpečnosti. Neměli ponětí, kde jste, a vy jste se jim neozývala. Proto podali hlášení a označili vás za pohřešovanou."

„Proč mě zase otravuje? Můj syn, samozřejmě," pronesla Hilda unaveným hlasem. „Jak sami moc dobře vidíte," rozhodila rukama, „jsem tady se svými přáteli v naprostém pořádku."

„Možná byste, madam," ujala se slova policistka, „mohla dát vaší rodině vědět, že to byl planý poplach."

„Ano. Byl to Farquhar, že?"

Snažila jsem se ukrýt smích v dlani. Nikdo přece nemohl svého syna pojmenovat Farquhar. Kromě Hildy.

Hilda se zasmála a omluvně pokrčila rameny. „To bylo ještě před Shrekem. I když tam se ten lord jmenuje Farquaad."

Dala jsem se do smíchu a viděla jsem, že Ash má co dělat, aby se ke mně nepřidal.

„Asi jsem se během těhotenství zbláznila. A jeho otec na tom jméně trval. Mělo v jejich rodině tradici, i když v šestnáctém století asi nevyvolávalo tolik zděšení jako dneska. Byl to on, že? Nebylo by to poprvé."

„Zdá se, že hlášení podal pan Farquhar Fitzroy poté, co ho ředitel domu s pečovatelskou službou Na Výsluní upozornil, že jste se v noci nevrátila do svého pokoje."

„Ten se snad zbláznil! I s ředitelem. Jsem svéprávná, a pokud chci někde strávit noc, nepotřebuju k tomu ničí svolení."

„Vlastníte mobilní telefon?"

Hilda sjela mladého policistu pohrdavým pohledem. Nedivila jsem se jí.

„Mladý muži, vlastním mobilní telefon a taky to mám v hlavě v pořádku. Vyhledávala jsem ruské špiony a nepřátele státu, ještě než se narodili vaši rodiče. Když se rozhodnu, že někde strávím noc nebo dvě, nikoho to nemusí zajímat." Pak nastalo ticho, které znovu přerušila rázným tónem: „Mrzí mě, že musíte řešit takové ptákoviny místo skutečných zločinů. Informujte prosím mého syna, že se mám naprosto báječně." Pak se postavila.

„Možná byste mu mohla zavolat sama, aby tomu skutečně uvěřil."

„Možná nechci," řekla Hilda a vzdorně pohodila hlavou. „Pokud už nemáte nic jiného na srdci, musím jít dopéct dortíky se svými svěřenkyněmi." Pak vyšla z pokoje a zamířila zpátky do kuchyně.

„Dobrá tedy," řekl policista a obrátil se ke své nadřízené.

Ta se na mě usmála a prohodila: „To je ale případ."

„Omlouvám se, že jste tady museli ztrácet čas. Neměla jsem o tom ani ponětí." Proto si s sebou Hilda nic nevzala. Nikomu nic neřekla a nechtěla, aby se jí někdo vyptával, kam se balí. I když jsem jí to nepřála, karma je karma. A ono se jí to vymstilo.

„V pořádku, ale bylo by dobré, kdybyste ji nějak přesvědčili, aby se ozvala synovi."

„Zkusím to," odpověděla jsem, ale moc jsem s tím nepočítala.

„My ho zatím obeznámíme s tím, že jeho matka je v pořádku."

Samozřejmě že Hilda, která se přemístila k dortíkům a čaji, neměla vůbec žádné výčitky svědomí.

„Víte co? Pěkně mě tam štvou. Přece můžu jít, kam se mi zachce. Nemusím o tom nikoho informovat. Myslím, že si s tím ředitelem dost zostra promluvím."

„Jen o vás měli strach," dodala jsem tiše.

„Blbost," zasmála se. „Vsadím se, že Farquhar se bál, že uteču a znovu se vdám. Skoro se zbláznil, když jsem si vzala svého čtvrtého muže George. Brali jsme se v Las Vegas, v Elvisově kapli. To byl blázinec. Dala jsem pár fotek na Facebook a Farquhar málem vyletěl z kůže. Měl strach, že si mě George bere jen pro peníze, což byla samozřejmě pravda, ale on už toho stejně nestihl moc utratit. Za několik měsíců zemřel, ale do té doby jsme si to spolu užili. Jestli budete mít někdy možnost, doporučuju vzít harleye a jet dolů po dálnici 101 až na

Kalifornský poloostrov. Nádhera." Pak se rozhodla vyprávět Poppy a Avě historku o tom, jak je v Americe zastavili policajti a chtěli ji zatknout. Obě jí naslouchaly s otevřenou pusou.

Ash se na mě pochybovačně podíval, Hilda měla vždycky v rukávu zásobu šílených historek.

„Tak co jste tam zjistili?" zeptala se Hilda, když jsme snědli všechny sušenky a dopili čaj.

„Asi to půjde," řekla jsem a narovnala se, abych zněla přesvědčivě. „I když jsme dostali varování, že to bude běh na dlouho trať, a to teď nemluvím o běhání. Povolení od města je skoro zařízené, ale budeme muset někde sehnat pět tisíc liber na nákup vybavení."

„Vybavení?" zopakovala po mně Hilda. Záhy jsem jí vysvětlila, co všechno budeme muset nakoupit a co jsem pochytila na dnešním běhu.

„Páni, je toho mnohem víc, než jsem si myslela. Je fajn, že ses do toho tak pustila, Claire. Jaký je plán na příští týden?"

Předložila jsem jí, co nás čeká v několika následujících dnech. Připadala jsem se u toho skoro jako zpátky v kanceláři. V první řadě jsme museli zjistit všechny možné způsoby, jak se dostat ke grantu, nebo oslovit případné sponzory, kteří by nám pomohli sehnat peníze.

„Zítra ráno s holkama navrhneme plakáty, které bychom umístili v kavárně, aby oslovily co nejvíc dobrovolníků." Měla jsem doma tiskárnu se skenerem, která nám usnadní práci. A holky aspoň trochu zabavím, než se pro Alici vydáme na letiště. „Budeme potřebovat aspoň dvacet lidí. Zbytek letáků rozn
eseme po okolí na komunitní centra, dáme to na Facebook a další sociální sítě. Běžecký klub udělá to samé na druhé straně města. Budeme muset vymyslet způsob, jak vybrat zbytek peněz, co nepokryje grant a případné dary, protože pět tisíc není zrovna málo."

„Bude to nějakou dobu trvat," odtušil Ash.

„Výborně," řekla Hilda, čímž naprosto ignorovala naše obavy.

„Kdy se vrací Alice?" Poppyina a Avina hlava okamžitě vystřelily vzhůru.

Vesele jsem se usmála. „Zítra. Ještě čekám, až mi potvrdí, v kolik hodin má přílet." Nenápadný pohled, který jsem vrhla na hodinky na zápěstí, samozřejmě neušel bystrému Hildinu oku. Mrkla na mě, aby mi tak dala najevo, že holkám nic neprozradí.

Alice byla mnohem bezstarostnější než já. Měla bych obavy pustit z hlavy. Zřejmě zavolá v poslední minutě, než nastoupí do letadla. Což znamená, že by se měla ozvat každou chvíli.

„Já nechci jít domů, teto Claire. Chci tady zůstat. Ve svém novém pokoji. Mám tam mnohem víc místa na hračky," ozvala se Ava.

„Nebuď hloupá," štěkla po ní Poppy. „Teta Claire musí zpátky do práce, nemůže si nás tady nechat."

„Budete mi obě moc chybět," řekla Hilda. „Kdo mi teď bude pomáhat s pečením?" Všimla jsem si, že se jí trochu třásl spodní ret.

Ash se tvářil zarmouceně. „Mně budou chybět ty sušenky."

Mně budou chybět strašně moc, ale nahlas jsem to říct nemohla. Kdy se to stalo? Došlo mi, že mít je na očích každý den se pro mě stalo naprosto normální. Zvykla jsem si na ten hluk a nepořádek, na zaneřáděnou kuchyň, koupelnu plnou věcí, které tam dřív nebyly, a rozházené školní věci po celém domě. Díky tomu všemu se můj dům konečně proměnil ve skutečný domov. Žili tady skuteční lidé a šlo to vidět. Cítila jsem se tu dobře. Ten pocit mi bude chybět. Všichni mi budou chybět, dokonce i Ash.

„Možná můžeme pořádat pravidelné večery s pečením," navrhla jsem. „Vaší mámě by to určitě nevadilo. Může přijít taky."

Když jsem to dořekla, představila jsem si, co by asi tak řekla Alice na Hildu. I když byly obě na podobné vlně, měla jsem pocit, že by z nich nejlepší kamarádky asi nebyly.

„A kdy se konečně pustíš do zbytku domu? Listuješ těmi časopisy celé týdny, ale pro nic ses ještě nerozhodla, nebo snad ano?" zeptala se mě Hilda.

„Vlastně mám pocit, že konečně vím, co udělám." Moje sny o tmavě šedých stěnách a černé podlaze vzaly za své.

„Výborně. Jedna bába, co se mnou bydlí, má syna, který dělá kuchyně. Vždycky se naparuje a ukazuje mi fotky. Vlastně je docela šikovný. Nechceš, abych ho sem pozvala? Může ti udělat dobrou cenu. Aspoň bys věděla, co tě to bude stát."

„No…" Čtyři páry překvapených očí se na mě upřely a Poppy ukázala na příšernou tapetu, která dekorovala celou kuchyň. „Tak dobře, ale musí to být hotové co nejdřív, nejlíp příští týden." Věděla jsem, že sehnat řemeslníky za tak krátkou dobu není vůbec jednoduché, ale už jsem se rozhodla a chtěla jsem to mít z krku.

V pátek jsem měla schůzku s doktorem Boulterem a doufala jsem, že mi nemocenskou dál neprodlouží. Cítila jsem se dobře. Takhle dobře mi nebylo už ani nepamatuju.

Hilda už držela v ruce telefon a psala zprávu.

20

Když jsem v pondělí večer otevřela dveře, za nimiž nervózně pochodoval cizí muž, Bill byl okamžitě u mých nohou, jako by se mě snad chystal bránit před nečekanou invazí.

„Claire Harrisonová?"

Bill se postavil přímo přede mě, až mě jeho srst lechtala na nohou. Pohladila jsem ho po hlavě, abych ho ujistila, že je všechno v pořádku.

„Alice?" zeptala jsem se. Ještě pořád se neozvala. Od neděle jsem jí volala a psala zprávy, ale bez odezvy. Telefon jí vesele vyzváněl, což mě rozčilovalo, protože kdyby byla v letadle, neměla by signál. Takže ještě nebyla ani na cestě. *Kde teda byla a proč se proboha nemohla ozvat vlastním dětem?*

„Jste Alice? Potřebuji mluvit s Claire Harrisonovou. Bydlí tady?"

„Ne. Ano, to jsem já."

„Cože?"

„Jsem Claire Harrisonová. Myslela jsem si, že… to je jedno." Měla jsem strach, že mi přišel sdělit nějakou špatnou zprávu.

Bill se trochu uklidnil, ale pořád s nastraženýma ušima sledoval cizince. Srdeční tep se mi začal vracet do normálu. Zvědavě jsem se zadívala do oček v růžovém rozlíceném obličeji.

„Můžu vám nějak pomoct?" zeptala jsem se.

„Předpokládám, že víte, proč jsem tady." Muž zněl nasupeně, ale větu pronesl tak přehnaně povýšeně, že mě spíš pobavil než vyděsil. Okamžitě mi připomněl Lady Catherine de Bourgh z *Pýchy a předsudku*. Zřejmě proto, že jsem vždycky chtěla být jako Elizabeth Bennetová. Nebo kvůli tomu, že jsem trávila příliš času s Hildou, která se rozhodla namíchnout vedení centra, kde bydlela, a už druhou noc trávila u mě v pokoji pro hosty.

„Omlouvám se, ale vůbec nemám ponětí." Postavila jsem se do dveří, protože jsem jasně vycítila, že by se nejradši vetřel dovnitř. Bill mi v tichosti porozuměl a posadil se těsně vedle mě.

„Jmenuji se Farquhar Fitzroy."

„Aha," řekla jsem a v mém hlase zaznělo pobavení a zvědavost. *Hildin syn? Toho jsem tu rozhodně nečekala.*

„Jistě víte, proč jsem tady. Vaše záměry jsou mi zcela jasné." *Úplná Lady Catherine.*

„To jsem ráda." Odmlčela jsem se, opřela se o rám dveří a věnovala jsem mu široký úsměv. „A ty záměry jsou přesně jaké?"

„Vím, o co vám jde."

„Ano?" *Buď trpělivá, Elizabeth!*

„Slečno Harrisonová, buďme k sobě upřímní." Málem jsem se dala do hlasitého smíchu.

„To budu velmi ráda, protože nemám sebemenší ponětí, proč tady jste a co chcete."

„Nejsem nadšený z toho, že moje matka přespává pod vaší střechou. To opravdu není vhodné. A ten náhlý požadavek o uvolnění finančních prostředků z jejích investic?"

První část jeho projevu mi aspoň dávala smysl, ale druhá věta mě přinutila nastražit uši jako německý ovčák při setkání se zlodějem.

Než jsem měla šanci na jeho urážku zareagovat, z druhé strany vstupní haly se ozval Hildin hlas. „Proboha, Farky, co tady děláš?" Nedokázala jsem posoudit, jestli v jejích slovech slyším víc zklamání, nebo vzteku. „Vždyť je to jen pět tisíc liber."

„Neoslovuj mě takhle, matko," vyštěkl na ni. „Co tady děláš?"

„Omlouvám se, Claire." Otočila se ke mně s omluvným výrazem. „Budeš ho muset pozvat dál. Jen tak neodejde. Je jako klíště. Chytne se a nepustí."

„To teda nejsem!" Na okamžik se zarazil, začal rudnout, až nakonec semknul čelist. „Potřebuju mluvit se slečnou Harrisonovou." Skoro mi ho bylo líto.

„No tak, Farky. Nevím, proč to děláš, ale strašně se tady ztrapňuješ. Claire je moje kamarádka, nehrozí mi od ní žádné nebezpečí."

„Myslím, že to můžeš nechat na mně, matko."

„To určitě, tebe napadají samé hlouposti, zlatíčko."

Zakroutila hlavou a vydala se zpátky do kuchyně, kam jsem ji doprovodila udiveným pohledem. Co teď? „Chcete jít dál?"

„Rád bych si s vámi promluvil o samotě. Moje matka si ale stejně bude dělat, co chce."

Zavedla jsem ho do kuchyně, kde se zatím Hilda posadila ke stolu, pila kávu a prohlížela si vzorník barev, který sem donesla s Ashem, hned jak jsem vyzvedla holky ze školy. Prý aby uspořádala další poradu ohledně parkrunu.

„Ty piješ kávu?"

Hilda provokativně nahlédla do porcelánového šálku, který jsem koupila na její popud. A který překvapivě používala jen ona. „Bože, tak piju, no. Cappuccino. Navíc výborné. Tak už se konečně rozhodni. Buď jsem senilní a naprosto neschopná se o sebe postarat, takže ode mě nikdo nemůže očekávat, že si něco zapamatuju, nebo jsem svéprávný člověk, který se umí sám rozhodnout a zvážit, zda mu konzumace kávy nepřináší víc užitku než možných negativních následků."

Nemyslela jsem si, že může Farquhar ještě více zčervenat, ale to jsem se mýlila.

Po pár vteřinách se však sebral. „Ty jsi prostě neskutečná!"

„To jsem od tebe slyšela snad tisíckrát, vymysli si konečně něco nového."

Její syn se ke mně v náhlém popudu otočil. „Slečno Harrisonová, mám obavy o matčino bezpečí a také mám pocit, že ji využíváte."

„To je křivé obvinění, není to pravda."

„Doneslo se ke mně, že… na ni vyvíjíte nátlak."

Ash vyprsknul kávu na stůl a poplival tak barevný vzorník. Farquhar se na něj překvapeně podíval.

„Moje matka je bezbranná stará dáma a vy jste se s ní jen tak spřátelili. To je více než zvláštní, ne? Mladá žena jako jste vy. A teď ta žádost o peníze."

„Musím vás opravit. Hilda oslovila mě, ne já ji. Staly se z nás dobré kamarádky. Tomu ale samozřejmě nemůžete rozumět, když soudíte lidi podle svého měřítka. Vaše matka má dost bystrou mysl a taky pevné zdraví." Představila jsem si, jak každé ráno běhá po parku, a pod stolem jsem radši zkřížila prsty. Aspoň jsem doufala, že je zdravá. „Nemyslím si, že by bylo jednoduché ji jakýmkoliv způsobem ovlivnit nebo přinutit k něčemu, co by sama nechtěla."

„To jsi řekla moc hezky, Claire." Pak se přes stůl naklonila ke svému synovi. „Poslouchej, Farquhare, přestěhovala jsem se do toho starobince jen kvůli tobě. Když se rozhodnu trávit čas někde jinde, klidně to udělám. A nemusím nikoho žádat o svolení."

„To bys právě měla. Nemůžeš se jen tak sebrat a nikomu neříct, kam jdeš. Jsi postarší osoba, která je velmi zranitelná. Kdokoliv toho můžeš zneužít."

„O svoje dědictví se opravdu bát nemusíš. Než umřu, nic z něj nezbyde."

„Ne, matko, bojím se, že se zahazuješ s lidmi, kteří s tebou nemají ty nejlepší úmysly. Lidmi, kteří tě chtějí jen zneužít."

„Ach jo, snad ještě pořád nenarážíš na George, nebo ano? Řekla jsem mu, aby ten prsten prodal. Byl ohavný." Hilda pohodila vzpurně hlavou, ale všimla jsem si, jak se jí prohloubily vrásky kolem úst. „Nechtěla jsem ho a ani mi nikdy nechyběl."

Farquhar na to neřekl ani slovo, jen nervózně ťukal prsty o stůl.

„Je to jediný důvod, proč jsi tady?" zeptala se Hilda. „Abys mě zkontroloval?"

„Ne, matko. Měl jsem o tebe strach."

„Jak vidíš, jsem naprosto v pořádku. Můžeš to vzkázat tomu špehovi, kterého jsi nasadil do domova. Teď bych ti radila, aby ses vrátit zpátky do svých komnat a nechal mě na pokoji."

„Jsi opravdu nemožná." Farquharův obličej znovu zčervenal.

„Audrey Hepburn kdysi řekla, že je to vlastně lichotka, být nemožná." Hilda zvedla bojovně bradu, ale viděla jsem, že se jí trochu třesou ruce. „Farquhare, to stačí. Nejsem v nebezpečí a ta konverzace už mě začíná nudit. Chci, abys odešel. Hned!" Poslední slova pronesla překvapivě rázně.

„Vaše matka je kvůli vám rozčílená. Myslím, že byste měl odejít," prohlásil Ash, zvedl se ze židle a pomalými kroky se k němu blížil. Byli úplně jiní – štíhlý a pružný Ash proti zavalitému a nízkému Farquharovi. Při tom pohledu jsem si uvědomila, jak moc se Ash změnil od toho dne, kdy jsem ho poprvé viděla běžet v parku. Letargie a rezignace se z jeho pohledu dávno vytratily. Ještě to nebyl úplně ten sebevědomý Ashwin, přesto se mi jeho nová verze líbila.

Farquhar zvedl ruce nad hlavu v bezbranném gestu. „Nechci nikomu dělat žádné potíže. Jen se snažím pomoct. Když budeš potřebovat, víš, kde mě najdeš." Nacpal si telefon do kapsy a vyšel z kuchyně.

„Hildo, to si snad děláte srandu?" řekla jsem, když jsem konečně slyšela klapnout hlavní dveře.

„Omlouvám se," odpověděla stručně. „Teď zpátky k těm vzorníkům."

„Ne tak rychle," varovala jsem ji. Její taktiku jsem už znala. „Nechtěla byste nám vysvětlit, o čem to tady Farquhar mluvil? Proč si myslí, že tady přespáváte? A co to bylo s těmi penězi? Proč potřebujete zrovna pět tisíc liber?"

„Chtěla jsem, aby mě takhle neprokouknul. Posledních pár dní jsem přespávala ve svém domě."

„Ve svém domě?" S Ashem jsme skoro vykřikli.

„Ano, drahoušci. Je to jen za rohem. Chodím se tam v klidu dívat na televizi."

Po téhle informační bombě jsme se všichni vrátili do kuchyně. Bill odběhl do obýváku, kde se schoulil na pohovce vedle Poppy, kterou si vybral jako nejoblíbenější členku domácnosti.

„Tahle barva, to máš pravdu, ta se sem bude hodit nejvíc," řekla Hilda a přiblížila k očím štítek se zelenošedým odstínem, ke kterému jsem se neustále vracela. „Jmenuje se Mrholení, ale já bych radši vybrala Sloní dech, jen kvůli tomu názvu."

„To my všichni," odvětila jsem a vrátila se k ožehavému tématu. „Proč teda přespáváte ve svém domě, aniž byste nám o tom řekla? A doufám, že ty peníze nejsou na organizování parkrunu."

„Bude to půjčka, pokud vám to takhle zní líp. Nebo spíš dar.“

„Můžeme ty peníze sehnat jinak.“

„To by trvalo moc dlouho a všechno by to jen zdrželo.“ Hilda znovu zvedla bojovně bradu. Dneska byla v pozici královny. To jí nikdo nemohl upřít. „Až dostanete grant, můžete mi to vrátit. Prozatím nám to jen pomůže.“

„To je od vás moc štědré,“ řekl Ash.

„Můžu si to dovolit. A budu radši investovat do něčeho, co má smysl, než financovat dědické řízení. Proto bych tady ráda viděla první běh, ještě než umřu.“ Její snaha o ironický tón tentokrát moc nevyšla.

Ash se ušklíbnul a obrátil oči v sloup. Já jsem v tu chvíli radši semkla rty.

Hilda se zasmála. „Aspoň jsem to zkusila.“

„Zjistíme, jak jsme na tom s grantem, případně kolik peněz bychom dostali od sponzorů.“

„Dobře, ale ty peníze máte pořád k dispozici.“

„Děkujeme, Hildo.“ Ash položil svoji snědou dlaň na Hildinu průsvitnou paži. To gesto mi málem vehnalo slzy do očí.

„Opravdu si toho vážíme.“ Položila jsem svoji dlaň na ty jejich. Byli jsme v tom všichni tři. Máme pakt.

„To nestojí za řeč, drahoušci.“

„A teď nám konečně řekněte o tom domě.“ Ash naklonil hlavu a vydoloval svoji dlaň zpod té mojí, aby se chopil šálku s čajem.

Hilda se překvapivě sesunula na židli o trochu níž a starostlivě vydechla. Pak se narovnala a prohlásila: „Ten dům mi chybí… Jen jsem si chtěla připomenout, jaké bylo tam žít. Farquhar by byl celý bez sebe, kdyby to zjistil. Tvrdí, že je pro mě moc velký a co bych asi tak dělala, kdybych třeba upadla. Jen se tam občas ukážu, abych zjistila, že je všechno v pořádku. Naléhá, abych ho prodala, ale já... se k tomu nedokážu přinutit." Úplně poprvé od doby, co ji znám, mi přišlo, že se Hilda trochu uzavřela. „Vím, že už tam sama bydlet nemůžu, ale prostě mi to chybí."

„Jak dlouho jste tam bydlela?" zeptala jsem se a povzbudivě jí stiskla ruku.

„Přes čtyřicet let. S několika manžely. Farky hrozně rád chodil do parku, když byl malý. V té době tam o víkendech hrávala živá hudba." Hilda zastřeným pohledem hleděla do neznáma. „Byl to hrozně roztomilý chlapec," dodala s úsměvem.

Chyběl by mi můj dům stejně jako Hildě chyběl ten její? Rozhlédla jsem se po kuchyni a vzpomněla jsem si, jak mi holky před chvilkou pomáhaly chystat sendviče. Nebo jak jsme tu všichni večeřeli pizzu a Hilda se pokoušela naučit ovládat nový kávovar. K téhle místnosti se za pár posledních týdnů váže víc vzpomínek než za půl roku, co tady bydlím. Takže tady nakonec budou žít lidi. Kéž by se můj dům časem dočkal stejné pozornosti jako ten Hildin.

„Moc ráda bych se tam jednou podívala," řekla jsem spontánně.

Hilda se na mě podívala, v jejím obličeji se zračilo nadšení. „Moc ráda ti to tam ukážu. A teď zpátky k věci. V kolik hodin se zítra koná ta schůzka městské rady? Budete mě muset vyzvednout, pohlídám holky, ale Ash s sebou musí přivézt Billa, protože Poppy už se s ním skamarádila."

Poppy a Ava se dívaly na televizi. Najednou jsem si připadala jako špatná matka, protože jsem vůbec neměla tušení, co tam sledují.

Hilda si mě pozorně prohlédla. „Alice se ještě neozvala?"

„Ne." Zkontrolovala jsem displej telefonu. Přemohl mě nepříjemný pocit, že se něco stalo. Tohle už je moc i na Alici. „Ale to je celá ona," prohlásila jsem a ujistila se, že mě holky neslyší. „Je strašně nezodpovědná. Jak ji znám, zavolá, až přiletí, a bude očekávat, že pro ni hned zajedu." *Proč ale její telefon pořád vyzváněl?*

„Dá si někdo víno?"

„Já musím Popelku odvézt zpátky do domova, než po ní znovu vyhlásí pátrání a pak...," Ash po mně rychle střelil pohledem, „mám něco na práci."

„Já musím s holkama udělat věci do školy a dát je spát. Na zítřek potřebují oběd." S Avou je třeba číst a procvičit hláskování, Poppy dostala za úkol něco o elektrických obvodech, což jsme včera zazdily, protože mi to celé nedávalo ani trochu smysl.

„Ashi, chtěla jsem tě vlastně o něco poprosit... Poppy si má do školy připravit něco o elektřině. Mohl bys jí s tím pomoct?"

Ash zbystřil a propíchnul mě pronikavým pohledem. Uvědomila jsem si, že to bylo úplně poprvé, co jsem ho požádala o pomoc. Většinou to za mě obstarala Hilda.

„Promiň, nechci tě zdržovat, říkal jsi, že něco máš."

„To počká," odpověděl naoko lhostejně, ale všimla jsem si, že ho moje prosba potěšila.

„A já ti můžu pomoct s těmi obědy," nabídla se Hilda a vyskočila na nohy. Jako by ani jeden z nich nechtěl jít domů.

„Tak vám ještě udělám čaj," oznámila jsem jim.

O půl hodiny později už seděla Poppy skloněná nad úkoly, Hilda vařila k večeři těstoviny carbonara a já jsem s Avou na klíně procvičovala čtení a zdokonalovala její výslovnost.

Takhle spokojeně by náš večer neprobíhal, i kdybych to naplánovala. Holky odsouhlasily novou barvu s velkým nadšením, Poppy s Ashem dokončila úkol do školy, Ava dočetla knížku a Hilda si nakonec s Ashem dala ještě jednu skleničku vína. Tuhle vzpomínku z hlavy určitě jen tak nevymažu.

21

Následujícího rána jsem se probudila překvapivě brzo. Ava ještě tvrdě spala, tvářičky měla zrůžovělé, kudrnaté vlásky rozhozené kolem hlavy jako svatozář. Ve vedlejší ložnici podřimovala Poppy, ruku pod hlavou na polštáři. Po špičkách jsem se doplížila do kuchyně, uvařila kávu a pustila se do vyřizování telefonátů.

Alice to pořád nebrala.

„Alice, jen přemýšlím, jestli mám do naší konverzace zapojit policii." Zavěsila jsem. *Pasivně agresivní přístup, já vím, ale nějak ji přece k odpovědi přinutit musím.*

Když jsem vytočila matčino číslo, zvedla to po druhém zazvonění.

„Ahoj, mami."

„Ahoj, zlato, ráda tě slyším. Dneska jsem ti chtěla volat. Ale komplikuje mi to časový posun. Vůbec nevím, jestli jsi v práci a kolik je u vás hodin. Právě jsme zakotvili u Cozumelu v Mexiku. Je tady nádherně."

„To zní skvěle. Tady," podívala jsem se z okna na růžovožluté mraky na modrém nebi, „asi dneska bude taky hezky." Jeden z těch dní, kdy se vyplatí vyběhnout brzy ráno, než začne být venku horko.

„Jak se máš, zlato? Užíváš si holky? Zapomněla jsem se zeptat, to ti dali v práci volno? Jsou to miláčci, co? Nemůžu se dočkat, až k nám zase na víkend přijedou."

„Proto ti vlastně volám, mami. Pořád jsou ještě u mě. Alice se nevrátila a vůbec mi neodpovídá na zprávy. Trochu se o ni začínám bát. Chtěla jsem se zeptat, jestli se ozvala aspoň vám."

„Počkej, ještě se přece nemá vracet... Nebo si to pletu? Jela tam přece na dva týdny. Možná má její letadlo jen zpoždění."

„To je ale lhářka!"

„No tak, nebuď zlá, Claire. Musíš akceptovat, že máte každá úplně jinou povahu. Alice není tak silná jako ty. Potřebuje podporu."

Málem jsem zavrčela. Tohle poslouchám celý svůj život.

„Mami, ale ona mi řekla, že tam jede jen na jeden týden. A holkám taky. Nejsem zlá, ale už mi to začíná vadit. Lhala mi. To se přece nedělá." Vůbec mi nevadilo, že skoro křičím. *Co si o sobě Alice vůbec myslí?* „Možná jí to přijde vtipné, jsem na ty její hloupé nápady zvyklá, ale je to fér vůči Poppy a Avě?" Věděla jsem, že na tohle máma uslyší.

Na druhé straně bylo chvilku ticho. „To máš pravdu. Naše nezbedná Alice."

„Nezbedná? Není jí pět, mami! Je strašně nezodpovědná. Vůbec nevím, kdy se vlastně vrací. Řekla, že v neděli, dneska je úterý. Ozvala se vám vůbec?"

„Tento týden ještě ne, ale prý si to tam náramně užívá. Bydlí někde v naprosté pustině, kolem jsou jen hory. Zní to nádherně."

„Signál je očividně i uprostřed oceánu."

„Poslala mi e-mail, Claire."

„Můžeš jí teda odepsat? Protože mě ignoruje. Připomeň jí, že má dvě děti, kterým strašně chybí a jsou celé zmatené, kdy se jejich máma vrátí domů!" Křičet na matku bylo vždycky kontraproduktivní. Moc dobře jsem to věděla, jen jsem nechápala, proč musí být vždycky na Alicině straně.

„Nemusíš se přece tak rozčilovat. Musí k tomu mít pádné důvody."

„Možná mi je můžeš říct, protože nevím, jak to mám holkám vysvětlit."

„No..." S potěšením jsem naslouchala, jak se v tom matka topí. „Zlobí se moc?"

„Vlastně..." Rozhlédla jsem se po kuchyni, zadívala se na Avin obrázek na lednici a Poppyinu školní tašku úhledně nachystanou na stole. „Jsou v pořádku." Docela nám to spolu klape. Jsme tým. To uvědomění mě zahřálo u srdce.

„Alice se jim musí ozvat a říct mi, kdy přesně se vrací. Můžeš jí zavolat?"

„Samozřejmě, zlato. A obejmi za nás holky. Moc nám chybí."

„Dobře, mami."

„Posílám pusu."

Ukončila jsem hovor a zaposlouchala se do ticha. Měla jsem pocit, že jsem shora zaslechla zaskřípění podlahy a spláchnutí toalety. Odložila jsem telefon a začala připravovat cereálie ke snídani. Ranní rutina právě začala. Doufala jsem, že mi Alice brzo zavolá, abych mohla holkám sdělit přesné datum, kdy se vrátí domů. Mohla by jim to koneckonců říct sama, je to přece jejich matka. *Ale chybí jí vůbec?*

Poslechla jsem si hlasovou zprávu, kterou mi nahrál ředitel běžeckého klubu Churchstone Harriers, a posadila se na svoje oblíbené místo na lavičce vedle Hildy. Právě jsem doběhla. Příslib krásného dne, který jsem sledovala z okna v půl šesté ráno, se naplnil.

„Výborný pokrok," prohlásila Hilda. „Charles se pokusí přijít na dnešní zasedání městské rady, i když bude mít trochu zpoždění, ale prý by tam od nich mělo být víc lidí, tak uvidíme."

„To nezní moc slibně," řekl Ash. „Čím víc lidí tam přijde, tím jasněji jim dáme najevo, že už teď máme nějaký zájem a podporu. Jinak se naším návrhem nebudou vůbec zabývat." Zadívala jsem se mu do tváře a povzdychla si. Něco se mi na něm dneska nezdálo.

„Snažím se přemluvit pár důchodců z Výsluní. Ty, co se ještě můžou hýbat." Hilda se postavila a kývla směrem, kterým bydlela. „Je těžké je dostat ven, když se chtějí v půl sedmé dívat na *Natoč to!* Nedokážu jim vysvětlit, že v životě jsou i jiné priority než smát se někomu, kdo spadl ze schodů. Ale pokusím se." Zasmála se. „Vždycky je ještě můžu vydírat."

Tomu jsem začínala věřit.

„Doufejme, že se tam pár lidí v náš prospěch sejde. Jestli se nám nepodaří dostat povolení z města, nemůžeme s tím projektem hnout." Byla jsem plná odhodlání a nedokázala jsem si představit, že by se ten běh měl konat někde jinde než ve Viktoriině parku. Zaslouží si znovu zazářit.

„Ale když to dokážeme, máme zelenou. Jako Thunderbirds." Hilda předvedla silácké gesto, což mě skoro rozesmálo. „Znala jsem Gerryho Andersona."

Neměla jsem ponětí, o kom to mluví.

„Tvůrce Thunderbirds a Kapitána Scarlet. Farquhar ty filmy jako malý miloval. Gerry vždycky prohlašoval, že Lady Penelope byla napsaná podle mě." Uchechtla se. „Samozřejmě že to byla lež, říkal to každé. Podle mě byla ta postava ve skutečnosti inspirovaná jeho ženou Sylvií. Parker byl zase můj řidič, to bylo jasné."

„Vy jste měla svého řidiče?" zeptal se Ash.

„Jen v době, kdy jsem pracovala pro kontrarozvědku. Vozil mě na Downing Street na tajné schůzky. Ale to bych vám asi neměla vůbec říkat. Měla jsem to zakázané."

Ash se na mě znovu podíval, jako by se chtěl utvrdit, jestli tomu může věřit. Ten pohled mě zahřál u srdce, i když jsem věděla, že jeho původcem byla Hilda, ne já.

„Chtěla jsem se vás zeptat, jestli byste mi s něčím nepomohli. Rozhodla jsem se, že se vrátím zpátky do svého domu."

Než jsme stačili zareagovat, v postranní kapse legín se mi rozvibroval telefon.

„To je určitě Alice," řekla jsem, když jsem se snažila vydolovat telefon z těsné kapsy.

„Alice!" Vyskočila jsem a odpochodovala stranou, kde jsem se schovala mezi velké květy tmavě růžových pivoněk. „Kde jsi? Jsi v pořádku?"

„Pořád ještě v Indii."

„Nedostala ses na letiště? Potřebuješ pomoc? Nebo peníze?"

„Rozhodla jsem se, že se ještě nevrátím." V hlase jí zněl vzdor a snaha zabránit mým námitkám.

Chvilku mi trvalo, než mi to celé došlo.

„Cože?"

„Nemůžu se vrátit."

„O čem to mluvíš, Alice? Proč bys nemohla? Tomu nerozumím."

„Samozřejmě že nerozumíš. Máš všechno, co chceš. Celý život máš naplánovaný. Máš všechno, kariéru, vlastní dům. Co mám já? Zbytky, co zůstanou po tobě. Jsem zasekaná doma, pomalu splývám s nicotou. Jsem nikdo. Matka. Jsem na všechno sama. Jsem nic."

„To není pravda," zaprotestovala jsem a ucítila, jak mnou projelo provinění.

„Ale je. Vím, co si o mně lidi myslí. Ty. Máma. Táta. *Chudák Alice. Vždyť ani nemá práci.* Nemám žádný smysl života. Ale tady se konečně cítím živá. Cítím sama sebe. Jsem svobodná. Představa, že se vrátím domů, do té nicoty, do té rutiny, mě zabíjí. Uvědomuju si tady, jak jsem se dusila. Když tady zůstanu, můžu dělat instruktorku jógy nebo tak něco." Poslední větu pronesla jako výzvu.

„A co Poppy s Avou? Musíš se vrátit kvůli nim!"

„Hlavně nechtěj, abych se cítila provinile. Tohle je o mně. Co potřebuju já. Co udělám se svým časem. Rostu tady duševně, každá minuta mě někam posouvá. Probouzím se, cítím vnitřní sílu. Myslím, že jsem byla celý dosavadní život napůl mrtvá."

„Alice, nemůžeš je jen tak opustit. Kdo se o ně bude starat?"

„Neopouštím je přece. Zase to všechno nafukuješ. Dávám jim možnost, svobodu, budou moct žít. Potřebuju dýchat, zbavit se toho břemene mateřství."

„A co jejich potřeby? Potřebují mámu!"

„Teď prostě nemůžu být matka."

„Alice, nemůžeš tam zůstat! Tohle nemůžeš vůbec říkat, máš za ně přece zodpovědnost."

„Věděla jsem, že to nepochopíš." Podařilo se jí to celé překroutit, takže jsem teď vypadala jako někdo, kdo jí nechce dopřát trochu klidu. A to mi hnulo žlučí.

Vydechla jsem a uvědomila si, že na ni musím pomalu. „Alice, já vím, že to tam je asi úžasné, ale zůstat tam nemůžeš. To není skutečný život. Ava s Poppy tě potřebují."

„Vím, že si myslíš, že mě potřebují, ale ve skutečnosti to tak není. Děti jsou mnohem odolnější, než si myslíš. Budou v pohodě. Máma s tátou se brzo vrátí domů. A není to navždy… Jen potřebuju trochu víc času."

„Ale to přece... nemůžeš." Představila jsem si Poppyin zklamaný obličej a Aviny důvěřivé modré oči. Jako bych dostala ránu pěstí.

Zmocnila se mě panika, protože mi bylo jasné, že Alice to myslí smrtelně vážně a že vůbec nezáleží na tom, co jí teď řeknu. Nebude mě poslouchat a kvůli mně svůj názor rozhodně nezmění.

„Alice, prosím, mysli na Poppy a Avu. Budou hrozně smutné."

„Nemůžu na to myslet. Zničí mě to. Celý život jsem je upřednostňovala. Netlač na mě. Jon říkal, že moje duše je křehká a potřebuje prostor. Musím to pro sebe udělat, Claire."

A zavěsila.

Šokovaně jsem civěla na telefon a snažila se jí hned zavolat zpátky, ale pak jsem si to rozmyslela. Nemělo by to smysl, stejně by mi to nezvedla. Snažila jsem se zahnat náhlý záchvat paniky a nepříjemný tlak na hrudníku. *Co řeknu Poppy a Avě? Jak jim mám vysvětlit, že se k nim jejich vlastní matka otočila zády? Jak jim pomůžu?* Rozhořely se mi tváře a v krku mi narostl nepříjemný knedlík. Ash s Hildou na mě tiše a trpělivě hleděli.

„Stalo se něco?" zeptala se Hilda. „Něco s Alicií?"

„Něco na ten způsob." Procedila jsem skrz zatnuté zuby. „Úplně se tam pomátla." Uhladila jsem si neklidnými prsty vlasy a nervózně se zatahala za dlouhý cop. Měla jsem chuť do něčeho praštit pěstí. „Utíká před realitou. Nechce se vrátit domů."

„Do prdele," ulevil si Ash. „To je... úlet."

„Opravdu pozoruhodná věc," prohlásila trochu od věci Hilda a nakrabatila čelo. „Pokorně prohlašuju, že bych asi nevyhrála soutěž o matku roku, čehož teď lituju, ale nikdy bych se takhle neodlifrovala na druhou stranu světa a neopustila svoje děti. Přece se někdy musí vrátit, ne?"

„Nemám ponětí. Myslím, že to sama neví."

„Co budeš dělat?" zeptal se duchapřítomně Ash.

„Co asi tak můžu dělat?" Holky se mnou budou muset zůstat aspoň do té doby, než se vrátí máma s tátou. To už snad bude zpátky i ona.

„Chudinky malé. Jak jim to vysvětlíš?"

Kousla jsem se do rtu a popošla několik kroků k lavičce, kde jsem se otočila a odpochodovala jsem zpátky k pivoňkám. *Co jim řeknu? Jak začnu? Jak vysvětlím desetileté a šestileté holčičce, že jich má jejich matka plné zuby? Což je koneckonců pravda. Můžu jim lhát a říct, že se psychicky zhroutila a dává se tam do pořádku? Že je nemocná?* Udělalo se mi zle. Alice byla vždycky svobodomyslná, ale nikdy by mě nenapadlo, že by byla schopná něčeho takového.

„Co jim mám říct?" zvedla jsem smutný pohled k Hildě a bezmocně pokrčila rameny. „Vždyť je to hrozné."

„To je," souhlasila se mnou Hilda a pak k mému překvapení dodala: „Chudák Alice."

„Chudák Alice?" zopakovala jsem po ní nevěřícně.

„Nemyslím si, že k tomu rozhodnutí dospěla snadno. Odkládala hovor s tebou na poslední chvíli. Měla bys být na sebe hrdá, že jsi ochotná jí pomoct. Podala jsi jí záchranný kruh a ona po něm chňapla oběma rukama. Však ona se zase najde, jen jí musíš dopřát čas."

Zírala jsem na Hildu a vztek na Alici ve mně pořád narůstal. *Jak se jí může v takové chvíli zastávat?*

Hilda se na mě usmála. „Já vím, já vím. Myslíš si, že je sobecká a bezohledná. Vidím to na tobě. Jenže každá mince má dvě strany. Možná se prostě nikdy neměla stát matkou. Byla hrozně mladá, když se jí narodila Poppy. Možná jen potřebuje čas sama pro sebe. Potřebuje se zahojit."

Knedlík v krku se pohnul, ale už nehrozilo, že se vzteky roz-brečím. Hilda mi ukázala jiný úhel pohledu na tenhle příběh. Ale nevěřila jsem, že by to mělo něco změnit. Ano, Alice to posledních pár let neměla jednoduché, ale na druhou stranu jí se vším pomáhali rodiče a moje podpora taky nebyla zanedbatelná.

„Budete muset na tu schůzku jít beze mě," naznačila Hilda. „Já se večer postarám o holky."

„Hildo, to přece nemusíte."

„Myslím, že musíme holkám ukázat, že kolem sebe mají lidi, na které se můžou spolehnout. Hlavně když tady nejsou ani jejich prarodiče. Čistě prakticky, někdo s nimi večer být musí, když už ses domluvila s ředitelem Harriers a tím Blenkinsopem." Pak se zamyslela. „Kdysi jsem jednoho Blenkinsopa znala, jmenoval se Harry a bydlel na Church Street. Není to zas tak časté jméno."

„Mně se to bude taky hodit," přidal se Ash.

„Super, aspoň někdo z toho má užitek," vyštěkla jsem na něj úplně zbytečně.

„Myslel jsem tím," podrážděně po mně seknul pohledem, „že můžu nechat Billa s Hildou a holkama, když budu na té schůzce. Poppy to trochu rozveselí. Nerad ho nechávám delší dobu samotného." Pak se odmlčel a zatvářil se tak, že nám bylo oběma jasné, že o něčem nechtěl mluvit. „Nebudu celý den doma."

„Kam se chystáš?" zeptala se rovnou Hilda, která jako obvykle ignorovala všechny náznaky, že se Ash necítí ve své kůži.

„Jedu do Leedsu."

„Kvůli čemu?"

Hilda si prostě nebrala servítky, to jsem na ní milovala.

„To vás nemusí zajímat," odsekl Ash jako za starých časů, když mu Hildiny otázky přišly vtíravé. „V šest se potkáme u Claire doma."

„Dobře," řekla Hilda. „Uvařím holkám večeři. Co třeba můj vynikající francouzský toust se slaninou? Máš doma javorový sirup, Claire?"

„Tak zatím," mávnul Ash rukou a vypařil se. Sledovala jsem jeho široká záda, když odcházel, a snažila se vypátrat, jestli tu prázdnotu způsobila sestřina nečekaná zpráva, nebo to, že jsem se cítila, jako by mě Ash podváděl. Nejvíc energie teď budu muset věnovat tomu, jak holkám vysvětlit, že se jejich matka odmítá vrátit domů.

22

„No tak pojď." Hilda se svižně vyšvihla z lavičky. „Potřebujeme kávu a dort a nejlíp ještě vodku. I když pochybuju, že Sascha v tuhle dobu nabízí alkohol."

Našly jsme si místo na terase kavárny, odkud byl výhled na altánek a záhony barevných květin. „Já nám to přinesu," řekla pak. „Zůstaň tady."

„Ale Hildo," namítla jsem, i když jsem byla ve skrytu duše vděčná, že jsem mohla chvějící se tělo složit na nejbližší židli.

„Claire, platíš mi kávu už několik týdnů, jím u tebe…"

„A vy jste zase darovala pět tisíc liber na rozjezd bláhového snu."

„To je pro komunitu, ne pro tebe." Její povýšený tón Lady Bracknellové mě přiměl omluvně se usmát. Takže jsem se posadila, čekala jsem a sledovala zahradníky, kteří vysazovali záhony červenými muškáty, oranžovými lichořeřišnicemi, žlutými měsíčky a bílými petúniemi.

Hleděla jsem na ně tak upřeně, až mi barvy začaly splývat. A vtom jsem si uvědomila, že mi tečou slzy. Poppy to nedá najevo, ale zasáhne ji to nejvíc. Ava sice bude plakat, ale za čas ji to přejde. Poppy si tu křivdu ponese v sobě. Měla jsem o ni strach. *Co si o sobě Alice vůbec myslí?* Jestli vůbec myslela. Možná že ani to ne. Prostě vypnula mozek.

„Káva bude za chvilku." Hilda přede mě postavila dva talířky s velkými porcemi dortu s vlašskými ořechy. Nebylo mi jasné, jak teď do sebe dostanu jediné sousto. „To je ale situace."

„I tak se to dá nazvat." Zvedla jsem vidličku a vložila si do úst kousek korpusu s krémem. Uklidňující sladká chuť se mi pomalu rozlívala na jazyku. Někdy prostě pomůže jen dort. Nabrala jsem si další sousto. Saschina sestra opravdu věděla, co dělá. Její piškot byl lehký a vláčný. Na chvilku jsem zavřela oči a soustředila se jen na chuťové pohárky. Pak už jsem si dávala do pusy kousek za kouskem a Hilda mě s potěšením sledovala. Během několika minut jsem v tichosti spořádala celou svoji porci.

„Lepší? Vždycky jsem věděla, že dobrý dort dokáže napravit každou situaci."

S úsměvem jsem přitakala. „Nemůžu tomu uvěřit, ale vážně se cítím trochu líp."

„Dobře. Teď musíme vymyslet, jak to sdělit holkám." Sledovala mě přes vidličku. Na chvilku mě ovládl pocit sounáležitosti.

„Nemusíte to dělat, Hildo."

„Nemusím, ale chci."

„Bojím se o Poppy. Není hloupá. Bude mít spoustu otázek."

„Možná je na čase jí říct pravdu. Maminka měla psychický problém a potřebuje tam zůstat, aby se jí udělalo líp."

„Jenže pak se o ni bude strachovat… Je mi líto, že to říkám, ale to si její matka nezaslouží. Bože, nejradši bych ji zabila." Zabodla jsem vidličku do posledního většího drobku, který mi na talířku zůstal.

„Možná že proto tam zůstala…" Hilda mě s přehnaně vážným výrazem sledovala, pak se nahnula a vytrhla mi vidličku z ruky.

„Ozbrojená nebezpečným nástrojem, to by se ti každý měl radši vyhnout."

Rázně jsem zakroutila hlavou. „Nemůžu přijít na nic, po čem by se holky nesesypaly."

„Řekneme, že dostala neštovice a musela zůstat v karanténě."

„To neprojde, obě už neštovice měly. Pamatuju si, jak se mě Poppy ptala, proč jsem je nedostala já ani Alice. Měly jsme je jako malé."

„Co když tam byl sesuv půdy, jediný most na pevninu byl zničený a ona musí počkat, až ho opraví?"

„To zní jako z Indiany Jonese, ale… je to vlastně ta nejpoužitelnější výmluva."

„Taky tam může zůstat, aby pomohla postavit školu, kterou ten sesuv půdy zničil."

„To by asi stačilo, není to žádná Matka Tereza. Ale když vymyslíme něco, co zní, jako že pomáhá ostatním, zřejmě to projde líp."

„Vždycky jsem byla dobrá na vymýšlení nouzových řešení." Opřela se spokojeně o židli a pohled jí zamířil do dálky. Asi vzpomínala na staré dobré časy.

„Bille, Bille." Poppy si klekla na kolena a chytila ho do náruče, když se přihnal do kuchyně s vědomím toho, že najde něčí přívětivé objetí. Ash ho následoval podobným, na jeho vkus až nečekaně nadšeným tempem. Chvilku jsem na něj nevěřícně hleděla a snažila se zjistit, co je na něm najednou tak jiného, ale pak jsem to vzdala a zaměřila se na Poppy. Bill se na ni přilepil a opřel si čumák o její rameno místo obvyklého manévru u jejích nohou, kde čekal, dokud mu něco nehodila. Jako by snad přesně věděl, jak se Poppy cítí. Polkla jsem hořkou slzu. Avino zklamání nad pozdějším příjezdem mámy bylo krátké a intenzívní.

Trochu si poplakala a zanaříkala, než jsem ji rozptýlila mazlením a předstíraným optimismem.

Poppy byla bohužel mnohem méně čitelná. Její stoický klid a nicneříkající pokrčení rameny, jako by o nic nešlo, mě utvrdily v tom, že tohle bude tvrdší oříšek. Popravdě jsem vůbec netušila, co jí mám říct. Pravda mi svázala jazyk a nechtěla jsem jí lhát.

Hilda se na mě povzbudivě usmála a pohladila mě po ruce. Projevila jsem se jako naprostý zbabělec, když jsem přijala její nabídku, že se mnou půjde vyzvednout holky ze školy.

Řekla jsem jim to hned, jak jsme přišly domů. Od té chvíle se nás Hilda s předstíraným nadšením snažila naučit, jak připravit nejlepší francouzský toust na světě. Na stole už měla připravené plátky nadýchaného toustového chleba, opečenou slaninu a lahvičku javorového sirupu. Při tom pohledu se mi sbíhaly sliny, ale když jsem zkontrolovala, kolik je hodin, bylo mi jasné, že se budu muset navečeřet později.

„Můžeme jet?" zeptal se Ash a zacinkal klíčky od auta.

Nejradši bych zůstala s holkama, abych se ujistila, že jsou v pořádku. Před pár týdny by mě něco takového ani nenapadlo.

Hilda na mě kývla a já jsem se na ni vděčně usmála.

„Jen si posbírám věci." Odebrala jsem se do pracovny, kde jsem ze stolu sebrala kožené desky, do kterých jsem si pečlivě srovnala všechny svoje poznámky, statistiky stažené z internetu včetně počtu lidí účastnících se podobných běhů, kolik se jich vůbec koná a kde, a hlavně studii vlivu fyzické aktivity na duševní stav. Připadala jsem si jako právník, který se chystá na stání u soudu.

„Hodně štěstí," popřála nám Hilda. „Doufám, že to poběží jako po másle a že se na vaši stranu postaví spousta dalších lidí."

„Děkujeme. Kdybyste něco potřebovala, určitě mi zavolejte."

„My to tady zvládneme. Podíváme se na něco na Netflixu."

Vydala jsem se s Ashem k autu.

„Jak dopadla ta tvoje záhadná mise?" zeptala jsem se, když jsem si zapnula bezpečností pás.

Ash se nervózně zasmál. „Dobře." A dál nepokračoval.

Nehodlala jsem se ponižovat a vyzvídat, až tak moc mě zase nezajímal.

Radnice byla tichá a ve vstupní hale se nenacházela jediná živá duše. Trochu se mi zamotala hlava. Bylo by hezké si hned ze začátku získat podporu nově příchozích, i když jsme sem přišli o dobrých deset minut dřív. Následovali jsme šipky do hlavního jednacího sálu, kde jsme zjistili, že jsme skoro sami. Až na dlouhý stůl, u kterého byly všechny židle obsazené. Zřejmě městská rada. Před nimi na obyčejných dřevěných židlích sedělo pár nadšenců. Posadili jsme se s Ashem v přední části, přesto několik řad od hlavního stolu. V místnosti bylo dusno a členové městské rady pečlivě studovali papíry, které měli před sebou, jako by se na poslední chvíli snažili dohnat přípravu na zkoušku.

Několik dalších příchozích se posadilo do řady za námi, ale pořád zdaleka nešlo o dav. Jeden z radních okázale seřadil svoje papíry o stůl a zadíval se na hodiny na zdi. Do začátku jednání stále zbývalo pět minut. Do místnosti vešla skupinka pěti lidí, kteří se posadili do první řady. Dvě ženy a tři muži. Pečlivě jsem si je prohlížela. Jsou to běžci? A pak jsem si vzpomněla na změť účastníků běhu v Tringu a uznala, že odhadovat někoho na první pohled bude těžké.

Do řady za námi se posadili další tři příchozí. A pak ještě další čtyři. Chvilku bylo ticho a pak s polohlasným jásotem do místnosti vešlo dalších šest lidí a za nimi dalších sedm. Několik radních zvedlo hlavu a hleděli ze strany na stranu jako skupinka zvědavých surikat. Narovnala jsem se na židli a uvědomila si, že místnost bzučí nadšením, jako by se mělo dít něco důležitého.

Během následujících čtyř minut se naplnila tak, že několik lidí muselo postávat podél stěn. Členové rady už přestali studovat papíry a pokukovali jeden po druhém, jako by se stali účastníky nevídané podívané. Takhle plnou místnost zřejmě nikdo nečekal. Usmála jsem se na Ashe, který se ke mně naklonil a zašeptal: „Myslíš, že jsou tady všichni kvůli tomu běhu?"

„Doufám, že jo. Na programu není nic, co by tolik lidí přilákalo."

Muž sedící uprostřed dlouhého stolu se najednou postavil a hluk v místnosti v tu ránu ustal.

Následovalo několik nudných informací o usnášeníschopnosti, způsobu hlasování a schválení zápisků z minulé schůze. Pozornost publika byla občas přerušována neklidným poposedáváním. Několik jedinců bez ostychu vytáhlo mobilní telefon.

Pak se jeden po druhém zvedali další členové rady, kteří nás seznamovali s jednotlivými projekty – například uzavírkou silnice kvůli opravám plynovodu, opravami dětského hřiště nebo stromy, které bude třeba pokácet. Pak se konečně postavil Neil Blenkinsop a oznámil, že skupina nadšenců, která se rozhodla zorganizovat ve Viktoriině parku parkrun, přišla městskou radu požádat o povolení k užití parku. Byl to vysoký muž kolem čtyřicítky s tmavou hustou kšticí v kárované košili s vyhrnutými rukávy.

„Jednalo by se o opakující se akci, povolení by bylo třeba vydat k uskutečnění běhu každou sobotu od devíti do deseti hodin dopoledne."

Téměř okamžitě se ze židle zvedl další radní, podsaditý muž v tmavě zeleném obleku s vestičkou, který s vypoulenýma očima těkajícíma po shromážděném publiku umocňoval vzhled žabího prince.

„Něco takového přece nemůžeme dovolit." Jeho rozčílený hlas se nesl místností. „Viktoriin park je tu snad pro každého. Můžou tam všichni občané, kdykoliv se jim zachce. Jestli dovolíme, aby nad ním tahle skupina měla každý týden nadvládu, znemožníme ostatním občanům svobodný přístup. Myslím, že je to dost neuvážený nápad."

Další radní, žena v růžovém kostýmku, se k němu přidala. „Já s tím musím souhlasit. Nechci se jít v sobotu ráno proběhnout a být převálcovaná stádem profesionálních běžců."

Neil Blenkinsop přikývl. „Rozumím vašim námitkám, ale připomínám, že by se jednalo o jednu hodinu v týdnu. Myslím, že si tady všichni umíme spočítat, že to je jen malý zlomek z celkového času, kdy je park přístupný ostatním obyvatelům. Běžci budou samozřejmě k ostatním uživatelům parku ohleduplní. Rád bych radě připomněl, že jsme se všichni zavázali k tomu, že se budeme snažit přicházet s nápady, jak přimět veřejnost k pohybu. Viktoriin park je k tomuto účelu využívaný jen částečně. Běh by byl organizovaný neziskovou organizací, která zaručí místním obyvatelům bezplatný přístup ke zlepšení jejich fyzického a duševního stavu. Parkrun je světovým fenoménem, každý týden motivuje tisíce účastníků k pohybu. Je zaštítěný organizacemi jako Sport England, které se snaží ke sportovním aktivitám přimět další generace. Parkrun tento cíl jasně plní, a pokud se městská rada rozhodne tento projekt podpořit, splní tak zároveň vlastní cíle s minimálními finančními náklady. Nemusíme tak řešit vlastní rozpočet, který je už tak napnutý."

Neil Blenkinsop si vysloužil spontánní potlesk obecenstva a návrh byl nakonec, navzdory protestům pana Žabáka a paní Růžové, odsouhlasen. Když byla rada konečně rozpuštěna, v místnosti nastal ruch a v tom zmatku mi někdo poklepal na rameno.

„Vy jste Claire Harrisonová?"

Přikývla jsem. „Vy jste Charles?"

„Ano. Moc rád vás osobně poznávám a znovu děkuji, že jste nás do vašeho projektu zapojila." Přes tenké kovové obroučky brýlí na mě zíraly dvě modré oči. Muž mi vehementně potřásl rukou. Měl běžeckou postavu a oblékl si tepláky a světle modrou mikinu, která mu ladila s očima. „To se vám opravdu povedlo."

„Vlastně jsem pořád ještě v šoku," reagovala jsem, „Děkuju, že jste sem přivedl tolik lidí. Měla jsem strach, že tady budeme sedět sami."

„O zájem není nouze. Hned několik z nás jezdí běhat do Harrogate nebo do Leedsu. Bylo by úžasné, kdybychom měli vlastní parkrun. Nevím, proč už to dávno někoho nenapadlo."

„Nebyl na to čas, zlato," odpověděla za něj drobná žena po jeho boku. Pak se na mě usmála. „Pro jednou jsem opravdu vděčná, že se toho ujal někdo jiný. Držím palce, abyste to zvládli, není to zrovna jednoduchá záležitost."

„Taky běháte?" zeptala jsem se, podpořená jejím úsměvem a přátelským vystupováním.

Charles se dal do smíchu a ona obrátila oči v sloup. „Jen se sebezapřením. Běhám, protože vím, že je to dobré pro moje zdraví... Ale ještě pořád je to pro mě spíš dřina než potěšení. Charles běhání opravdu miluje." Pak ke mně natáhla drobnou dlaň. „Můžeme si tykat. Ahoj, já jsem Penny. Vdaná tady za Charlese a pochopitelně taky za jeho spolek, Harriers. Chystáme se teď všichni na večeři, nepřidáte se?"

„To by bylo skvělé, ale... budu to muset probrat s paní, co hlídá... moje děti." Tohle spojení bylo jednodušší než ze sebe pracně potit skutečný důvod. Ve chvíli, kdy jsem si neteře takhle přivlastnila, mě zahltila vlna rodičovské lásky. Co asi teď dělají? Ava už je určitě po koupeli, tvářičky má červené a mokré vlasy se jí začínají kroutit do pramínků. Poppy už je dávno v pyžamu a jediné, po čem touží, je zavřít se v pokoji a ponořit se do stránek nějaké knížky. Dnes se jim asi nebude usínat nejlíp. Bolelo mě z toho srdce. Zatracená Alice!

„Nemyslím si, že to bude Hildě vadit, ale radši jí dej vědět," řekl Ash s obvyklým pochopením. Vytáhla jsem z kapsy telefon.

„Udělá ti dobře, když půjdeš na chvilku mezi lidi, drahoušku. A Ashovi taky. Oba jste takoví poustevníci. Ve vašem věku jsem protancovala každý víkend."

„Ale co holky, Hildo, budou v pořádku?" ignorovala jsem její komentář.

„Jsou trochu smutné, ale zvládnou to." Bylo mi jasné, že se o ně bojí stejně jako já. „Zrovna se chystáme dívat se na druhý díl *Příběhu hraček*. Ten první mě moc bavil. Od dob Thunderbirds se filmařina posunula hodně vpřed. Běž a užij si volný večer s tím hezounem."

„Děkuju, Hildo," dodala jsem, myšlenkami pořád u holek, když jsem si všimla, jak se Ash nabubřele usmívá. Musel slyšet každé naše slovo.

„Řekni jí, že ji zavezu domů, až se vrátíme," dodal nakonec.

A tak se stalo, že nás s Ashem běžecký klub vzal pod svá křídla.

Charles vypadal, že už toho o parkrunu dost slyšel, a dával nám otázky, na které jsme zatím neměli odpovědi.

„Už víte, jak sežene tolik dobrovolníků?" zeptal se znovu, když na stole před námi přistály talíře s předkrmy. Skoro všichni pili pivo.

„Na to je odborník Claire," předal mi slovo Ash. „Já se postarám o technické záležitosti, hned jak se nám to podaří rozjet."

Dělba práce podle našich zkušeností a talentu nám vycházela od té doby, co jsme se vrátili z Tringu. Rozhodli jsme se hrát s rozdanými kartami.

„Vypadáte jako sehraný tým," prohlásil Charles a zadíval se na svoji ženu, která seděla přímo naproti mně.

„To jsme," zamumlal Ash tiše, čemuž jsem rozuměla jen díky tomu, že se v té chvíli otočil ke mně a já jsem před sebou viděla jeho rty. Připadalo mi to až neskutečně intimní, jako by ta slova byla určena jen mně.

Trvalo mi pár vteřin od něj odlepit zrak a vrátit se k Charlesovi. „Prvním krokem bylo sehnat povolení. Když ho máme, můžeme se pustit do dalších věcí. Uspořádáme schůzku v kavárně U Šťastného zrnka. Tam se můžou sejít všichni, kdo budou mít zájem běžet nebo nám jakkoliv pomoct. V nejbližších dnech tam zanesu plakát, který by měl lidi nalákat."

„Na počtu dobrovolníků to celé stojí a padá, to mi věřte," prohlásil Charles.

„To je mi jasné. Ještě jsem chtěla vytvořit něco, co můžeme dát na sociální sítě. Něco, co by přimělo lidi tu informaci dál sdílet."

„Výborný nápad. Když mi to pošlete, můžu to přidat na naši stránku a profily. Sledujete facebookový profil Churchstonu? Tam byste to taky mohli dát."

„O tom jsem ještě neslyšela," přiznala jsem.

Penny se pousmála. „To je jedině dobře. Většinou si tam lidi stěžují na parkování a venčení psů nebo hledají levného elektrikáře. Sem tam se tam objeví něco užitečného. Jen si dávejte pozor, lidi umějí být zlí, když jsou schovaní za monitorem počítače. Negativních komentářů bude zhruba stejně jako těch pozitivních."

„Chtěla jsi tím říct, že se tam lidi chovají jako hovada. Některým by měl být zakázaný přístup ke klávesnici," zapojila se do konverzace světlovlasá žena. „Je to blázinec. Většina lidí z principu reaguje jen na kontroverze, ale je to určitě nejlepší kanál k šíření informací. Přesně jak říká Penny. Můj manžel Matt pracuje jako grafik na volné noze, můžu se ho zeptat, jestli by pro vás rychle nepřipravil nějaký vizuál."

„To by bylo skvělé, děkuju."

„Nemyslete si, že to nedělám kvůli vlastnímu prospěchu. Už teď vidím ta klidná sobotní dopoledne, když s sebou vezme běhat i děti. To mi jako motivace stačí. Já jsem Janie, Penny je moje sousedka. Měla by mi být vděčná za to, kolik radosti vnáším do jejího života."

Penny se zasmála a objala ji. „Já bych spíš řekla, že do mého života vnášíš gin s tonikem."

„Kde bydlíš ty, Claire?"

„Na Park Road na jižní straně parku."

„Neříkej, že ti patří jeden z těch úžasných domů s terasou," podotkla Penny.

„Poslední vpravo." Spokojeně jsem zamrkala. Přesně po takovém obdivu jsem prahla od doby, kdy jsem ten dům viděla poprvé.

„Ráda se k tobě někdy pozvu. Vždycky jsem chtěla vidět, jak to vypadá vevnitř."

„Jestli jde ona, tak já taky. Budu ji hlídat a přinesu gin," prohlásila Janie.

Ty dvě byly neuvěřitelně přátelské, takže jsem jen pokrčila rameny. „Proč by ne?"

A tak to vypadalo, že si v Churchstonu nakonec najdu kamarádky. Vyměnily jsme si čísla a Janie si mě uložila jako *Holku s krásným domem.*

„Víš o tom, Janie, že se k dětem můžeš při tom běhu připojit i ty?" zeptala se jí Penny.

„Proč bych to proboha dělala? Zaprvé je to utrpení i pro Matta, zadruhé mám chvilku času sama pro sebe." Janie obrátila oči v sloup a vrátila se ke mně. „Někdy si vážně nemůžu vzpomenout, proč jsme tak dobré kamarádky. I když ne všechny její nápady jsou tak hloupé."

„Taky poznám ten nejlepší gin ze všech." Obě se znovu daly do smíchu.

Najednou mě napadlo, že pokud nebude Alice do té doby zpátky, budu s sebou muset vzít na běh i Poppy s Avou.

„Proč si vůbec myslíš, že bych měla začít běhat?" zeptala se Janie a poplácala se po bříšku. „Vadí ti snad ten tuk, co mi zůstal po dětech? Osm a pět let," vysvětlila a usmála se na mě.

„Kolik je tvým dětem?" zeptala se najednou Penny.

„Deset a šest," odpověděla jsem. „Ale nejsou moje, jsou to moje neteře. Moje sestra cestuje a já je hlídám."

„Bože, takovou sestru bych taky potřebovala," povzdychla si Janie. „Předpokládám, že další dvě už by pro tebe byly moc."

„To rozhodně," přiznala jsem a musela jsem se zasmát. Bylo legrační pozorovat jejich slovní přestřelky. I když měly jiné názory, očividně se měly moc rády. „Je to lákavá nabídka, ale už tyhle dvě mi dávají pořádně zabrat."

Janie se zklamaně opřela zpátky do židle a nalila do mojí, svojí a Pennyiny skleničky víno z lahve, kterou před chvílí objednala. „Nakrm je, miluj je a zaboř se do pohovky se skleničkou vína, hned jak jdou spát," prohodila vesele.

„Ten pocit moc dobře znám," přitakala jsem.

„Kam chodí do školy?"

„Na základní školu v Churchstonu."

„Stejně jako naše děti," řekla Penny. „Deset a šest říkáš?"

„Ano, Poppy je v šesté třídě u paní Philipsové a Ava v první u paní Parrové."

„Poppy a Ava." Viděla jsem, jak Penny převaluje ta jména na jazyku, dokud jí ta informace nedocvakla.

„Panebože, ty musíš být Alicina sestra!" Zamračila se, a než si stačila srovnat myšlenky, vysypala ze sebe: „Takhle jsem si tě vůbec nepředstavovala." A pak se plácla přes pusu. „Pardon, to znělo trochu... neslušně."

Musela jsem se jejímu výrazu zasmát. „Nebojte se, vím, že Alice není moje největší fanynka."

Penny se na mě omluvně podívala. „Nechci, aby to znělo špatně, ale ona ti nechala na krku svoje děti?"

„Já vím. Je to blázinec." Alice mě sice neskutečně rozčilovala, ale nemohla jsem se přinutit naházet na ni špínu, i když si to zasloužila. Podle Janiina zaraženého výrazu jsem odhadla, že ona zase není velkou fanynkou Alice.

Penny mě sledovala, jako bych byla nějaké vzácné exotické zvíře. „Alice není úplně..." zamračila se.

„Alice je pěkná kráva, to jsi chtěla říct," přerušila ji Janie. „Promiň, je to tvoje sestra, ale nikdo ji moc nemá rád."

„Janie!"

„Je to pravda. Nebudu se tady přetvařovat. Zbaví se těch holek, kdykoliv je to možné. Ale nikdy nikoho nepozve k sobě domů." Janiina tvář se zabarvila do červena.

„Znám ji už šestadvacet let, vím, jaká je."

„Promiň, to jsem neměla říkat. Je to tvoje krev." Janie se zhluboka napila vína. I když jsem to asi neměla vidět, všimla jsem si, jak ji Penny nenápadně pohladila po ruce.

Pak se s mírumilovným výrazem zeptala: „Kde vlastně je?"

Držela jsem se verze, kterou jsem předložila dětem. „Je na soustředění s jógou na dost odlehlém místě. Před pár dny se tam sesunula půda, zničila jedinou cestu, takže tam musí počkat, než se dostane na letiště. Ale je v pořádku." Přesvědčivě jsem se usmála.

„Chudinko! Musí to být pro tebe těžké. Jak to zvládáš? Alice říkala, že máš… důležitou práci. Co děláš?" zeptala se Penny. Pečlivým výběrem slov a milým úsměvem si mě ještě víc získala. Ta holka se mi fakt líbila.

„Pracuju pro účetní firmu." Pokrčila jsem rameny, jako by to nic neznamenalo. Ještě před nedávnem bych do nich hustila informace o tom, že pracuju jako vedoucí oddělení účetnictví pro stavebnictví, a vytáhla z rukávu několik důležitých firem, pro které jsem zpracovávala projekty. Teď už pro mě moje pozice tolik neznamenala. „Ale momentálně jsem na… nemocenské." No dobře, prostě jsem ten stres ještě neuměla vytáhnout na světlo. „Proto mi tady Alice nechala holky, ale původně to mělo být jen na týden."

„Týden? Aha, měla jsem pocit, že Alice říkala, že jede pryč na dva týdny, ale asi jsem se musela přeslechnout," poznamenala Penny.

Janie se na mě významně podívala.

„No, zatím mi to moc nevadí. Klidně bych se o ně postarala dýl, ale za týden a půl se musím vrátit do práce." Měla jsem dobrý pocit z toho, že mě doktor Boulter uznal práceschopnou a neviděl žádný důvod, proč bych měla dál zůstávat doma. Musela jsem mu slíbit, že budu líp nakládat se svým volným časem, a když něco nebudu zvládat, řeknu si o pomoc.

Hildin upřímný postoj mě naučil vážit si volného času. Zapojím víc svůj tým a budu na ně delegovat část svých úkolů, především na líného Geoffa, který se jednou zmínil, aniž by věděl, že ho slyším, že schválně zdržuje svoje projekty, aby nedostal na práci nic jiného. To se brzo změní. Naučím se říkat ne a přestanu si o sobě myslet, že jsem nenahraditelná. Přiznala jsem si, že povýšení mě asi v nejbližší době nečeká, a přestala jsem se kvůli tomu stresovat. Už nebudu muset být ve všem nejlepší a budu dodržovat pracovní dobu. Což budu muset i tak, když teď budu mít na kdovíjak dlouho na starost holky. Přesně tohle mi teď dělalo starosti. Kdo mi je bude hlídat?

„Jestli se Alice do té doby nevrátí, vůbec nevím, jak to budu zvládat."

„Neboj se, ve škole mají skvělý program po skončení vyučování. A kdyby se náhodou ještě víc zpozdila, vždycky ti je můžeme pohlídat my. Poppy se zná s naší Sarou. A Ava si bude rozumět s Thomasem," prohodila Penny.

Hleděla jsem na ni, překvapená její ochotou. *Proč by mi něco takového nabízela?* Usmála se na mě, jako by mi četla myšlenky.

„Měla jsem ti to nabídnout už dřív. Až teď si uvědomuju, že jsem tě viděla před školou a chtěla jsem tě jít pozdravit. Přiveď někdy holky na návštěvu, třeba ve čtvrtek, můžeme si dát víno."

„To je od tebe moc hezké." Pořád mě udivovalo, jak jsou na mě milé. „Hned zítra se zeptám na tu družinu."

„Víš, jak to chodí, všichni jsme uzavření ve vlastní bublině. Už dřív jsme se s Charlesem bavili o tom, jak skvělé by bylo mít vlastní parkrun, ale nic jsme pro to neudělali. Až ty ses rozhodla ten nápad přivést k životu. Pro místní komunitu to bude úžasné. Jak bychom vám mohli pomoct?" Přehodila si vlasy přes rameno, jako by se rovnou chystala do akce. „Už vím! Douglas Outhwaite je členem Harriers a provozuje tiskárnu. Jestli vám Janiin manžel udělá návrh, on by vám mohl ty letáky vytisknout."

Janie se plácla do čela. „Proč mě to už dávno nenapadlo? Samozřejmě. Matt s ním často spolupracuje. Zítra to zařídím!"

„To by nám moc pomohlo. Holky mi pomůžou ty letáky roznést."

„To můžeme i my. Můžeme si rozdělit ulice a obejít je cestou domů ze školy."

„Jestli je tady šance, že cestou ztratím nějaké ze svých dětí, můžete se mnou počítat," zasmála se hlasitě Janie.

„Máme v plánu uspořádat schůzku v kavárně U Šťastného zrnka, kde chceme vysvětlit, jak bude všechno fungovat, a nalákat co nejvíc dobrovolníků. Nemůžu uvěřit, jak celý ten nápad najednou dostává obrysy."

„Jak jsi přesvědčila Saschu, aby to pro vás udělala?" Janie se na mě obdivně podívala. „Nebo jí za to platíte?"

„Ne, sama se nabídla a taky slíbila, že přichystá nějaké občerstvení."

„To se vsadím." Janie se usmála. „Není hloupá. Na kávě má mnohem větší marži, a za tu už bude každý platit. Všichni budou mít pocit, že tam musí něco utratit, když dostanou dort zadarmo. Vždycky jí to pálilo."

„Hodně nám ze začátku pomohla." Rychle jsem se jí zastala. Neměla jsem se Saschou žádnou negativní zkušenost. I když vystupovala přísně, byla jsem jí za počáteční srdečné nakopnutí vděčná.

„Promiň, chováme se hrozně," pípla Penny. „S kavárnou dokázala hotové zázraky. Jen je s ní někdy těžká řeč."

Bylo mi jasné, že Saschina odměřenost se moc neslučovala s Pennyinou přátelskou povahou, ale musela jsem uznat, že obě ženy mi byly moc blízké.

Ke konci večera jsem byla bohatší o několik přátel. Já i Ash jsme dostali pozvání do kvízového klubu, který pořádali Charles a Penny.

Nemohla jsem uvěřit, za jak krátkou dobu začal můj život v Churchstonu nabírat správný směr.

23

Setkáme se na rohu Park Road a Abernathy ve čtvrt na deset.
Nikomu to neříkej. H.

Hildina zpráva ve stylu Maty Hari mi ve čtvrtek ráno, když jsem zavedla holky do školy, vykouzlila úsměv na tváři.

„Můžu s vámi mluvit, slečno Harrisonová?"

Když na mě paní Parrová tiše promluvila, zatímco kolem ní Ava nenápadně proklouzla do třídy, udiveně jsem se zastavila. Na co jsem zase zapomněla? Myslela jsem, že jsem dohnala všechno papírování, zaplatila za obědy a uhradila školní výlet.

„Jen jsem vám chtěla poděkovat. Je opravdu znát, že s Avou někdo konečně dělá domácí úkoly. Úplně vidím, jak se zlepšila ve čtení. Jen jsem vám to chtěla říct."

„Děkuju."

Učitelka se vrátila do třídy a nechala mě tam stát s hrdým výrazem na tváři.

„Tentokrát žádné potíže," odtušila Penny.

„Ne," usmála jsem se na ni. „Protentokrát."

„Jen jsem ti chtěla říct, že letáky jsou připravené. Tento týden je můžeme začít roznášet."

„Paráda."

„Rozdělila jsem nám ulice," přidala se Janie. „Když budete chtít, můžeme začít hned zítra." Ukázala mi okopírovanou mapu části města mezi školou a parkem. „Vyznačila jsem tři trasy, žlutou pro tebe, Poppy a Avu, zelenou pro Penny a její družinu a oranžovou pro sebe. Jak vidíte, moje trasa zahrnuje obchod, budu tam muset něco těm miláčkům koupit, abych je vůbec udržela venku."

Zasmála jsem se. Už dávno jsem si všimla, že navzdory Janiiným připomínkám jsou její děti dobře vychované.

Opustila jsem před školou nové kamarádky, ujistila se, že Poppy i Ava můžou od příštího týdne nastoupit do školní družiny, a vydala jsem se vstříc záhadné schůzce, kterou naplánovala Hilda. Včera jsem ji potkala v parku a o ničem zásadním se nezmínila.

Viděla jsem ji už zdálky. Stála na rohu v černém péřovém kabátě a kolem krku měla omotanou velkou šálu. Vypadala jako panáček Michelin s velkou krajtou, což bych za normálních okolností považovala za zajímavý zimní outfit. Až na to, že už bylo skoro léto. Já jsem na sobě měla tílko a legíny, protože jsem se za hodinu měla potkat s Ashem a naměřit pětikilometrovou trasu. Když jsme se po společné večeři s Harriers odebrali domů, rozhodli jsme se, že pokud se chceme stát oficiálními tvářemi parkrunu v Churchstonu, budeme muset zapracovat na kondičce, takže jsme se shodli, že spolu budeme každé ráno trénovat. Bylo by fajn, kdyby aspoň jeden z nás byl schopný proběhnout cílovou rovinkou a nesípal u toho jako starý jezevec.

„Dobré ráno."

„Dobré ráno, drahoušku." Hilda ztišila hlas a rozhlédla se kolem sebe. „Nikdo tě nesledoval?"

„Kdo by to měl být? Myslím, že KGB už v Churchstonu dávno neoperuje."

Hildin obličej ztuhnul úlekem. „Tím si nejsem úplně jistá." A pak se najednou rozzářila. „Chtěla bych ti něco ukázat."

Z kapsy vytáhla svazek klíčů a vesele jimi zacinkala. Oči jí radostně zablyštěly, pak se otočila a začala si to rázovat nahoru po Abernathy Road, kde se nacházely ty nejkrásnější a nejstarší viktoriánské vily ve městě. Poskakovala přede mnou jako nadšená puberťačka plná očekávání. Byly jsme zhruba v polovině kopce, když se zastavila a ukázala vpravo, kde stála obrovská budova se dvěma vchody s krémovou omítkou a tepaným plotem.

„Tak co na něj říkáš?"

Nakrčila jsem obočí a vůbec netušila, co před sebou vidím. „To je váš dům?"

Hilda si radostně promnula dlaně. „Ano."

„Proboha." Zadívala jsem se zpátky dolů. „Není to ani půl kilometru od nás."

„Já vím. Legrační, co?" Celá se rozzářila a s rošťáckým úsměvem zamířila cestičkou k hlavnímu vchodu.

„Kdy jste tady byla naposledy?" zeptala jsem se a obdivovala původní černo-bílou dlažbu ve vstupní hale, když se Hildě konečně podařilo odemknout. Očekávala jsem pavučiny a nábytek potažený prostěradly jako v nějakém hororu.

„Včera," odpověděla a tiše se zachichotala.

„Včera?" zopakovala jsem.

„Říkala jsem přece, že sem někdy zajdu. Dívat se na televizi bez těch starých otravů. Každý druhý čtvrtek sem chodí uklízečka, dám si tu s ní kávu a popovídáme si."

Nevěřícně jsem kroutila hlavou. „Myslela jsem tím, jak dlouho už tady nebydlíte. A taky jak dlouho už sem chodíte takhle tajně."

Hilda naklonila hlavu stranou. „Poprvé jsem se sem takhle vkradla ten den, kdy jsem tě poznala. Připadala jsem si trochu trapně po tom, co jsem si tak stěžovala na ten starobinec. Rozhodla jsem se s tím něco udělat. Vešla jsem dovnitř, a protože bylo venku slunečno, obývák byl celý prozářený a bylo tam dost teplo, tak jsem zůstala a podívala se na jeden díl *To je vražda, napsala*. Od té doby jsem si zvykla sem chodit, jen to tady zkontrolovat." Mávla rukou do vzduchu a prohlásila: „A pak jsem tady několikrát přespala."

„Aha," řekla jsem a přemýšlela, jak jsem asi měla podle jejích představ reagovat.

„Na Výsluní jsem řekla, že jsem přespala u tebe."

„Aha." Už rozumím reakci jejího syna.

„Věděla jsem, že se v tom začne Farquhar vrtat. Jsem svéprávná, proboha, chová se ke mně, jako bych byla senilní."

„Myslím, že se o vás jen bojí."

„To určitě. Spíš má strach o dědictví. Nikdy mi neodpustí, že jsem se provdala za George. Jako bych sama nevěděla, do čeho jdu." Zadívala se do prázdna a já jsem věděla, že se vrací do vzpomínek. „Byl to sympaťák, ale taky pěkný proutník a lhář. Zažili jsme spolu moc krásné časy." Pak se vrátila do reality. „Tak pojď dál."

Následovala jsem ji do pokoje v pravé části domu. Trojdílným oknem se zabudovaným sezením plným barevných polštářů do místnosti pronikalo spoustu světla. I když tady byly vysoké stropy, pokoj vypadal moc útulně.

Pohladila jsem jednu ze dvou pohovek od Wesleyho Barrella v tmavě vínové barvě. Byla už použitá, ale pořád vypadala pohodlně. Tyhle sedačky nikdy nevyjdou z módy. Okna halily dlouhé semišové závěsy navozující atmosféru královského sídla. Pak jsem si všimla bronzových lamp ve stylu art deco, které zdobily stolky vedle pohovek.

„To je nádhera, Hildo!"

„Já vím," řekla sebevědomě. „Trávím tady teď hodně času, někdy si sem zajdu jen ohřát a sníst polévku."

Věděla jsem, proč to dělá. Byl to její domov. Na stěnách visela spousta fotografií a na stolku u okna jsem si všimla několika černobílých svatebních obrázků ve stříbrných rámečcích. Stěny zdobila směs krajin a zátiší a celou jednu stranu zabírala knihovna plná knih s ohmatanými hřbety proložených zajímavými artefakty, skleněnými vázami, porcelánovými figurkami a malovanými talíři. Každý zjevně pocházel z jiné části světa.

„Zřejmě je to zvláštní, ale chodím sem ráda." Zvedla malou japonskou figurku a chvilku si s ní pohrávala. „Chybí mi moje věci. Když jsem tehdy spadla, byla jsem nějakou dobu… zmatená." Zamračila se a já jsem tušila, že tohle bylo její první přiznání stárnutí. „Farquhar mi nedal pokoj a pořád mi opakoval, jak už to se mnou půjde jen z kopce." Sevřela rty, viděla jsem, že je jeho chováním podrážděná. „Je to hodný kluk, ale umí mě neskutečně rozčílit. Někdy mám pocit, že mi to prostě jen vrací. Nikdy mi neodpustil, že jsem ho poslala do internátní školy." Pak si s povzdechem položila postavičku do dlaně a přiblížila si ji ke tváři, jako by mluvila přímo na ni. „Možná jsem to neměla dělat. Byla to náročná doba. Samozřejmě že jsem mnohem radši jezdila se svým třetím manželem po aukcích. Farquharův otec byl starý a nudný a já jsem prostě nechtěla být uvězněná v tom jeho paláci. Vždycky jsem byla aktivní a měla jsem spoustu nápadů, potřebovala jsem žít. Mateřství mi moc nevyhovovalo, to se musím přiznat. Přišlo mi nudné. Možná bych to vnímala jinak, kdybych měla dvě děti, ale to jsem nechtěla. Preferovala jsem kariéru." Pak sevřela porcelán v dlani, až jí zbělely klouby. „Teď toho samozřejmě lituju. Ale už se to nedá vrátit. Můj syn se proměnil v panovačného panáka. Nevím, co se to s ním stalo," řekla.

Málem jsem se kousla do rtu. Farquhar byl věrnou, i když možná trochu přehnanou verzí svojí matky.

„Když jsem se po tom pádu probrala v nemocnici, Farquhar už mi zařídil místo na Výsluní a sanitka mě odvezla rovnou tam." Hilda položila porcelánovou postavičku a místo ní do ruky vzala čínskou dózičku s pokličkou. „Je to chlap, pochopitelně mi nezabalil žádnou z mých oblíbených věcí. Vlastně jsem s sebou neměla nic, co by mi aspoň trochu připomínalo domov."

Chvilku jsem mlčela, ta informace mi úplně vyrazila dech. Tušila jsem, že takové chování muselo Hildu pořádně namíchnout, přestože bylo původně míněno v její prospěch.

„Já vím," podívala se na mě. „Myslím, že jsem s tím souhlasila, jen aby byl klid."

Nebo si sama uvědomovala, že je v mnohem horším stavu, než nám tvrdila, pomyslela jsem si smutně. Hilda vždycky působila přesvědčivě.

„Myslím, že si prostě jen chtěl být jistý, že se o vás někdo postará," řekla jsem tiše.

„To si vážně myslíš?" zeptala se mě ironicky. „Spíš to udělal, aby už nemusel o půlnoci řešit, kdybych náhodou znovu upadla. Může se o to postarat někdo jiný."

„To přece nemůžete vědět, Hildo." Vzpomněla jsem si, jak nervózně ťukal prsty o stůl, když byl u mě doma. Myslím, že o ni měl vážně strach, jen nevěděl, jak správně formulovat svoje pocity.

„Máš pravdu, nemůžu," řekla a stiskla rty. „Dobře, možná má o mě trochu strach. Bylo to… prostě to nebylo úplně nejlepší období. Musím přiznat, že ze začátku bylo docela příjemné mít společnost. Užívala jsem si ten ruch, možnost s někým mluvit. Ale pak se z toho stala rutina. Očekávala jsem, že aspoň někteří z těch lidí budou mít ještě chuť do života. Většina tam prostě jen přišla umřít." Pak se na chvíli odmlčela.

„Když jsem tě poprvé potkala, byla jsem na Výsluní už tři měsíce. Po tom, co jsme si povídaly, jsem si uvědomila, že to ti lidi tam mě nutí cítit se staře. I když jsem byla s nimi, připadala jsem si sama. A to nechci. Ty, Ash a holky jste mi úplně změnili život. Zase žiju. Trpím atrofií, proto jsem začala každý den běhat. Musím se hýbat, nemůžu tam jen tak ležet a koukat na televizi. Maraton jsem ale běžela jen proto, že mi můj třetí manžel tvrdil, že to nezvládnu."

Pak rozhodila paže do stran. „Tak co si o tom myslíš?"

Usmála jsem se a snažila se zamaskovat skutečné pocity. „Je to nádherný dům a naprosto rozumím, že se sem chcete vrátit."

Pro jednoho člověka to tu ale bylo obrovské a já jsem tak nějak rozuměla Farquharovi, že ji tady nechce nechat samotnou.

„Tady je studovna," ukázala na bílé prosklené dveře, když jsme procházely chodbou. „Jídelna, tu jsme nikdy nepoužívali. Tohle je salonek, tady je ráno nejdřív světlo, mám to tu nejradši." Před námi se najednou otevřel prostor a Hilda se zastavila ve velké hale, ze které po levé straně vybíhalo široké schodiště. „Nahoře je další patro a tady je srdce domu. Kuchyně." Podle toho, jak větu vyslovila, bych řekla, že šlo o její nejoblíbenější místnost v domě. Zavedla mě do obrovského prostoru přecházejícího v zimní zahradu ve viktoriánském stylu s výhledem na zahradu. V životě jsem neviděla větší kuchyň. Byl tu sporák s šesti hořáky, dvě vestavné trouby, dlouhý mramorový ostrůvek s barovými stoličkami a hluboký nerezový dřez. V rohu stál dubový stůl s osmi židlemi.

„Hildo, to je nádhera!" Zachvěl se mi hlas.

„Já vím." Poplácala mě po rameni. Z očí se jí pomalu vytrácel lesk. „Pro jednoho je to moc velké. Taky si myslíš, že jsem se zbláznila?" Rukou přejela po hladkém povrchu mramorové desky. „Ten mramor nám přivezli z Itálie. Jeli jsme ho tam s Georgem vybrat. Byl zbytečně drahý, ale…," zhluboka se nadechla, „už mu nezbývalo moc času."

Pak se přesunula do zimní zahrady a očima přeletěla zahradu. „Víš, jak tu v létě zpívají ptáci? Úplná nádhera. Když byl George ještě… sedával tady celé hodiny a poslouchal je."

Postavila jsem se vedle ní a všimla si, jak se jí roztřásla brada. Objala jsem ji kolem ramen a Hilda si opřela hlavu o moje rameno. Voněla růžemi. Chvíli jsme tam jen tak v tichosti stály, než znovu promluvila.

„To ty vzpomínky. Vždycky tady cítím, jako bych byla znovu s ním. Myslela jsem si, že když se přestěhuju na Výsluní, že to pomůže… Ale mám spíš pocit, jako bych ho opustila." Hlas se jí zastřel a do očí se jí draly slzy. „Bože, jak mi ten starý rošťák chybí. Byl to blázen. Utrácel za nesmysly a vůbec ničeho si nevážil, ale byla s ním legrace. Byla jsem s ním šťastná. Tolik jsme toho spolu prožili. Byl pro každou lumpárnu. Jako první nebo druhý manžel by byl naprosto nemožný. Ale jako třetího jsem nemohla najít nikoho lepšího. Byl zábavný, přesně to jsem potřebovala. Nic jsme nebrali vážně. Těch pár měsíců, co jsme spolu strávili, bylo naprosto úžasných." Otřela si oči. „A pak zemřel." Hilda se posadila do hlubokého křesla u okna. „Přímo tady." Vrásčitou rukou přejela po sametové opěrce. „Šest měsíců nato jsem tak nešťastně upadla a zlomila si kyčel."

Ušklíbla se. „A Farquhar se rozhodl, že už bych neměla žít sama."

Klekla jsem si vedle ní a vzala jsem ji za ruku. „Hildo, je mi to líto." Docela jsem Farquharovi rozuměla, byl to obrovský dům a pro ni samotnou nebezpečný, ale bylo to Hildino přirozené území plné vzpomínek na jejího manžela. Byl to její domov. Na chvilku jsme se obě ztratily v myšlenkách, když vtom zvenku do okna narazil drozd, a když se otřepal, zvědavě nás sledoval. Hilda se zasmála a postavila se.

„Freddie se vrátil. George je všechny pojmenoval. Na sentiment nemáme čas. Řekni mi, jak jsme na tom s tím parkrunem?"

Při náhlé změně tématu jsem zamrkala, ale s Hildou nemělo vůbec smysl bojovat. Jelo se dál.

„Ráno jsem u školy potkala Penny a Janie. Janie mi dneska pošle finální návrh toho letáku. Když ho odsouhlasíme, půjde do tiskárny. A v pondělí ráno máme co roznášet."

„Skvělá zpráva."

„Máme týden na to, abychom oslovili případné dobrovolníky. Už jsem se domluvila se Saschou, že schůzka v kavárně bude ve čtvrtek večer."

„Vidím, že ses do toho pěkně obula."

„Nedělám to sama, mám spoustu pomocníků. Lidi z Harriers už se toho běhu nemůžou dočkat. Trochu se ale bojím, že neseženeme dost lidí z širšího okolí. Běžce i dobrovolníky, bez kterých se každý týden neobejdeme."

„O to se neboj." Hilda se poškrábala na nose.

Ale já jsem se bála. Nedokázala jsem si představit, proč by se lidi k běhu zapsali a vzdali se tak každého sobotního dopolede. To nemají nic jiného na práci? Hlásek v hlavě mi našeptával, že jsem toho kromě práce taky moc nezvládala. Vlastně si ani neumím představit, jak to budu zvládat teď, když se mnou bydlí Poppy s Avou.

„Teď," Hilda zvedla ruku, „se vrať zpátky za Ashem, přece nechceš zmeškat společný běh. Já jsem to zvládla už v sedm ráno."

„Oholil sis vousy," řekla jsem a zarazila se, když jsem viděla po pěšině přicházet navoněného Ashe. A pak jsem se najednou rozplakala.

Ash mě okamžitě objal kolem ramen a odvedl mě k nejbližší lavičce. Úplně poprvé jsem cítila, že pláč není projevem slabosti. Že můžu sama sobě dovolit prožívat emoce.

„No tak," mumlal tiše a přitáhl si mě na hrudník. „Myslel jsem si, že ti tím udělám radost. Nečekal jsem, že tě to rozpláče." Mezi hlubokými vzlyky jsem se musela zasmát. „Promiň. To nemá s tvojí tváří nic společného." Prostě jsem si najednou uvědomila, že se věci mění. „Viděla jsem se teď s Hildou."

Ash mě znovu objal. „Je v pořádku?"

„Je, aspoň myslím." Přepadl mě smutek. „I když asi ne úplně. Viděla jsem její dům." Zamrkala jsem a setřela si poslední slzy. „Je to smutné. Je tak nádherný, ale ona už tam nikdy nebude moct žít. A moc dobře to ví."

Ash mě při mém projevu chytil za ruku a lehce mě po ní hladil. „Je plný vzpomínek na jejího manžela." Vzpomněla jsem si, jak opatrně nakládala s tou porcelánovou postavičkou. „Plný věcí, které pro ni hodně znamenají. Je tam celý její život." Odmlčela jsem se. „Hilda je ve skutečnosti hrozně sama. Ty její negativní poznámky o ostatních obyvatelích Výsluní, to je ve skutečnosti frustrace nad tím, že s ní nedrží krok. Myslím, že jí pomáháme stejně, jako ona pomáhá nám." Zastavila jsem se a prohlédla si prázdné místo na lavičce, kde jsem ji poprvé uviděla. „Určitě je nepřekonatelná v úkolování druhých. Umí nás zahrnout do problému a změnit téma dřív, než stačíme nesouhlasit, takže nakonec je to hotová věc."

Ash s přivřenýma očima naslouchal, co říkám. „To máš pravdu. Přesně takhle to dělá."

„Zřejmě se to naučila u tajných služeb." Zasmála jsem se. „Promiň, jen mě to dneska dostalo."

Ash setřel mokré cestičky z mých tváří. Hleděla jsem mu do očí a znovu obdivovala jeho rysy. Vyschlo mi v puse. „Vypadáš

moc dobře," vyhrkla jsem chraplavým hlasem. Na povrch vyplu-
ly všechny moje pocity, ztratila jsem nad nimi kontrolu. Všechno
se najednou obrátilo k Ashovi. Byl zase ve své kůži a já jsem na
něm mohla oči nechat. Na několik vteřin jsem se mu zahleděla
do očí, neschopná odvrátit pohled od jeho brady a lícních kostí.

Pousmál se. „Líbí se ti to?" V jeho hlase se ozvala stará dob-
rá domýšlivost, teď už však podstatně umírněnější. Zvedl koutek
úst a byl doslova k nakousnutí.

A pak se najednou, přesně jako tu noc v restauraci, všechno
sexuální napětí, které jsem týdny držela pod kontrolou, vydralo
na povrch.

Přikývla jsem a natáhla se, abych ho pohladila po tváři. Pře-
jel mi rty po dlani a pak mě začal velmi pomalu líbat, jako bych
se pod jeho dotekem mohla roztříštit.

Byl to lehký polibek, vzpomínka a zároveň příslib něčeho, co
nás teprve čeká. Odtáhli jsme se od sebe a skoro až stydlivě se
na sebe usmáli.

„Proč ses oholil?" zeptala jsem se a znovu ho pohladila po
hladké tváři.

„Měl jsem pracovní pohovor. V úterý odpoledne. A další mě
čeká příští týden." V očích mu přeskakovaly jiskřičky nadšení.
Nedokázala jsem odolat a oddaně se do nich ponořila.

„Ashi, to je skvělá zpráva." Objala jsem ho a přitulila se k jeho
krku. „Mám velkou radost. Kde? A kdy?" Když jsem se odtáhla,
položil ruku na moji dlaň a maličko zvedl obočí. Hormony mě
celou ovládly. Rozuměli jsme si i beze slov. Vždycky jsme byli
na stejné vlně.

Trhla jsem sebou, když jsem si uvědomila, že jeho pohled
vysílá stejné signály, s jakými jsem sama sváděla boj.

„Mám pocit, že jsi z toho nadšenější než já," poznamenal
a šibalsky se usmál. Navzdory jeho odtažitosti jsem věděla, že si

napětí mezi námi moc dobře uvědomuje. Další polibek toho byl důkazem.

Když jsme konečně oba popadli dech, zavřel oči a opřel si čelo o moje. „Jako bychom byli zase na začátku. Myslím, že to dokonce není daleko od místa, kde jsem tě poprvé políbil." Pak jsme se oba ohlédli za lampou nacházející se jen několik metrů od nás.

„Od té doby se toho hodně změnilo," poznamenala jsem.

„Choval jsem se jako… magor."

Pobaveně jsem se usmála.

„Moc si na to nezvykej, už to ode mě neuslyšíš. Byl jsem sebestředný idiot a doteď nechápu, že ses ke mně neotočila zády."

„Upřímně, neměla jsem na vybranou. Hilda měla jasnou misi dát nás dva dohromady."

„Možná, ale ty ses ke mně zachovala jako blízký člověk. Poslala jsi mi tu zprávu… To jsem si nezasloužil." Znovu mě pohladil po ruce. „Byl jsem úplně mimo. Dlužím jí omluvu. I tobě. Vůbec nechápu, že jste se na mě nevykašlaly. Byl jsem úplně na ránu. Co bychom si bez Hildy počali."

„Netuším." Zvedla jsem hlavu a znovu jsem se na něj zadívala. „Ale myslím, že jsme ji taky tak trochu zachránili."

Naklonil hlavu. „Myslíš? Tím si nejsem úplně jistý."

„Já jo." Odpověděla jsem a vzpomněla si na její slzy z dnešního rána.

„Nešlo jen o Hildu. Kolikrát jsem na tebe vystartovala tak, že jsi mě taky mohl poslat někam."

„Asi jsem o tebe měl strach."

„Ani jsi mě pořádně neznal."

„Spali jsme spolu. Myslím, že už jen z toho člověka docela poznáš."

Ash se ušklíbnul. „Já jsem to prostě celé pokazil."

„To teda. Já totiž takové věci moc často nedělám." Odmlčela jsem se a zadívala se mu do očí. „Ublížil jsi mi."

Pohladil mě po tváři. „Strašně moc se za to omlouvám. Zachoval jsem se hrozně. Vůbec sis to nezasloužila. Teď toho lituju. Byl jsem tak sebedestruktivní, že jsem se rozhodl, že spálím všechny mosty. Kdyby mě nevyhodili z práce, zavolal bych ti a sešel se s tebou už v pondělí večer."

Smutně jsem se na něj usmála. „Nejspíš bych s tím nadšeně souhlasila."

„Moc mě to mrzí, Claire. Když jsem přišel o práci, měl jsem depresi a myslel jsem si, že pro někoho jako ty nebudu dost dobrý."

Teď už mi jeho omluva stačila. Ale stejně mi to všechno bude muset nějak vynahradit. Vždycky jsem od něj vyžadovala upřímnost. Na ní jsme stavěli, díky ní jsme oba prolomili bariéru, za kterou jsme se schovávali.

„Odpouštím ti. A když už jsme k sobě upřímní," našpulila jsem rty, založila paže na prsou a změnila hlas do přátelského tónu, „řekneš mi, o jakou práci se ucházíš?"

V očích mu zajiskřilo, sklonil se a políbil mě. „Ty jsi ale chytrá holka."

Zamračila jsem se. *O co se to zase snaží?*

„Finanční ředitel." Odmlčel se a políbil mě. „Pro strojírenskou firmu." Znovu mě políbil. „S pobočkami po celé Británii."

„Strojírenská firma?" šťouchla jsem ho do žeber a zvedla hrdě hlavu. „To ti někdo poradil?"

„Dobře, dobře, dobře. Můžeš si myslet, že to byl tvůj nápad. A klidně mi můžeš říct: *Já jsem ti to říkala.* Jsem moc rád, že se mi někdo ozval. Vážně ti moc děkuju."

„Nic jsem neudělala. Životopis, reference, zkušenosti, to je tvoje zásluha."

„Byl to tvůj nápad. Když jsem se konečně vrátil nohama na zem a přestal si o sobě myslet, že jsem nenahraditelný, zařídil jsem si hned dva pohovory najednou."

„To je úžasné, vážně z toho mám velkou radost."

„Ještě jsem tu práci nedostal."

„Já vím, ale…" Radši jsem se kousla do rtu.

Rozhodl se mě trochu poškádlit. „Vidím, že někdo má o mě ještě pořád zájem, i když jsem se projevil jako ufňukanec."

„Určitě ti to trochu zvedlo sebevědomí, nebo ne?"

„Samozřejmě. A právě včas." Dlouze se na mě zadíval. „Měl jsem být mnohem silnější. Jako ty."

„Co tím myslíš?"

„Uvědomila sis, že máš problém. Zašla jsi k doktorovi. Vím, že jsi trpěla tím, že sis vzala neschopenku, ale v tu chvíli to byla správná věc. Taky jsem tušil, že se mnou není něco v pořádku, ale nechtěl jsem si to přiznat."

„Asi bych ti to měla vysvětlit. Kdybych si jen na chvilku přiznala, že bych mohla skončit na měsíc doma, nikdy bych k tomu doktorovi nešla. Objednala jsem se na kontrolu jen proto, že mi ta rána na paži začala hnisat. Kdybych si ji natřela mastí, jak jsi mi radil…"

„Možná jsi to tušila. Možná jsi věděla, že se něco děje, ale sváděla jsi to na ten škrábanec."

Uvědomila jsem si, že má pravdu.

„Ať už jsi měla jakékoliv pohnutky, nakonec jsi tam zašla. Zatímco já jsem se zavřel doma a utápěl jsem smutek v alkoholu. Kdo ví, jak bych dopadl, kdybych se několikrát nevykopal jít ven trochu si zaběhat. Už jsem toho měl doma plné zuby. Běhání mi pomáhalo. Hodně." Odmlčel se a zvedl ruku k mojí tváři. „Myslím, že ti dlužím večeři."

„To by od tebe bylo moc hezké," odpověděla jsem a užívala si dotek jeho prstů.

„Beech House, příští pátek?"

„Chceme se tam vracet? Abychom to nějak nezakřikli."

„Slibuju, že se tentokrát nebudu chovat jako magor. A po večeři ti zavolám." Jeho čerstvě oholenou tvář rozzářil úsměv. A pak dodal: „Jinak mi to Hilda spočítá."

„Uvědomuješ si, že nám teď nedá pokoj?"

„Naopak, bude nadšená a už nikdy nebude moct odmítnout, když ji požádáme, aby hlídala holky."

Zasmála jsem se. „To by asi neodmítla tak jako tak. Jako by se ke mně už nastěhovala. Ale nemůžu si stěžovat. Úžasně vaří."

„Vsadím se, že naučila Raymonda Blanca všechno, co umí."

„Nebyla to Mary Berry? Myslíš, že si to vymýšlí, nebo to vážně všechno zažila?"

„Kdo ví?"

„Až budu mít někdy čas, musím si její jméno vygooglit." Už mě to vlastně několikrát napadlo.

„To nedělej. Představ si, jak budeme zklamaní, když zjistíme, že si všechno jen přikrášluje."

„To je pravda," odpověděla jsem a byla jsem vděčná za to, jak větu formuloval. Přikrášlování znělo mnohem líp než lhaní.

Najednou mi došlo, že se všichni posouvají vpřed, jenom já se chystám vrátit do starých kolejí. Příští týden mám nastoupit zpátky do práce. Najednou mi došlo, že to možná není přesně to, po čem toužím. Ta myšlenka mě tak zaskočila, že jsem se zapomněla nadechnout.

Představa, že každé ráno nastoupím do vlaku z Churchstonu, mě zaskočila. Zvykla jsem si na naši ranní rutinu, na to, že musím zavést holky do školy, pár vět prohozených s Penny a Janie, ranní běh a pak zpátky domů. Bude mi to chybět. Najednou mi bylo jasné, že po tom, co jsem si tak pracně vytvořila domov, se mi ho nechce zase opouštět. Dělalo mi dobře v něm každý den uklidit ten nepořádek, co kolem sebe holky nevědomky nechávaly. Všechno urovnat a dát na svoje místo.

Tento týden měl přijít malíř, objednala jsem nový nábytek do kuchyně a jídelny, aby se prostor konečně proměnil v místnost, kde se schází rodina. Tady jsme s holkama trávily nejvíc času.

Srdce mi hlasitě bilo v hrudi a bylo mi čím dál jasnější, že už nechci trávit většinu dne probíráním se daty a papíry, že už se nechci odpoutat od svého života. Chci trávit čas s lidmi, starat se o ně, vařit, uklízet a udržovat dům. Chtěla jsem řešit každodenní problémy, ne závěrky.

Moje práce mě v minulosti úplně pohltila. Už jsem se tam nechtěla vrátit. Co bych ale měla dělat? Kým budu bez práce? Na okamžik mě zachvátila panika. Jako bych vstoupila do Země Nezemě a nic nedávalo smysl.

24

Ava visela na plotě jako opice a povídala si se sousedkou, na jejíž jméno jsem si ani za boha nemohla vzpomenout. Představila se mi hned, jak jsem se přistěhovala, ale popravdě to nebyl zrovna typ, se kterým bych měla něco společného, takže se mi dařilo vyhýbat se jí a prohodit s ní za půl roku jen pár slov. Ava jí to teď vynahradila.

„Avo, večeře," řekla jsem a přátelsky na ženu kývla, čímž jsem přerušila dlouhý monolog mojí neteře o plyšových hračkách, který byl ze strany sousedky přerušován krátkými výkřiky.

„Dobrý den," pozdravila jsem ji, abych jí dala najevo, že jsem si jí všimla, ale zároveň ji upozornila na to, že nemám čas na dlouhé povídání. Po večeři nás čekaly domácí úkoly a vana. Oběma aktivitám se Ava uměla vyhýbat, dokud to nebylo nevyhnutelné.

„Ava mi řekla, že chystáte parkrun. Je to chytrá holka." Sousedka zvedla do vzduchu jeden z letáků, které jsme roznesly cestou ze školy. Dneska jsme dokončily poslední část města. Janie, Penny a já jsme si spolu se všemi dětmi pečlivě rozdělily ulice a celý týden jsme je po vyučování obcházely. Schůzka v kavárně už byla zmíněná na všech sociálních sítích. V místním rádiu s námi dokonce chtěli odvysílat rozhovor o našich plánech.

„Zní to zajímavě."

„To ano," přitakala jsem. Zajímavým bych ten nápad rozhodně neoznačila. Na mysl se mi draly spíš výrazy jako *děsivý* nebo *neuskutečnitelný. Co když na tu schůzku nikdo nepřijde?*

„Konečně se tady něco děje. Vídám vás ráno běhat. Máte disciplínu, to se cení. Já bych nedoběhla ani na autobus. Sport mi nikdy moc nešel." Pak sklonila hlavu a začetla se do letáku, pohybovala tiše rty. „Pět kilometrů. Jak dlouho to vlastně trvá? Je to docela dálka. To bych rozhodně neuběhla. Moje kyčle nejsou pro běh stavěné."

„Nemusíte běžet, můžete to klidně svým tempem ujít," vysvětlila jsem jí.

„Opravdu? To jsem nevěděla. To bych možná zvládla. Ani mě to nenapadlo."

„Ano, někdo rád běhá, jiný rád chodí," řekla jsem a uvědomila si, že takových lidí, jako je ona, může být spousta. Jen potřebují přesvědčit, že to není žádný závod. „Chceme, aby se tam každý cítil vítaný. Běh, chůze, klidně můžete jen pomáhat s organizací. Měla byste přijít na tu schůzku."

„Nikoho tam neznám. Bude tam asi spousta lidí, takovou amatérku jako já nepotřebujete. Připadala bych si mezi těmi profesionály trapně."

„Znáte mě," pípla Ava. „A teď i tetu Claire."

„No, pořád nevím."

„Přijďte, prosím. Můžete jít s námi."

Potřebovala jsem každého, kdo měl ten večer čas. „Budeme odcházet příští čtvrtek patnáct minut před sedmou."

„Tak dobře. Tři čtvrtě na sedm. Budu si to pamatovat. Uvidíme. Ahoj, Avo, hezký večer." Couvala a pak se vytratila zpátky do domu, jako by si nebyla jistá, jestli chce ten rozhovor ukončit, nebo v něm dál pokračovat.

Ještě ji přes týden trochu povzbudím, rozhodla jsem se, když jsem odvedla Avu k prostřenému stolu. Byla přesně tou osobou, jakou jsme potřebovali. A jaká potřebovala nás.

Kuchyně potřebovala trochu zorganizovat, spousta věcí už byla zabalených, protože syn Hildiny kamarádky slíbil, že přijde v sobotu ráno, aby mi vymaloval a položil novou podlahu. Vypadalo to, že se dvěma pomocníky může být za jeden den hotový, což mě trochu uklidnilo, protože jsem se měla v pondělí ráno vracet do práce a nechtěla jsem mít v kuchyni staveniště.

Nakonec jsem se s podporou holek a Hildy rozhodla pro krémově zelenou barvu, která zvítězila nad zelenošedou, a světlou dřevěnou podlahu místo černé břidlice. S celkem zachovalou krémovou kuchyňskou linkou to všechno hezky ladilo, hlavně ve spojení se vším novým vybavením, které jsem už pořídila.

„Je tu nepořádek," zaprotestovala Poppy a prohlížela si poloprázdnou kuchyni, zatímco jsem servírovala večeři u malého kulatého stolu.

„Je, ale je to jen na dva dny, pak to tu bude vypadat moc hezky. Nová pohovka dorazí pozítří." Kuchyň s jídelnou se tak stane srdcem domu, přesně jak jsem to viděla u Hildy. Ta představava mě naplnila příjemným pocitem. Od chvíle, co sem přišly holky, jsme tady stejně trávily nejvíc času. Přemýšlela jsem, že sem z předního pokoje přestěhuju malou pohovku. Ale pak jsem se rozhodla, že si pořídím větší, rohovou, na kterou se vejdeme všechny, a do kouta umístím televizi, na kterou budeme moct společně koukat.

Zajely jsme do příjemných kolejí. Nechtěla jsem věřit tomu, že jsou tady holky jen tři týdny.

„Jak jste se dneska měly?" zeptala jsem se, když jsme si sedly ke stolu.

Ava vyskočila, „Hádejte, co se stalo. Dostala jsem zlatou hvězdičku!"

„Výborně, zlatíčko. To je super zpráva."

„A měla jsem osm slov z deseti správně při hláskování." Oči jí zářily nadšením. „Měla jsem jen dvě špatně. Paní Parrová říkala, že mám hvězdičku za to, že se snažím a že jsem se tak zlepšila. Ani Lucy Chambersová ji nedostala."

Zahřál mě pocit hrdosti. Bylo krásné sledovat, jak ji úspěchy těší, hlavně když jí hláskování a čtení dávalo ještě před pár týdny tak zabrat. Snažila jsem se jí co nejvíc věnovat, procvičovat hláskování a číst s ní každý večer před spaním.

„Pche," ozvala se Poppy. „Jenom osm."

Střelila jsem po ní ostražitým pohledem. „Co ty, Poppy? Co ses dneska naučila nového?"

„Postavili jsme elektrický obvod, co jsme měli za úkol, a můj fungoval na jedničku, žárovka se rozsvítila." Odmlčela se a na tváři se jí objevil spokojený výraz. „Byla to docela sranda. To byl ten úkol, se kterým mi pomáhal Ash. Měla jsem ho nejlepší ze všech."

„Výborně, holky. Jsem na vás hrdá." Opřela jsem se lokty o stůl. Byly to úžasné děti, rychle se přizpůsobily a už si ani nestěžovaly, že se jejich máma ještě pořád nevrátila ze svého dobrodružství. „Úplně se stydím, že jsem dneska jen zabalila věci v kuchyni a šla běhat."

„Kolik jsi dneska uběhla, teto Claire? Víc?" Díky bohu za to, že se Poppy vyžívala ve sledování mých běžeckých výsledků. Věděla, že až s parkrunem začneme, nechci se před ostatními ztrapnit.

„Čtyři a půl kilometru bez jediné zastávky." Teatrálně jsem se před nimi uklonila a čekala jsem ovace. Holky začaly vesele tleskat a Ava okamžitě vyskočila ze židle a přiběhla k ledničce, kde ze dveří strhla tabulku, kam jsme zaznamenávaly moje výkony.

„Super. Už jen půl kilometru a jsme tam," řekla Poppy spokojeně.

Jen půl kilometru. Všechny jsme za těch pár týdnů urazily kus cesty.

Proto mě o pár minut později překvapilo, když Poppy uprostřed večeře prohlásila, že nemá ráda brokolici, odsunula ji na okraj talíře, pustila s cinknutím vidličku a opřela se o židli se založenými pažemi.

„Já ji sním." Ava se natáhla a napíchla na vidličku zeleninu, přičemž rozházela zbytek Poppyiny večeře do jejího klínu.

Poppy ji za to bodla svojí vidličkou do paže. Ava zakřičela, odhodila příbor a rozplakala se.

„Poppy!" Podívala jsem se na ni přísně a chytila jsem Avu za ruku. Na kůži měla tři malé tečky, ale naštěstí jí netekla krev. „Uklidni se, Avo! Nic se ti nestalo, i když to Poppy samozřejmě neměla dělat." Masírovala jsem jí zraněné místo. „Poppy, to přece nebylo nutné." Poppy stiskla uraženě rty. „Musíš se sestře omluvit."

Viděla jsem, jak se to v ní pere, ale dál jsem na ni nazlobeně hleděla.

„Sorry," sykla skrz zuby. Z jejího pohledu mi bylo jasné, že víc už z ní nedostanu.

„To není omluva," štěkla jsem po ní, naštvaná jejím nepředvídatelným vzdorem. „Co to do tebe vjelo?"

Poppy se zahleděla do talíře. Takových scén jsme poslední dobou moc neměly. Netušila jsem, jak je mám řešit. Zkusila jsem si představit, co by asi udělala Hilda. „Zklamala jsi mě." To zabralo. Viděla jsem, jak sebou trhla. „To se přece nedělá. Jak by se ti líbilo, kdybych tě takhle píchla vidličkou já?"

Poppy stiskla rty. Nechtěla jsem ji dál trápit, ale s její omluvou jsem rozhodně nebyla spokojená. Rozhodla jsem se to protentokrát nechat plavat.

„Pojďme sklidit ze stolu. Poppy, naskládej špinavé nádobí do myčky. Avo, jdi se nachystat do koupelny. A ne že místo toho budeš dělat nějaké hlouposti."

Vyběhla jsem nahoru a začala napouštět vodu do vany. Když jsem sešla dolů, Poppy už naskládala myčku, ale chovala se u toho divně a sledovala hromadu nádobí, kterou jsem dala stranou, aby nepřekážela dělníkům.

„Znervózňuje tě to? Ten nepořádek?" zeptala jsem se klidně.

Znovu pokrčila rameny, ale neřekla ani slovo. Najednou mi to došlo. Za těch pár týdnů jsem holky poznala mnohem líp, než jsem si dokázala představit. Nešlo jen o nepořádek, šlo o nejistotu. Netušila, co s nimi teď bude. Bydlela v domě, který nebyl jejím skutečným domovem, s někým, kdo neměl o výchově dětí ani ponětí. A její máma byla kdovíkde. Sevřelo se mi srdce. Když jsem viděla její útlá ramínka a smutnou tvář, objala jsem ji kolem ramen a přitáhla si ji k sobě. „Pojď sem."

Nejdřív se trochu bránila, ale pak se mi schoulila do náruče. Na krku jsem ucítila její slzy. „Příští týden… až půjdeš do práce… už tady takhle u večeře sedět nebudeme. Nebudeš nás tady už chtít. Budeme chodit do družiny a pak rovnou do postele."

Objala jsem ji ještě vroucněji. „Samozřejmě že vás tady budu pořád chtít. Mám vás moc ráda, tebe i Avu. Proč jsem asi koupila ten velký gauč? Abychom se tam mohly všechny tři k sobě tulit." Netušila jsem, co víc mám ještě říct, abych ji uklidnila. Nebyla jsem její máma. Jak jsem mohla vědět, co si desetiletá holka myslí?

Objala mě kolem pasu a chvilku jsme tam jen tak stály. Přála jsem si, abych měla odpověď na všechny její otázky.

„Poppy, mrzí mě, že musím zpátky do práce. Ale musím vydělávat peníze, účty se samy nezaplatí. Slibuju, že se o vás pořád budu starat, jak nejlíp budu umět. Nechci, abyste chodily do družiny, ale nějak to udělat musíme." Trápilo mě to. Vůbec jsem netušila, jak to všechno budu zvládat, ale nechtěla jsem jí lhát.

Moje upřímnost ji překvapivě uklidnila. Cítila jsem, jak hluboce vydechla. „To je v pohodě, teto Claire." Zvedla hlavu a pokusila se na mě usmát, což vyznělo spíš jako utrápený výraz. Připadala jsem si ještě hůř.

„Sakra! Voda ve vaně!" Rychle jsem vyběhla do patra a právě včas se mi podařilo vodu zastavit. Pak jsem vytáhla špunt a nechala část odtéct. Celá jsem se při tom zmáčela.

„Uf," vydechla jsem a posadila jsem se na zavřenou toaletu. „To bylo o fous. Jsem úplně mokrá."

Poppy, kterou jsem měla v patách, se hlasitě rozesmála.

S úlevou jsem naslouchala jejímu dětskému smíchu. Následující týdny budou náročné, ale mnohem náročnější bude udržet holky u verze se sesuvem půdy. Pro jejich klidné spaní jsem doufala, že si to Alice brzo srovná v hlavě a vrátí se domů.

25

„Vypadáš dobře." Karen, ředitelka personálního oddělení, se na mě pátravě podívala. „Sakra dobře, to jsi ten měsíc strávila někde ve wellness hotelu?"

„Ne, jen jsem pořádně jedla a trochu cvičila."

„Tak v tom pokračuj. Měla bych se tě zeptat na milion otázek týkajících se tvého zdraví a toho, jak se cítíš, ale vidím, že to není třeba." Usmála se na mě. „Tak aspoň jedna. Jsi připravená vrátit se do práce?"

„Jsem," přitakala jsem, i když jsem od včerejšího večera cítila nevolnost. Víkend jsem strávila organizováním domácnosti a přípravou na následující týden. Vyprala jsem všechno prádlo, vysušila ho a vyžehlila. Holky měly nachystané čisté oblečení na každý den. Nakoupila jsem a připravila si suroviny na dny, kdy jim musím nachystat oběd do školy. Všechny projekty a úkoly jsme zvládly už v sobotu. Měla jsem představu o tom, co budu celý týden vařit k večeři. Byla jsem nastartovaná. Přesto jsem měla ve skrytu duše obavy, jak to všechno zvládnu. Poppy byla ráno cestou do školy nezvykle zamlklá. Věděla jsem, že se jí do družiny vůbec nechce.

„Nějaké obavy?" zeptala se Karen, když zachytila moje zaváhání.

Tohle bylo důležité. Minimálně holkám jsem dlužila upřímnost. „Moje… situace se trochu změnila. Budu teď muset striktně dodržovat pracovní dobu a odcházet včas. Možná něco zvládnu napracovat o večerech, ale ještě nevím." Vlastně jsem jí jen chtěla dokázat, že jsem pořád schopná zvládat svoji práci stejně jako před měsícem. Pracovat večer doma byl můj záložní plán.

„Claire, nikdo po tobě nechce, abys pracovala přes čas. Tomu se právě potřebujeme vyhnout. Časy se změnily." Její yorkshirský přízvuk se ještě prohloubil. „Vím, že bych to neměla říkat, ale je to tak. Celý management se chce vyvarovat tomu, aby naši nejlepší zaměstnanci vyhořeli. Naše firma je dobrá a kvalitní jen díky tomu, jak kvalitní lidi zaměstnává. Musíme se o vás líp starat. Časy, kdy od tebe někdo očekával, že budeš pracovat do noci, jsou pryč. Duševní zdraví je teď na prvním místě."

„To moc ráda slyším." Popravdě jsem něco podobného už v minulosti zaslechla, ale tentokrát to znělo skutečněji, i když mi bylo jasné, že ohraničenou pracovní dobou od devíti do pěti nikoho neoslním a k povýšení se tak určitě nedostanu. „Starám se teď o dvě neteře. Moje sestra odjela na nějakou dobu pryč."

Karen zvedla jedno z výrazných obočí. „Na jak dlouho?"

„To je otázka za milion. Nejsem si jistá… Může to nějakou dobu trvat."

„Měsíc? Půl roku?"

Znělo to hloupě, tak jsem jen pokrčila rameny. „To netuším. Minimálně měsíc, možná dva."

Karen se očividně snažila udržet zvědavost na uzdě a neklást zbytečné otázky, ale viděla jsem, že by ráda věděla, o co jde. Byly jsme kamarádky, jestli se to tak dá nazvat, takže jsem to tajnůstkaření vzdala. „Sestra odjela do Indie na nějaký pobyt s jógou. Očividně se tam našla a rozhodla se tam zůstat."

Docela mě uklidnilo sledovat, jak Karen otevřela pusu a chvilku ze sebe nebyla schopná vypravit ani hlásku.

„Děláš si srandu, že?"

„Bohužel nedělám. Mám neteře moc ráda, o to nejde, jsou úžasné." Usmála jsem se a zaplavila mě vlna lásky a pocit sounáležitosti, které každým dnem sílily. „Ale jsem na ni naštvaná. Jak jim to mohla udělat? Od té doby, co odjela, jim ještě ani jednou nezavolala."

„Sakra, Claire, to je… hrůza!"

„Pro ně ano, ale já…" Znovu jsem si uvědomila, jak mě samotná myšlenka na ty dvě hřeje u srdce. „…si to užívám."

Nová kuchyň už byla smontovaná a zářila novotou. Včera večer, když jsme všechno pouklízely, jsme se schoulily na nové pohovce, přikryly se měkkou dekou a dívaly se na *Dračího prince*. Poppy sice protestovala, že je to pohádka pro děti, ale děj ji nakonec zaujal tak, že málem zapomínala zavřít pusu. Další vzpomínka, která se vsákne do zdí domu a zůstane tam, dokud tam budu bydlet.

„Zdá se, že ti to svědčí." Zadívala se mi do obličeje. „Celá záříš. Nebo je to make-up? Jestli ano, chci vědět značku, kterou používáš."

„To je pohybem, vážně. Začala jsem trochu běhat. S přáteli se snažíme v Churchstonu uspořádat parkrun."

„Prrr! Kdo jsi a co jsi provedla s Claire?" Strávily jsme společně několik obědových přestávek. Moc dobře věděla, že běh nepatří mezi moje oblíbené aktivity.

„Já vím. Kdo by to do mě řekl?"

„To je úžasné. Víš, že máme vnitřní směrnice, které ti umožňují vzít si placené volno, když ho strávíš prací pro místní komunitu? To by se určitě počítalo."

„Užitečná informace, o tom jsem nevěděla. Mohla bych teda ve čtvrtek skončit dřív? Pořádáme schůzku, na které potřebujeme přilákat co nejvíc dobrovolníků, abychom vůbec mohli běh pořádat." Rozhodla jsem se kout železo, dokud je žhavé.

„Nejdřív si tu směrnici prostuduju, ano?" Karen poklepala tužkou o stůl. „Ale myslím, že je to přesně projekt, který by firma s radostí podporovala. Dej mi vědět, až to spustíte. Párkrát jsem běžela v Hyde Parku, byla to docela zábava."

To bylo zase překvapení pro mě. Neuměla jsem si představit Karen, kterou jsem znala jen na vysokých podpatcích, v elasťácích a teniskách.

Usmála se a ve tvářích se jí objevily ďolíčky. „Dobře, pořídila jsem si pár outfitů od Lululemon a tenisky Brooks," přiznala a zodpověděla tak moji nevyřčenou otázku.

Držela jsem se, abych se nahlas nerozesmála. „Zapotila ses při tom?"

„Snažila jsem se nepotit. Je to nedůstojné." Mrkla na mě a obě jsme vyprskly smíchy.

Rychle jsem se pustila do práce. O půl šesté jsem byla překvapivě připravená vypnout počítač, vyběhnout ze dveří a připojit se k davu mířícímu na nádraží v Leedsu. Nevrátím se zpátky do zajetých kolejí a ke špatným zvykům. Nevýhodou včasného odchodu z práce bylo to, že dojíždění bylo najednou stejně otravné jako ráno. Vlak byl narvaný k prasknutí a o prázdném sedadle jsem si mohla nechat jen zdát. I když jsem se dost snažila, Poppy s Avou byly většinou poslední děti, které čekaly na vyzvednutí. Družina zavírala v půl sedmé a mně se pokaždé podařilo přiběhnout tak tři minuty před koncem.

„Claire, Claire!" vykřikovala pokaždé Ava a běžela přes celou místnost, když jsem konečně dorazila. „Měli jsme svačinu. Párek s fazolema. Hrála jsem si s legem."

Pomohla jsem jí obléknout si kabát. Sice se blížilo léto, ale večery byly ještě chladné.

„Poppy, jdeme."

Starší sestra se k nám připloužila a táhla za sebou bundu. „Jak ses dneska měla?" Celý týden s ní nebyla řeč. Tušila jsem, že za to může narušení rutiny, a doufala jsem, že si brzo zvykne.

„Dobře." Podívala se na mě a pomalu si hodila batoh na záda. „Než jsme přišly sem. Je tu nuda a není tu co dělat. A svačina byla o ničem. Porce pro mimina."

„To vůbec nevadí. Dáme si něco doma."

„Super! Můžu si dát dort? Ten citronový, co dělá Hilda." Ava dopověděla větu a začala zívat na celé kolo. Chudinky, mají za sebou dlouhý den. Rychle jsem si v hlavě spočítala, jak dlouho jsou vlastně každý den ve škole. Jedenáct hodin. To je víc než můj pracovní den.

„Uvidíme," odpověděla jsem a vedla je z budovy ven.

„To znamená, že ne, Avo," řekla Poppy. Když se na mě podívala, všimla jsem si v jejím pohledu škodolibého záblesku.

Zavřela jsem oči, protože jsem věděla, že Ava začne okamžitě nešťastně kvílet.

„Avo, přestaň! Poppy, omluv se jí!"

„Sorry," řekla znuděně. I když mi bylo jasné, že to vůbec nic neznamená, aspoň mě tentokrát poslechla. Možná jsem u ní konečně vzbuzovala nějaký respekt.

„Kdy se vrátí máma?" Poppyin tón zněl odhodlaně, když jsme se kolem parku vracely domů. Její chůze připomínala příchod boxera do ringu.

„Zavolám jí a zjistím, co je nového. Je na dost odlehlém místě. Oprava cesty může trvat dýl, než by to trvalo tady."

„Proč jí nemůžeme zavolat hned? Máma nikdy nechodí brzo spát."

„Poppy, je pozdě. Až přijdeme domů, musíme se nachystat do školy a Ava musí jít spát. Zavoláme jí o víkendu, jo?" Aspoň budu mít čas jí předem napsat a upozornit ji, že musí po měsíci zavolat vlastním dětem.

„To všechno je kvůli tvojí práci. Chci mluvit s mámou. Nemůžeš mi to přece zakázat."

„Já taky. Mamíííí!" zakvílela Ava a potácela se mi unaveně kolem nohou. „Zavoláme mámě."

Zmínka o mojí práci udělala své, Poppy to moc dobře věděla. Když se k ní přidala Ava, musela jsem souhlasit, i když jsem měla strašný hlad. Dneska jsem neměla čas ani zajít si na oběd.

„Dobře, zkusíme jí zavolat, hned jak přijdeme domů."

Do cíle nám chybělo jen pár metrů, když jsem musela Avu zvednout do náruče. Únavou už ani nemohla zvedat nohy. Musela jsem si ji přehodit přes rameno a zároveň vybalancovat pracovní tašku s počítačem, kabelku a malý nákup, který jsem pořídila v potravinách na nádraží. *Bože, tohle není fér! Byla jsem úplně hotová, tak jak se asi musely cítit ty dvě?*

„Můžeš prosím odemknout dveře?" Podala jsem Poppy klíče.

Ava se na chvilku probrala, mile se na mě usmála a znovu upadla do spánku. Políbila jsem ji do rozcuchaných vlásků a objala ji, přehodila si tělíčko na druhou paži a následovala Poppy ke dveřím.

„Ava je mimino," prohodila Poppy a rovnou vešla dovnitř. Musela jsem dveře zavřít kopnutím. Sledovala jsem ji s těžkou hlavou, neměla jsem energii s ní bojovat.

Odnesla jsem Avu do ložnice, už mě z ní bolely ruce. Položila jsem ji do postele, kde se trochu zavrtěla a nechala mě svléknout z ní oblečení a převléknout ji do pyžama. Pak jsem ji přikryla peřinou a už spokojeně oddechovala.

Ještě chvilku jsem seděla na okraji postele, a když to vypadalo, že usnula, nahnula jsem se a políbila ji na růžovou tvářičku. Vtom jí vystřelily ruce vzhůru, propletla mi je kolem krku a přitáhla si mě k sobě. Usmála jsem se. Ava byla jako koťátko, užívala jsem si její blízkost a mělký dech. Kéž by bylo všechno tak jednoduché a my jsme si v klidu mohly užívat podobné večery v šeru lampy.

„Dobrou noc, Avo di Pavo." Vzpomněla jsem si na přezdívku, kterou jsem jí kdysi dala. Bože, naposledy jsem jí takhle říkala, když jí byly tři. Ztěžka jsem polkla.

„Dobrou noc, Claire de Bear," zašeptala a na vteřinu otevřela oči. Dlouhé řasy lemovaly její unavená víčka. Hladila jsem ji po věčně zamotaných kudrnách a ona znovu usnula. Během pár vteřin začala tiše pochrupovat. Při pohledu na toho spícího andílka mi málem puklo srdce. Chtěla jsem ji znovu sevřít v náruči a ujistit se, že bude vždycky v bezpečí.

„Ach jo, Alice. Doufám, že všechno dobře dopadne. Doufám, že Ava je šťastná," zašeptala jsem tichou modlitbu. „Je jako sluníčko. Někdy mi tě připomíná." Ještě jednou jsem ji políbila a postavila se. „Dobrou noc, maličká," rozloučila jsem se s ní a vykradla se z pokoje.

Když jsem sešla dolů s telefonem v ruce, zaslechla jsem televizi. Poppy ji z nějakého důvodu celý týden pouštěla moc hlasitě. Tušila jsem, že mě chce naštvat. Že chce, abych přestala uklízet v kuchyni, vařit nebo ťukat do počítače.

Zkontrolovala jsem koutkem oka obrazovku. Zřejmě *Hollyoaks*. Dovolila jsem jí sledovat seriál, když jsem dávala Avu spát.

Z mojí strany to byl kompromis, nebyla jsem si jistá, jestli je to pro ni vhodné, ale potřebovala jsem jí ukázat, že už si může sama vybrat, co chce sledovat, když už je jednou starší sestra.

Když jsem vešla, posunula se do nejzazšího rohu pohovky a ignorovala mě.

Dobře, to mi nevadí. Byla jsem příliš unavená. Půjdu brzo spát, jen musím vyřídit pár e-mailů, na které jsem dneska nestihla odpovědět. A hlavně si musím nachystat něco k jídlu.

„Zavoláme mámě?" Ve vzduchu visela jasná výzva. Zkoušela, jestli dodržím slovo.

„Ava už spí. Nenecháme to na ráno, abyste ji slyšely obě?"

„Ava je malá. Musím mluvit s Alicí." Poppy vyskočila z pohovky, zvedla vzdorně bradu a postavila se přímo naproti mně.

Neměla jsem na to sílu. Vytočila jsem Alicino číslo a čekala jsem, co se bude dít. Telefon vyzváněl a Poppy s očekáváním hleděla na displej.

Prosím, zvedni to! Alice, prosím!

Vyzváněcí tón najednou spadl do hlasové schránky.

„Možná už šla spát," řekla jsem opatrně a připadala jsem si provinile. Možná jsem to mohla trochu líp naplánovat. „Je tam něco po půlnoci. Zkusíme to ráno." Pokusila jsem se Poppy obejmout, ale ona se kolem mě protáhla se zaťatými pěstmi.

Sledovala jsem, jak sebou mrskla na pohovku a znovu zapnula televizi. Připomínala mi pichlavého a nepřístupného ježka. Dala jsem jí prostor. Dostane se z toho. Teď se musím najíst.

Hlady a únavou už jsem se skoro potácela. Dneska jsem se ani na minutu nezastavila. Položila jsem toust se sýrem na rozehřátý gril a čekala jsem, až se začne rozpouštět. Tušila jsem, že se mi pomalu vracejí špatné návyky. První týden a už jsem místo oběda pracovala. Povzdechla jsem si a nasála linoucí se vůni. Perfektní rychlá večeře. Toust se sýrem a pomazánkou Marmite.

„Mohla bych prosím taky jeden dostat?"

Ztuhla jsem a otočila se. Poppy stála vedle mě s bledým obličejem.

„Samozřejmě. Máš hlad?"

„V družině dávají porce jako pro malé děti. Maličký párek a lžičku fazolí."

„Měla jsi jim říct, že máš ještě hlad. Přidali by ti."

Pokrčila rameny.

Její gesto bylo v tuhle chvíli nejblíž omluvě.

„Vezmi si tenhle, já si udělám další. Nebo chceš dva?"

Poppy přikývla.

První toust jsme snědly vestoje. Nic na světě nepřekoná kombinaci pečiva, sýru a Marmite. Poppy se na mě s plnou pusou usmála. Pak mi hlasitě zakručelo v břiše.

„Pardon. Nestihla jsem oběd."

Poppy na mě vyvalila oči. „Musíš mít hrozný hlad." Podívala se do dlaně na zbytek toustu a pak se kousla do jazyku. „Chceš i tenhle?"

„Ne, dojez to. Udělám si jiný." Strčila jsem si do pusy zbytek svojí porce. „Můžeš mi pomoct nakrájet sýr."

„Měla by sis brát oběd s sebou do práce," řekla Poppy. „Není zdravý, když přes den nic nejíš. Budeš zase strašně hubená."

Překvapeně jsem se na ni podívala. Poppy zněla, jako by o mě měla strach.

„Máš pravdu." Až na to, že ráno tady ještě pořád býval chaos. Nehledě na to, jak moc jsem se na odchod připravovala nebo jak brzy se mi podařilo vstát. Ava byla neuvěřitelně pomalá, když se jí něco nechtělo. Jako vylézt z postele nebo se oblékat. Mohla jsem na ni zkusit jakoukoliv taktiku, ale stejně jsem ji musela popohánět a pořád ji upozorňovat, co má udělat. Už ani Hilda si s ní nevěděla rady.

Připravily jsme si další toust a pak jsme se posadily před televizi a pustily se do té královské bašty.

„Claire?" Poppyin hlas naznačoval, že má na jazyku důležitou otázku.

„Ano?"

„Máma už je pryč strašně dlouho."

Ztuhla jsem, ale snažila jsem se to maskovat.

„Je, snad tu cestu brzy opraví a ona se dostane domů." *Bože, nenáviděla jsem se za to, že jí musím lhát. Zatracená Alice!*

„Ve škole mají obavy."

„Vážně?" Snažila jsem se znít přirozeně. To jsme se dostaly na tenký led. Doufala jsem, že když budu zvládat úkoly, papírování, odpovědi na poznámky, podpisy zápisků a placení výletů a obědů, nikdo si nevšimne, že Alice zmizela. I když musím uznat, že jsem se už párkrát uprostřed noci probudila, protože se mi zdálo o titulcích ve stylu *Bezcitná matka opustila své dvě děti a rozhodla se žít v luxusním indickém letovisku.*

„Myslíš si..." Odmlčela se a podívala se na mě zastřeným pohledem. Něco ji trápilo. „Myslíš si, že se vrátí domů?"

„Samozřejmě že se vrátí," řekla jsem a srdce mi spadlo až do kalhot. „Stoprocentně."

Poppy pokrčila rameny a upřeně na mě hleděla. Pak si začala kousat nehet na palci. Během posledních pár dní jsem si toho zlozvyku u ní všímala čím dál častěji. „Co by se stalo... kdyby... kdybys už nechtěla, abychom tady s Avou zůstaly?"

„Poppy," rychle jsem ji objala, „co je to za hloupost? Samozřejmě že dokud bude máma pryč, zůstanete se mnou."

„George Dawkins ve škole říkal, že budeme muset do děcáku." Uvědomila jsem si, že když jsme se posadily, pomalu se ke mně přibližovala. Teď už jsme se skoro dotýkaly stehny.

„George Dawkins si může trhnout nohou. Vy dvě beze mě nikam nepůjdete."

Poppy se usmála.

„Ty," řekla jsem rádoby bez slz, „zůstaneš tady se mnou." Objala jsem ji kolem ramen a přitáhla si ji k sobě. Chudinka. Oběma se život převrátil naruby. Zvládaly to výborně. Já a Alice jsme každá měla úplně odlišný pohled na svět. Najednou mi všechno dávalo smysl. Poppy potřebovala ujistit, že je v bezpečí. A že to tak zůstane. Posadila jsem si ji na klín a objala ji. „Zůstanete tady, dokud se máma nevrátí."

„Slibuješ?" Její hlas vycházel odněkud z mého hrudníku, kam si schovala obličej.

„Slibuju." Hladila jsem ji po vlasech a snažila se ji uklidnit. Napjaté tělíčko se mi v náruči začalo pomalu uvolňovat.

26

Ava si ráno odmítala vyčistit zuby a z jejího pracně zapleteného copu už teď vyklouzávaly neposedné pramínky. Zkoušely jsme Alici zavolat už dvakrát, ale bezvýsledně. Čas neúprosně ubíhal. Pokud jsem chtěla stihnout vlak do práce, musely jsme během deseti minut vyjít z domu. Ava moje důvody, proč s mámou ráno nemůže mluvit, vzala celkem logicky. Poppy zmizela v kuchyni a neřekla ani slovo.

„Avo, do koupelny, hned!" zavelela jsem. „Za pět minut odcházíme. Jestli nebudeš připravená…" Upřela na mě velké modré oči a čekala, jakou planou výhrůžku si vymyslím tentokrát.

„Musím uklidit panenky do postele. Jsou moc unavené."

To i já. Ava se mi o půlnoci objevila v posteli a jako přesně mířená střela mi skočila na záda. Jedna z nás okamžitě usnula, ta druhá celou noc probděla. Byla jsem úplně vyřízená. Tohle byl jasný důkaz toho, jak odlišné ty dvě byly. Ava neuměla svůj neklid vyjádřit jako její sestra. V mnoha ohledech však byl její pohled na svět jednodušší.

„Můžou se vyspat, když budeš ve škole. Do koupelny!" Ukázala jsem na dveře s mléčnou skleněnou výplní a mezi zuby jsem drtila francouzské slovíčko, kterým se nás s Alicí táta vždycky snažil dostat do auta. *Immédiatement*. Sledovala jsem její mizející záda a rychle jsem se vydala do své ložnice, kde jsem popadla tenisky, které budu potřebovat na cestu od školy k nádraží, a seběhla do kuchyně. Ráno jsme hrály o každou minutu, ale s trochou námahy jsme mířily ke každodenní rutině. Dnešek byl důležitý. Večer měla proběhnout schůzka dobrovolníků v kavárně. Hilda se nabídla, že ve čtvrt na čtyři vyzvedne holky ze školy, takže nemusely do družiny.

Aspoň na Poppy jsem se mohla spolehnout, že bude připravená. Seděla u stolu ve školní uniformě, tašku u nohou… A s podivnou plastovou krabičkou v dlaních. „Udělala jsem ti oběd.“

Zarazila jsem se a hleděla na krabičku. Najednou mi vytryskly slzy. „Ach, Poppy!“

Vzala jsem si oběd, utřela si oči a snažila se zaměřit na její tvář. Poppy zvedla bradu a čekala, co udělám. Objala jsem ji jednou paží a užívala si teplo jejího křehkého těla. „Děkuju.“ Popotáhla jsem. „To jsi nemusela. To já bych se měla starat o tebe.“

„Je to jen toust se sýrem, ale přidala jsem tam Twix, jablko a cherry rajčátka.“ Opatrně se na mě podívala, jako by si pořád nebyla jistá mojí reakcí.

„Jsi zlato, Poppy Harrisonová.“ Dala jsem jí pořádnou pusu na čelo. „To je ta nejhezčí věc, jakou pro mě v poslední době někdo udělal.“ Odmlčela jsem se. „Mrzí mě, že jsme se nedovolaly mámě. Zkusíme to jindy.“ Už jsem jí poslala výhružnou zprávu, že holky čekají na její odpověď.

„V pohodě,“ prohodila a sledovala špičky svých bot. „Už je Ava hotová?“

„To doufám.“ Sebrala jsem tašku s laptopem a lodičkama, kabelku a vydala jsem se ke dveřím. Cestou jsem z věšáku sundala Avin kabát.

„Avo, odcházíme!" O vteřinu později už se řítila ze schodů, bílé podkolenky srolované u kotníků a vlasy rozcuchané na všechny strany. Někdy mě napadlo, že by se mohla postavit jako strašák na pole.

„Dobře, nezapomeňte, že dneska vás hned po škole vyzvedne Hilda."

„My víme. A večer je ta důležitá schůzka."

„Na kterou můžeme i my." Ava kolem mě začala vesele tancovat, když jsem kontrolovala, jestli máme věci na tělocvik, knížky do knihovny, obědy a lahve s vodou.

„A můžeme ti pomoct," dodala Poppy s přikývnutím. Někdy se chovala jako úřednice.

„Můžete jít se mnou," souhlasila jsem, i když jsem měla trochu strach, že se Ava dostane pozdě do postele a že místo pomoci s ní spíš bude spousta práce navíc. Schůzky se účastnila i Hilda, která teď měla po finančním daru na organizaci běhu větší vliv, a nebylo by fér po ní chtít, aby holky hlídala. Poppy jsme svěřili zapisování poznámek. Věděla jsem, že se svého úkolu ujme s pečlivostí sobě vlastní.

„Kdy u nás bude Hilda spát?"

„V pátek. Zítra." *Bože, už zítra! Zítra je pátek!*

„Protože máš rande s Ashem," řekla Poppy.

„Je to jen večeře," opravila jsem ji klidně, i když uvnitř mě všechno vřelo. Jaké to asi bude, vidět se jen s ním, v restauraci, na schůzce? Po tom všem.

„Ale Hilda tady bude celou noc." Z jejího výrazu jsem vyčetla jasné podezření.

„Ano, ale jen pro případ, že se zdržíme. Může jít spát, kdy bude chtít. Nemusí na nás čekat."

„Ty tady ale budeš spát taky, že jo?" trvala na svém Poppy a znovu se mi pátravě podívala do tváře.

„Samozřejmě, budu spát doma." Doufám, že nepřijdu domů rovnou z restaurace.

Zbytek dne proběhl neuvěřitelnou rychlostí. V práci jsem toho měla hodně a musela jsem skončit dřív. I když ve mně narůstala nervozita, moc jsem se na večer těšila. Dnešní schůzku jsme nazvali druhou fází, tento krok nás přiblížil k realizaci běhu. Od chvíle, kdy jsem fascinovaně uběhla parkrun v Tringu, se uskutečnění běhu v Churchstonu stalo mojí osobní misí. Každý týden měl pro mě nový smysl. I když jsem měla pořád na starost holky, svoji práci, Hildu i slibně se vyvíjející vztah s Ashem, parkrun pro mě byl prioritou. Když jsme se všichni, včetně Billa, večer shromáždili u dveří, nadšení bylo skoro až hmatatelné.

„Máme všechno?" zeptala jsem se a rozhlédla se po svých pomocnících. Poppy přikývla a sevřela v náruči poznámkové bloky a tužky, které jsem přinesla z práce. Možná jsem byla příliš optimistická, když jsem předpokládala, že se večer v kavárně ukáže aspoň dvacet lidí.

Ještě jednou jsem si zkontrolovala tašku. Mobil, diář, pero, lahev s vodou a výběr Aviných oblíbených pochoutek, kdyby se začala nudit.

„Jdeme na to."

„Nezapomeň zaklepat na Elaine," připomněla mi Ava, že musíme vyzvednout sousedku.

Jak bych mohla. Když jsem otevřela dveře, Elaine už na mě mávala ze své předzahrádky. Myslím, že tam stála připravená už dobrou půlhodinu. Když jsme se všichni vzájemně pozdravili, zahájila rozhovor s Hildou. Já jsem se připojila k Ashovi a po mém boku se držela Poppy, která se nechtěla hnout od Billa.

„Tak co?" zašeptal mi Ash do ucha hlubokým hlasem, „jak se máš? Jaký jsi měla týden? V práci je všechno v pořádku?"

„Bylo toho… dost."

Ash si mě zblízka prohlížel. „Moc?"

Povzdychla jsem si. Známý pocit, že se stane něco špatného, se mi během týdne podařilo několikrát zahnat. „Ale ne. Snažím se." A zase to jeho zvednuté obočí. „Holky jsou najedené, oblečené a daří se mi je do školy vodit včas. Teda většinou."

„Na to se neptám."

„Snažím se mít pod kontrolou svoje pocity, rozeznat, kdy jsem ve stresu. Odmítla jsem v práci projekt, který bych prostě nestihla dokončit."

„To rád slyším."

Pokrčila jsem rameny, nechtěla jsem mu zatím přiznat, že po návratu do práce už nemám pocit, že jsem nenahraditelná. Pocit, kvůli kterému jsem to kdysi všechno podstupovala.

„Trochu mě trápí holky. Hlavně Poppy. V družině se jí moc nelíbí. Nějaký hloupý spolužák jí řekl, že s Avou půjdou do dětského domova."

„To snad ne!"

„Já vím. Snažila jsem se ji ujistit, že se to nikdy nestane, ale z hlavy jsem jí to nevyhnala. Chudinka. Chápu, jak se asi musí cítit, když netuší, kdy se její máma vrátí domů. Ani já z toho nemůžu spát." Ash mi bez jediného slova povzbudivě stiskl dlaň. Ten zvláštní pocit, ujištění, že je tady pro mě, když budu potřebovat, mi málem vehnal slzy do očí. Odpověděla jsem mu stejným gestem. „Pomáhá mi, že se kolem mě děje i něco jiného než práce. Že se můžu soustředit třeba na ten běh. Každý den se něco děje, můžu díky tomu vypnout hlavu. Nevzpomněla jsem si na práci od té doby, co jsem z ní odešla. Radši přemýšlím o tom, co všechno je třeba udělat, abychom splnili náš cíl."

„Vím přesně, co tím myslíš. Místo stresu z toho, kdy se mi ozvou ohledně pohovoru, jsem se radši ponořil do parkrunu.

Vymyslel jsem, kam můžeme umístit cíl, jak budeme měřit a kde postavíme skenery. Párkrát jsem se spojil s Darrenem."

„Všechno to do sebe hezky zapadá." Znovu jsem mu stiskla ruku. „Chybí mi ranní běhání."

„Mně taky."

Zadívali jsme se vzájemně do očí a pohled mi pak sklouznul k jeho rtům. Ash se usmál, rozhlédl se kolem sebe a rychle mě políbil na dlaň. Příslib budoucích zážitků. I když jsme si tento týden vyměnili několik zpráv, nedokázali jsme si tím vynahradit každodenní kontakt, na který jsme byli zvyklí.

„Bojím se, že úplně ztratím kondici. Už mi to docela šlo." Po pár dnech jsem se dostala k pěti kilometrům. „Ale nemůžu holky ráno nechat doma samotné. A to už tak vstáváme v půl sedmé."

„Můžeme jít spolu v sobotu. Hildě určitě nebude vadit, když s nimi zůstane." Usmál se na mě. „Nebo se můžeš zeptat Elaine."

Hodila jsem po ní očima. „Nikdy nezavře pusu."

„Možná si nemá s kým povídat."

„Možná."

„Musí to být těžké, když je celý den doma sama." Pak se zamyslel a zahleděl se na cestu před námi.

„Nějaké novinky ohledně práce?"

„Možná budu něco vědět zítra."

„Dostal jsi nabídku?"

Ash se spokojeně usmál. „Víc ti řeknu zítra."

„Nenapínej mě tak," pronesla jsem nedočkavě.

„Máš se aspoň na co těšit. To už vydržíš," zamumlal. Pod tím tónem jsem si představila, co všechno mě možná čeká. Hormony o sobě zase dávaly vědět.

„Dobře." Moje chraplavá odpověď si vysloužila jeho pobavený pohled.

Na vteřinu jsme se zahleděli do očí, než nás vyrušila Ava.

„Budou mít v té kavárně dort? Saschin dort? Má dobrý dorty."

Ash se zasmál a chytil ji za ruku. „Ano, bude tam dort."

„Určitě?" ujistila se se zamračeným výrazem.

„Stoprocentně. Viděl jsem, jak Saschina sestra přivezla do kavárny cupcaky, když jsem před hodinou venčil Billa."

Ava nadšeně přikývla a radostně cupitala vedle nás. Za jednu ruku držela Ashe a druhou vklouzla do mojí dlaně. „Ashi, má Bill taky rád dorty?"

„Bill sežere všechno, ale dort by mu asi neudělal moc dobře."

„Proč?"

Naslouchala jsem, jak trpělivě vysvětluje dítěti psí trávicí systém, který je uzpůsobený na jinou stravu, takže mu čokoláda a ovoce můžou přivodit problémy. Ash byl často pěkný mrzout, ale k holkám byl neuvěřitelně trpělivý.

Park vypadal po setmění opuštěně. Vydali jsme se cestičkou do kavárny U Šťastného zrnka. Po cestě jsme potkali jen pár puberťáků na skateboardech a postarších obyvatel venčících psy. Houpačky na dětském hřišti a okolní lavičky už zely prázdnotou.

Světla kavárny zářila do tmy. Když jsme prošli prosklenými dveřmi, setkali jsme se s několika známými tvářemi. Byl tu Charles, Penny a Janie, Neil Blenkinsop, a dokonce i Karen a Dave z práce. Pohledem jsem klouzala po dalších přítomných, poznala jsem sestřičku od doktora Boultera, mladou dvojici bydlící naproti, muže, který každé ráno postával před nádražím, Grega, který rozvážel jídlo, a několik prodavaček z místního supermarketu. Přišlo i pár lidí, které jsem znala z vlaku – proplešatělý muž se zálibou v hnědých oblecích, vždy veselá žena s tím nejkrásnějším odstínem vlasů, jaký jsem kdy viděla, a další dvojice, kterou jsem odněkud znala, ale nikdy jsem s nimi nemluvila.

„Dobrý večer," řekla Sascha s přátelským úsměvem. „Máme plno."

Rozhlédla jsem se kolem sebe, bylo tady tak čtyřikrát víc lidí, než jsem předpokládala. A to ještě nebylo sedm hodin.

„Ještě že jsem se zásobila. Cupcaky mi budou stačit tak akorát." Kolem stolů byly rozmístěné malé stojánky s dortíky s krémovou, růžovou a světle modrou polevou. Sascha měla očividně mnohem lepší odhad než já.

Když odbila sedmá, kavárna byla narvaná k prasknutí. Vydala jsem se s Ashem a Hildou do přední části místnosti, odkud nás lidi nejlíp uslyší.

„Nemůžu uvěřit, kolik je tady lidí," zamumlala jsem Hildě do ucha.

„Musím přiznat, že mě to samotnou překvapilo," odpověděla tiše Hilda. „I když komunitní duch Churchstonu byl vždycky silný. Možná sem lidi přišli na dort. Každý je rád, když dostane něco zadarmo. Nebo za to může Sascha, má spoustu známých."

Účast byla úžasná. Na druhou stranu jsem měla strach, že sem všichni přišli spíš zjistit víc informací o běhu než se přihlásit k dobrovolničení.

Nevím proč, ale Hilda s Ashem se shodli na tom, že hlavním řečníkem budu já. S úlevou jsem si uvědomila, že zaujmout tenhle dav usměvavých lidí bude zřejmě mnohem jednodušší než přesvědčit o našem nápadu nevyzpytatelnou městskou radu. Penny mi na dálku ukázala dva zvednuté palce a Janie mi zamávala stejně jako muž po její pravici. Odhadovala jsem ho na jejího manžela, který nám zpracoval letáky. Úplně zadarmo. Přidala jsem si na pomyslný seznam další poděkování.

„Dobrý večer. V první řadě bychom vám všem chtěli poděkovat, že jste sem přišli."

Někdo zvedl nad hlavu cupcake, aby mi s ním naoko přiťuknul.

„Velké díky patří také Sasche, že nám poskytla svoje prostory, Mattovi za návrh letáků a Neilovi za podporu u městské rady. A pak taky Hildě," ukázala jsem na ni, „která vlastně s celým tím nápadem uspořádat parkrun v Churchstonu přišla. Děkujeme i místnímu běžeckému klubu Harriers za veškerou podporu. Díky štědrému daru, který jsme obdrželi od osoby z místní komunity, máme dostatek finančních prostředků, abychom se mohli pustit do organizace. Stále však zjišťujeme možnosti, jak se dostat ke grantům a další podpoře z místních zdrojů."

Vzadu se zvedla jedna ruka nad hlavy ostatních. „Provozuju obchod se sportovním vybavením na High Street a moc rád bych běh sponzoroval."

„To rádi slyšíme, děkujeme za podporu."

„Já taky." Další muž zvedl ruku. „Pictonovi, rodinná právnická firma na Church Street."

„Výborně." Nečekala jsem, že nám bude hned někdo nabízet finanční podporu, ale samozřejmě jsem to přivítala s nadšením. „Mohli byste za mnou prosím přijít po skončení schůzky? Prozatím musíme získat dostatek dobrovolníků. V celé Británii se koná přes sedm set parkrunů, do kterých se každý týden zapojuje patnáct tisíc dobrovolníků." Odmlčela jsem se a nechala ta čísla dopadnout na správné hlavy, přičemž jsem sledovala reakce přítomných. Naštěstí se nikdo z nich nezvedl a nedal se na úprk. Začátek bychom měli za sebou. „Abychom mohli běh pořádat každou sobotu, potřebujeme dvacet dobrovolníků. Nikdo z nich se samozřejmě nemusí zavázat na každý týden, takže při určité rotaci budeme ve výsledku potřebovat zhruba čtyřicet až padesát lidí. Proto vás prosím, zda byste zvážili možnost zapojit se do organizace stejně jako do běhu a zda byste rozšířili prosbu o pomoc mezi svoje příbuzné a známé. Některé dobrovolnické pozice umožňují účast na běhu, jiné jsou bohužel jen organizační. Sepsala jsem seznam úkolů, které budeme potřebovat každou sobotu pokrýt." Zvedla jsem tabulku, kterou nechal vyrobit Ash.

„Jedná se o vedoucího běhu, navaděče, měřiče času, skupinky operující v cílové části běhu a taky několik lidí, kteří se postarají o vytvoření a likvidaci tratě. Vím, že to zní jako velký závazek, ale v podstatě jde jen o pár hodin v sobotu ráno. Cílem je začít v devět, takže odpoledne už můžete mít sami pro sebe. Teď předám slovo Ashovi, který vám vysvětlí náplň některých pozic a co bychom vlastně očekávali."

Ash udělal krok vpřed a ujal se slova. Sledovala jsem jeho profil, jak mluvil, rukama gestikuloval a čas od času přešlapoval na místě. Vystupoval naprosto sebevědomě a svým charismatem si získával jednoho účastníka schůzky za druhým. Nemohla jsem z něj spustit oči. I když měl na sobě obyčejné modré tričko a džíny, při pohledu na něj se mi sbíhaly sliny. Ano, Ash byl zpátky v celé své kráse, mnohem víc sexy než dřív.

Soustřeď se, Claire! Přiměla jsem se naslouchat tomu, co říká, než přemítat o tom, že bych z něj nejradši strhla tričko a jak mu džíny obepínají zadek.

Už jsme se domluvili, že prvních pár měsíců se budeme v organizaci běhu střídat, takže se pozice vedoucího parkrunu rozdělí mezi mě, Ashe a Charlese. Po setkání s organizátorem běhu v Tringu jsme pevně věřili, že postupem času se pozice ujme někdo z oddaných dobrovolníků. Právě vedoucí parkrunu zastával spoustu činností – naplánovaní trati, schůzky a tréninky s dalšími dobrovolníky, zajištění bezpečnosti, zdravotnický dohled a přístupnost terénu všem účastníkům. Info balíček, který přišel z ústředí vedení parkrunů, byl sám o sobě dost zajímavým počtením.

Když Ash dokončil svůj proslov, znovu jsem se ujala slova, poděkovala všem příchozím a vyzvala je, aby do připravené tabulky vyplnili kontaktní údaje a zadali, zda mají zájem o běh nebo jeho organizaci. Pokud měl někdo z nich zájem o určitou pozici, mohl uvést svoje údaje přímo vedle dané činnosti.

Sousedka Elaine se překvapivě rychle zvedla a byla s tím hotová jako první. Vedle ní se postavily další dvě ženy.

„Dobrá práce, Claire. Jsi rodilá řečnice. Jsem ohromená. Tohle je Marsha, učila matematiku na střední škole v Churchstonu. Neviděly jsme se roky. A tohle je Wendy, bývalá vědecká pracovnice v laboratoři. Všechny jsme už v důchodu."

„Dobrý den," řekla jsem jim, trochu zahlcená informacemi, které na mě Elaine vychrlila.

„Rozhodly jsme se, že bychom se rády přidaly k dobrovolníkům, měly bychom zájem o měření času," ohlásila mi Wendy. „Aspoň budeme mít v sobotu ráno co dělat. Kdysi jsme se spolu ve škole moc nasmály. Organizovaly jsme kvízy a další zajímavé aktivity. Nechápu, proč jsme najednou přerušily kontakt. A pak se potkáme tady. Najednou jako by všechny ty roky, kdy jsme se neviděly, úplně zmizely."

„Vůbec bych neřekla, že už je to pět let, co jsme odešly do důchodu," dodala Marsha. „I když jsem ještě dalších pět měsíců věděla, kdy přesně zvoní na přestávku."

„To já taky. Čas plyne tak pomalu, když je člověk sám doma." Přidala se Elaine, letargie jí zastřela pohled. „Řeším jen to, kdy si naliju víno."

„Přesně. Takhle se aspoň můžeme vídat na čerstvém vzduchu."

„A navíc každý týden. Sascha má vynikající kávu. Po ranním běhu si tu můžeme sednout a všechno probrat." Marsha se celá rozzářila. „Nemůžu se dočkat. Kdy s tím můžeme začít?"

Ty tři byly neuvěřitelně upovídané. A taky, jak jsem si při pohledu na Elaine se smutkem uvědomila, dost osamělé. Připadala jsem si provinile, že jsem ji tak dlouho ignorovala a vyhýbala se kontaktu. Teď mi bylo jasné, že kdysi měla taky pestrý život a důležitou práci a pro místní komunitu něco znamenala. Měla bych se stydět. Odteď budu mnohem lepší sousedka. Ty tři se mezitím pustily do rozhovoru a vůbec si nevšimly, že jsem se na chvilku ztratila v myšlenkách.

„Děkujeme vám, dámy. Brzy se vám ozveme. Máte WhatsApp?" Už mě několikrát napadlo, že přes tento kanál bude konverzace nejjednodušší.

Všechny přikývly a dál pokračovaly ve štěbetání jako hejno vlaštovek. Prodrala jsem se plnou místností a sledovala jsem, jak se mezi lidmi přirozeně vytvořily skupinky. Spokojeně jsem pročítala tabulku pomalu se plnící kontaktními údaji. Hilda, která se v rohu bavila se třemi muži a dvěma dost povědomými dámami, se ohlédla mým směrem a přivolala mě k sobě.

„Claire, pojď se seznámit s Bertem, Georgem a Harrym. Kdysi spolu vedli obchod s koly. A Georgina s Grace, obě pracují v Sainsbury, ale volný čas jsou ochotné věnovat našemu parkrunu." Zapojila jsem se do hovoru, když mě po pár minutách odtáhla Penny k dalším dvěma mužům.

„Tohle je Edward Comely, Saschin otec, a jeho soused, Adam Fullbanks." Adama jsem už zaznamenala, byl to ten muž, který vlastnil obchod se sportovním vybavením a nabízel nám sponzorský dar.

„Překvapivý zájem, že? To moc rád vidím," řekl Edward. „Výborná organizace. Slyšel jsem, že pracujete pro Cunningham, Wilding a Taylor. Jsou špička ve svém oboru." Podíval se na Karen a Dava, kteří seděli u stolu po pravé straně. Dave na nás přátelsky zamával.

„O tom nic nevím," prohlásila jsem skromně. Edward se naklonil a prohlížel si mě přimhouřenýma očima.

„Nám se vždycky kvalitní lidi hodí, kdybyste chtěla změnit ovzduší."

Zamračila jsem se a přemýšlela, co o něm vím. „Děláte účetnictví?" Vzpomněla jsem si, co mi o něm Sascha říkala.

Zasmál se. „Něco na ten způsob. Pracuju pro firmu Comely a Mitchell. Máme několik kanceláří v okolí, ale hlavní ústředí máme v Churchstonu."

„Omlouvám se, samozřejmě jsem o vás už slyšela." Jeho firma měla pobočky ve všech větších městech a taky pověst spolehlivé společnosti.

„Co kdybyste se u nás někdy zastavila a dala si se mnou kávu?" navrhl mi s vážným výrazem. Ten muž si šel jasně za svým cílem. Už jsem věděla, po kom Sascha je.

Usmála jsem se na něj a záměrně jsem nemluvila o tom, jestli mám v plánu opustit CWT. „To je výborný nápad."

Pak jsem se otočila na Adama Fullbankse. „Děkuji, budeme rádi za každý sponzorský dar. Máte už nějakou představu?"

„Myslím, že nám byla naše spolupráce souzená. Bude to výhodné pro obě strany. Jsme jediným místem v okolí, kde může zákazník získat kvalitní informace a rady ohledně běžeckých bot. Napadlo mě, že bych nabídl desetiprocentní slevu každému, kdo v prodejně ukáže kód z běhu, stejnou slevu nabízím i členům Harriers. S radostí přispěju na ampliony, které k závodu potřebujete."

„Vy už jste někdy parkrun běžel?"

„Několikrát. Nejčastěji ten v Harrogatu. Soboty bohužel bývají v obchodě nejvytíženější, ale když se mi podaří se trhnout, rád si někde zaběhám. Loni jsem na dovolené stihl Poole a Edinburgh. Pokud budu mít parkrun hned pod nosem, budu se snažit přijít co nejčastěji. Taky vám můžu pomoct s postavením tratě, ale to je tak asi všechno."

„Každá pomocná ruka se nám hodí."

„Já nejsem běžec," prohlásil Edward, „ale pomůžu rád. Sascha si určitě poradí sama, ale pokud se to tady každý týden promění v meeting point, rád pomůžu v kavárně."

Zasmála jsem se. „Vzhledem k lokalitě a Saschině dosavadní podpoře je to podle mě jasná věc." V tu chvíli, jako by tušila, že o ní mluvíme, zvedla Sascha hlavu a mávnutím nás pozdravila. Občerstvení pomalu mizelo z talířků a já jsem s radostí sledovala, že si většina účastníků koupila něco k pití. Janie měla pravdu, Saschina ochota se jí určitě bohatě vyplatí.

Domluvili jsme se s Adamem, že na příštím setkání probereme detaily naší spolupráce, a vydala jsem se najít holky. Vystopovat Avu nebylo těžké, dojídala zbytky cupcaků na stolech. Nadšením jí úplně hořely tváře. „Bude tě bolet břicho."

„Asi jsem se přejedla, teto Claire." Posadila jsem si ji na klín a doufala jsem, že se mi nepozvrací do výstřihu.

„Měla jsem tě líp hlídat."

„Ale byly moc dobrý."

„Kolik jsi jich měla?" Kousla jsem se do rtu. Vážně jsem si jí měla víc všímat.

„Jen dva… možná tři." Když jsem překvapeně zvedla obočí, Ava ke mně natáhla pěstičku a rozevřela dlaň. „Nebo pět."

Její snaha o počty byla tak roztomilá. Znovu jsem to tělíčko vší silou objala. Tolik cukru by obrátilo žaludek naruby i mně. Zabořila jsem hlavu do jejích vlásků a nadechla se. Znovu mě zaplavila mateřská láska.

Po mém boku se objevila Hilda jako chůva Mary Poppins a v závěsu za ní šla Poppy. „Avě není dobře," řekla jsem. „Bolí ji bříško. To bude z toho cukru."

Poppy zamumlala něco ve smyslu, že jí to patří.

Přísně jsem se na ni podívala a ona se sladce usmála. „Líbí se mi tady. Připomíná mi to místo, kam nás děda bere na zmrzlinu ve Valley Gardens.“

„Nemluv o zmrzlině,“ zakňučela Ava.

„Už je dost pozdě,“ řekla Hilda a pohladila Avu po tváři. „Není bledá, to bude v pořádku. Pojď, čerstvý vzduch ti pomůže. Vezmu je na chvilku ven, je tady na padnutí.“

Hilda si většinou na nic nestěžovala, ale když jsem k ní zvedla oči, uvědomila jsem si, že její pohled postrádá obvyklou jiskru. Díky její neutuchající energii člověk snadno zapomene, že není nejmladší. „Zřejmě bychom to tady mohli zabalit. Mám pocit, že už jsem mluvila se všemi.“

„Taky si myslím. Na seznam dobrovolníků se zapsala spousta lidí.“ Hilda se na chviličku probrala, ale byla viditelně unavená. Je čas jít domů. Zachytila jsem Ashův starostlivý pohled a nenápadně jsem kývla k Avě a Poppy. Ash všechno rychle pochopil a ukončil probíhající konverzaci.

„Pořád nemůžu uvěřit tomu, kolik přišlo lidí.“ Ash se objevil vedle mě. Pohledem jsem přelítla po místnosti. Na okamžik jsem ucítila vděčnost a radost z toho, kolik lidí se rozhodlo věnovat svůj čas místní komunitě. Pocit k nezaplacení.

„Teď už můžu s klidem říct, že se nám to podaří, Hildo.“

„Samozřejmě že podaří. Copak jsme o tom nebyli hned přesvědčení?“

27

Poppy sebou hodila na postel, až peřiny zašustily.

„Ash je teď tvůj kluk?" zeptala se a sledovala mě v odrazu zrcadla, jak se snažím nalíčit.

„Jsme kamarádi," řekla jsem a schválně jsem se rozhodla odpovídat co nejstručněji a tím nejlhostejnějším tónem. Nechtěla jsem se nechat rozhodit desetiletou holkou.

„Proč teda jdete na večeři?"

To je přece jasné! „Aby mi poděkoval. Pomohla jsem mu s hledáním práce. A po včerejší schůzce musíme probrat spoustu informací týkajících se parkrunu."

Měla jsem z toho moc dobrý pocit. Když jsem včera spočítala všechny dobrovolníky, měli jsme k dispozici přes čtyřicet lidí.

Poppy se bohužel nenechala tak lehce odradit. Viděla jsem na ní, jak zvažuje další větu.

„Má tě rád," řekla s náznakem výčitky.

„Má rád Hildu." Pokračovala jsem v líčení a odmítala jsem čelit jejímu upřenému pohledu. „Má rád tebe a taky Avu."

„Víš, jak to myslím. Zírá na tebe, když si myslí, že se nikdo jiný nedívá. Tobě se nelíbí?"

„Je to můj kamarád. A samozřejmě, že se mi líbí."

Poppy vydechla a kopla nohama do vzduchu. „Nejsem malá. Vím, jak to chodí. Už jsme o tom měli ve škole přednášku. Vím, co je to sex."

Co jí na to mám říct? Pravdu, že už se nemůžu dočkat, až na to skočíme? Z nějakého důvodu mi přišlo nevhodné souhlasit s desetiletou holkou, že na nic jiného posledních několik dní nemyslím.

„To je dobře, že to víš, ale s Ashem jdu jen na večeři," řekla jsem klidným hlasem.

„Máma taky někoho má."

„Fakt?" Otočila jsem se k Poppy zvědavě.

„Jo, jmenuje se Jonathon. Tak divně smrdí. Cvičili spolu jógu a pořád si s ním něco psala."

Jon, Jonathon. Začínalo mi to do sebe zapadat. *Nebyl to ten chlap, co ji pozval do Indie?*

Sledovala jsem, jak se Poppy zvedla z postele a odešla z mojí ložnice. Jen co zmizela, rychle jsem otevřela zásuvku se spodním prádlem. Černý krajkový set už tam čekal v pohotovosti. Koupila jsem si ho hned v neděli, když jsem opustila Ashův byt. Znovu jsem se ohlédla, vytáhla krajku na světlo a šuplík zase zavřela. Od té doby, co mi Poppy nachystala první krabičku s obědem – teď už mi oběd chystala každý den –, se vedle mě zjevovala jako duch bez varování.

Jemná látka mi zašustila kolem uší a sesunula se přesně tam, kam měla. Prádlo mi padlo jako ulité a znovu mi připomnělo, že si můžu v následujících dvanácti hodinách dělat to, co se mi zachce. Hilda tady zůstane přes noc, takže jsem vlastně neměla kam spěchat. Do té doby jsem se nemusela starat o nic jiného než sama o sebe. O svoje pocity a potěšení.

Prohlédla jsem se v zrcadle. *Takhle se teď cítila Alice?* Kousla jsem se do rtu a uvědomila si, jak náročné pro ni musely uplynulé roky být. Ještě pořád jsem jí neodpustila, ale na chviličku jsem jí už rozuměla.

Nebudu se teď ale kvůli ní cítit provinile.

Dnešek byl můj. Měla jsem pocit, jako bych do tohohle časového úseku musela nacpat všechno, co jen půjde.

Čímž myslím sex. Sex s Ashwinem Lagharim. Který byl, což jsem zjistila teprve v uplynulých čtyřiadvaceti hodinách, mistrem dráždivých zpráv.

S rozechvěným očekáváním jsem sundala z ramínka černé minišaty, které jsem si objednala online a nechala si je poslat do kanceláře. Chtěla jsem se obléknout stejně jako na naše první rande, ale oblečení mi teď bylo bohužel velké. Váha, kterou jsem kvůli stresu shodila, už byla zpátky. Běháním se mi však zformovala postava a cítila jsem se mnohem líp.

Ash měl přivézt Hildu v půl osmé. Podívala jsem se na hodinky. *Proboha, už mám jen šest minut!* Hejno motýlů zavířilo mým břichem. Málem jsem zalapala po dechu, jak jsem se najednou nemohla dočkat.

„Jak probíhal ten pohovor?"

Ashovy oči se spokojeně rozzářily. „Vydržela jsi to…," podíval se na hodinky, „celých šestnáct minut a devět vteřin."

„Nebo taky můžu předstírat, že mě to vůbec nezajímá," řekla jsem a znovu to mezi námi zajiskřilo. Byli jsme zpátky na prvním rande, kde jsme se oťukávali a navzájem si se sebou pohrávali. Při té vzpomínce jsem se musela zasmát.

Seděli jsme u stejného stolu. To určitě nebyla náhoda. Číšník už si převzal naši objednávku a přinesl lahev kvalitního chablisu. Ash si na tuhle příležitost oblékl tmavě šedou košili a černé kalhoty, přesný opak neformálního outfitu, který měl na sobě minule. Jako by se tentokrát opravdu snažil.

Nervózně jsem urovnávala příbory a snažila se vyhnout jeho pohledu. Jako by ale ticho mezi námi narůstalo. Po několika minutách jsem zvedla hlavu. Uspokojení v jeho očích sílilo, už zase vypadal jako tygr na lovu.

„Tu práci jsi dostal."

Lehce přikývnul, pozvedl skleničku k přípitku a usmál se na mě. „Dostal jsem nabídku. Oficiální e-mail přišel dneska ráno."

„Kývneš na to, nebo půjdeš na ten druhý pohovor?"

Ash se zamračil. Vypadal, že nad tím ještě pořád přemýšlí, a na chvilku se odmlčel. „Nikdy jsem moc nedal na první dojem, ale myslím, že bych tu práci měl vzít. Ten člověk, který vedl pohovor, se mi moc líbil. Mají výbornou firemní kulturu a nabízejí spoustu benefitů. Prostě mi přišlo, že tam patřím."

„Neříká se náhodou, že první dojem je náš šestý smysl?"

„Ty bys vzala práci jen na základě chvilkového rozpoložení?"

„Těžko říct. Pracuju pro stejnou firmu už deset let. Neumím si ani představit, že bych šla někam jinam." Nikdy jsem nad tím nepřemýšlela, ale musím uznat, že myšlenka na změnu kariéry mě už několikrát napadla. Už jsem se ráno nebudila celá nesvá, kdy už zase konečně můžu zasednout k počítači. Soustředila jsem se na povýšení, nic jiného mě nezajímalo. I když mě poslali na měsíc domů, pořád jsem měla jasný cíl dát se dohromady. Ash vypadal nadšeně a vyloženě se na nové pracovní dobrodružství těšil. Trochu jsem mu ten pocit záviděla.

„Opravdu se mi to tam líbilo. Funguje to tam úplně jinak než v mojí bývalé práci, kde každý hrál jen sám za sebe. Tady to skoro vypadalo, jako by všichni byli jedna velká rodina. Jako by se měli všichni rádi. Potkal jsem lidi z vedení, nikdo z nich nevypadal, že chce někomu kvůli kariéře podrazit nohy."

„Možná to jen předstírali."

Ash zakroutil hlavou. „To si nemyslím. Prostě v tom bylo něco víc. Nějaké poslání."

„Stejně si myslím, že bys měl jít na ten druhý pohovor. Jen aby ses ujistil."

„Mám pocit, že bych do toho měl jít po hlavě, měl bych naslouchat vnitřnímu hlasu."

„Změnil ses."

„Myslíš? Ztráta zaměstnání mě donutila se nad spoustou věcí zamyslet. Včetně vztahů s ostatními lidmi. Nikdy jsem takové věci moc neřešil."

„Aha." Jeho slova mě znervóznila.

„Myslím to tak, že vztahy pro mě nebyly tou největší prioritou. Měl jsem na ně vyhrazený určitý čas. A to holky vždycky odradilo. Ty jsi byla za dlouhou dobu jediná, kdo tomu rozuměl a nerozčílil se, že na tebe nemám další dva týdny čas."

„Protože jsem měla sama spoustu práce. Teď, se dvěma holkama na krku, taky nejsem zrovna velká výhra."

Ash se natáhl a pohladil mě po dlani. „Já vím, ale to není navždycky, ne? Jednou zase budeš mít čas jen pro sebe. A pak ho budeme moct trávit spolu." Pousmál se. „I když mám pocit, že stejně budeme mít na krku Hildu."

„Co bychom bez ní dělali, prosím tě?" zastala jsem se jí.

„Já bych se pořád choval jako hysterická troska, litoval bych se a zřejmě bych se upil k smrti. Nikdy nezapomenu na ten první běh, na který mě vytáhla. Na konci jsem se pozvracel a ona mi vynadala, jak jsem mohl svoje tělo dovést do takového stavu. Že nemám žádnou kondici a vypadám hrozně. Je to chytrá dáma. Soustředila se na moji fyzickou stránku, dobře věděla, že jedině tak pomůžu i hlavě."

„To samé udělala i se mnou. Naslouchala a opatrně mě naváděla, abych našla sama sebe." V tu chvíli se u stolu objevil číšník se dvěma talíři. Linguine s mořskými plody pro mě a špagety carbonara pro Ashe. „Voní to nádherně."

„Vážně si nedáš dezert?" zeptal se Ash, když číšník odnesl prázdné talíře, a sledoval mě s výrazem plným očekávání. Oba jsme věděli, že na nás čeká dezert úplně jiného druhu. Napětí mezi námi rostlo od chvíle, kdy jsme se domluvili, že spolu půjdeme na večeři. Teď jsme museli souhlasit, že se čekání vyplatilo. Nikam jsme nespěchali, cíl byl v nedohlednu a na trati žádná překážka. Oba jsme se nemohli dočkat.

„Nechci," zamumlala jsem, když propletl prsty s mými. „Máme Hildě za co děkovat." Představila jsem si ji zachumlanou v posteli v pokoji pro hosty, který ještě před pár týdny sdílela Ava s Poppy.

„Za spoustu věcí," souhlasil Ash.

„Ráda bych pro ni něco udělala. Přemýšlela jsem, že bych ji v létě pozvala na pár dní někam k moři se mnou a s holkama."

„Myslíš, že v létě budou pořád bydlet u tebe?"

„I kdyby nebydlely, chtěla bych jim udělat hezké prázdniny. Zvykla jsem si na ně." Snažila jsem se, aby to znělo vesele, ale jen z pomyšlení, že v domě zůstanu sama, mi bylo úzko.

„To je výborný nápad," prohlásil Ash tiše. Palcem mi přejížděl po vnitřní straně dlaně. „Když pozveš Hildu, budeš tam mít ještě jedno místo?"

„Ty bys s náma chtěl jet na dovolenou?" Usmála jsem se.

„Fakt?" Před několika týdny bych určitě nečekala, že by sofistikovaný Ashwin Laghari dobrovolně strávil týden s kyblíkem a lopatkou na pláži s dvěma malými dětmi a postarší paní. Ale časy se mění.

„Proč ne? Mám holky rád. I Hildu. Teď ještě víc, když jsem konečně uvěřil, že kdysi pracovala jako mezinárodní špionka. A ty taky celkem ujdeš.“

„Dík.“ Ocenila jsem jeho kompliment s úšklebkem. „Ale co tvoji kamarádi? Nemáš někoho, s kým bys chtěl v létě někam vyrazit?“

„Nikdo, s kým bych chtěl strávit čas radši než s tebou.“

Ash pohodil hlavou a prohrábnul si vlasy, což mě přinutilo k úsměvu. Opravdu se mi líbil víc s odrostlými vlasy, zjemňovaly ostré rysy jeho tváře.

Začínala jsem si v duchu naše letní dobrodružství představovat.

„Kam bys chtěl jet? Do Devonu? Cornwallu?“

„Neznám to tam ani tam. Nechám to na tobě. Prostě odnesu kufry tam, kam budeš chtít. Jen si budeme muset půjčit větší auto. A taky s sebou musím vzít Billa.“

Podobné věty z jeho úst zněly dost zvláštně. „Vůbec nezníš jako Ashwin Laghari, obchodník se zbraněmi.“

Ušklíbnul se. „Bude to rozhodně lepší než dělat Hildě poskoka při nakupování.“

„Cože?“ Málem mi zaskočilo víno v krku.

Usmál se a políbil mě na dlaň, jako bychom už spolu strávili několik let. „Hilda mě už dlouho komanduje, abych ji vzal na nákupy do Leedsu. Zmínil jsem před ní, že si potřebuju koupit nový oblek. Za dva týdny bych měl nastoupit.“

„Doufám, že si ho půjdeš koupit do Marks & Spencer,“ nadhodila jsem s mrknutím.

Ash vyprsknul smíchy. „Ten od Armaniho už mi nesedí. V čistírně se jim nepodařilo tu skvrnu od kávy odstranit. Myslel jsem, že se podívám u Huga Bosse. Mám trochu užší pas.“

„To je tím během.“

„Taky jsem přestal pít drinky plné cukru.“

„Já už si ani nepamatuju, kdy jsem byla naposledy v baru.“

„Chceš, abych tě někam vzal?“ Jiskra v jeho očích byla zpátky a jeho pohled sliboval mnohem víc než jen návštěvy barů. Zadržela jsem dech a doufala jsem, že moje jediná prosba – aby si mě co nejdřív odvedl do postele – nebyla až tak zřejmá. Zakroutila jsem hlavou a řekla: „Zníme jako dva staříci.“

„Vadí ti to?“

„Ani ne,“ řekla jsem skoro smutně. „Možná. Někdy. Můj život se v posledních měsících dost změnil, s holkama je spousta práce, ale… nebude to takhle napořád.“ Podívala jsem se mu do očí a uvědomila jsem si, jak mi z jeho doteků brní celé tělo. Ovládla mě touha a znovu jsem si vybavila krajkové prádlo, které jsem měla na sobě. „Máme dnešek.“

„Ano, máme dnešek.“ Přejel po mně očima. Zachytila jsem v nich záblesk uspokojení.

„Nějaký digestiv? Sambuca? Cointreau? Tia Maria?“ K našemu stolu se opět přiblížil číšník a čekal na naše poslední přání.

Ash mi hleděl do očí s tichou otázkou na rtech, palcem mi přejížděl po zápěstí a vysílal signály do všech nervových buněk v mém těle. Hleděla jsem mu do očí a neznatelně kývla. Moc dobře pochopil, s čím tak vroucně souhlasím.

„Myslím, že zaplatíme,“ řekl Ash odhodlaně, což bylo chvályhodné, když i mně bylo jasné, že by se odsud nejradši rozeběhl a skočil rovnou do postele.

Když jsem se začala soukat do kabátu, rozezněl se mi telefon. Ash zvědavě zvedl obočí.

„Sakra.“ Neochotně jsem zkontrolovala displej.

„To je Hilda. Doufám, že jí holky nedávají moc zabrat.“

„Možná jí není dobře,“ znejistěl Ash a zatvářil se ustaraně.

„Ano, Hildo?“

„Claire, moc se omlouvám," ozvala se provinile, „nevolala bych, nechtěla jsem rušit, ale…" Okamžitě se mi v hlavě vyrojila desítka možných katastrof, které se mohly v domě odehrát. Hildě se udělalo špatně, potřebovala sanitku, přišel tam zloděj, vypadla elektřina… a tak dále a tak dále.

„Jste v pořádku? Stalo se něco?"

„Jde o Poppy."

„Poppy?" Myslela jsem si, že jde spíš o Avu, že se jí třeba nedaří usnout. Občas se objevila v mojí posteli. Měla jsem strach, že když se probudí, a já tam nebudu, začne plakat. O Poppy jsem se nebála, vždycky působila tak dospěle.

„Co provedla?" Většinou byla v Hildině společnosti mírnější, vycházely spolu dobře.

„Nic, ale…"

„Co se stalo, Hildo? Je jí špatně?"

„Ne, jen… nechce přestat plakat. Ptá se na tebe. Omlouvám se, opravdu jsem tě nechtěla rušit, ale je úplně bez sebe, vůbec nevím, co si s ní mám počnout."

„Poslední dobou byla nějaká…" Ani jsem nevěděla, jak její náhlou proměnu popsat. „Celý týden se chovala divně. Právě odcházíme z restaurace, hned budu doma. Chcete, abych si s ní hned promluvila?"

„Ne, neví, že ti volám. Je v obýváku. Jen jí řeknu, že budeš za chvilku doma."

Vyslala jsem omluvný výraz k Ashovi, ukončila jsem hovor a strčila telefon do kapsy. „Promiň, Poppy…"

Stisknul mi ruku. „To je v pořádku. Chápu. Takhle se Poppy nechová. Něco se muselo stát."

„Chovala se divně celý týden. Chvilku je nad věcí, pak se na mě nalepí a nechce mě pustit. Nemůžu jít ani na záchod, aby nestála u dveří."

„Možná se bojí, co se stane, až budou muset odejít. Tím spíš, když se jim Alice za celou dobu neozvala."

„Zřejmě máte pravdu, doktore Laghari." Usmála jsem se. Jeho verze zněla více než pravděpodobně.

„Pamatuju si, že když sestra studovala medicínu, měla praxi na dětském oddělení. Bylo tam dost malých pacientů trpících mentální poruchou. Jedna holčička odmítala chodit do školy. Její matka byla nemocná a léčila se doma. A ona se bála, že mámu znovu odvezou do nemocnice, tak se od ní nechtěla hnout ani na krok."

„Když si vzpomenu, na jaké věci se mě Poppy ptala a o čem poslední dobou mluvila, dává to smysl. Měla jsem pocit, že jsem ji dostatečně ujistila, že jim nic nehrozí, ale asi to nestačilo. Zrovna když už jsem si myslela, že to mám všechno pod kontrolou, něco se semele. Trochu se bojím, co řeknou ve škole, když zjistí, že je jejich máma pořád pryč. Vůbec netuším, jak na tom jsem po právní stránce, kdyby se to začalo řešit." Odmlčela jsem se. „Co když mi je sociálka vezme?"

„To se nikdy nestane, Claire." Ash mě objal kolem ramen. „Pojď, půjdeme domů a zeptáme se, co se jí stalo. A já odvezu Popelku zpátky na zámek."

„Mrzí mě to."

„Mě taky…" Pak se na mě laškovně usmál. „To krajkové prádlo nemá expirační dobu, že?"

Založila jsem si ruce na prsou. „Jaké prádlo?"

Ušklíbnul se na mě.

Svůdně jsem se usmála. „Kdo tvrdí, že na sobě nějaké mám?"

„Neříkej, že jsi naostro."

„Moc si o sobě myslíš."

„Já vím. Ale to na mně miluješ."

Ne, miluju tebe.

Ta myšlenka mi úplně vzala vítr z plachet. Ne! Tohle nebylo v plánu. Když jsem ho potkala, byla to jen hra. Výzva pro nás oba. Oba jsme ji chtěli pokořit. Nikdy by mě nenapadlo, že se z toho nakonec může vyklubat něco víc. Byl nebezpečný, nečitelný a namyšlený. Za posledních pár týdnů se ale změnil, byl přístupnější, tak nějak křehčí. Prostě k pomilování.

28

Když jsem vešla do obýváku, Poppy, která ležela schoulená na pohovce a objímala Billa, začala plakat.

Málem mi puklo srdce, když jsem ji viděla takhle trpět.

„Poppy, zlato, co se stalo?" Sedla jsem si těsně vedle ní a přitáhla jsem si ji do náruče. Hilda s Ashem postávali nervózně ve dveřích.

Poppy začala hlasitě vzlykat, pověsila se na mě a pevně mě objala kolem krku. Nemohla jsem v tu chvíli dělat nic jiného než ji hladit po zádech, šeptat jí do ucha, že všechno bude v pořádku, a čekat, až se uklidní. Hilda s Ashem se pomalu odkradli z našeho zorného pole, zaslechla jsem jejich hlasy z kuchyně.

Kolébala jsem Poppy na klíně, jako by byla malé dítě. Tiše jsem na ni mluvila a při pohledu na to, jak pořád vzlyká, se mi svíralo srdce. Doufala jsem, že tohle všechno pomůže její strach odehnat.

„Poppy, lásko, to bude v pořádku. Všechno je v pořádku."

Po několika minutách se trochu uklidnila, hlasité vzlyky se proměnily v tiché škytání, a nakonec se mě pustila.

Pořád jsem ji držela v náruči a dávala jí pusy na temeno hlavy. Chtěla jsem, aby se cítila v bezpečí, a čekala jsem, až mi konečně řekne, co se stalo. Pak se na mě konečně podívala, oči plné smutku, tváře ještě mokré od slz.

„Zlato, co se děje?"

„Měla jsem strach."

„Z čeho?"

„Že už se nevrátíš."

„Samozřejmě že se vrátím, vždycky se vrátím."

„Ale nemusíš. Můžeš nás poslat pryč. Nejseš naše máma, naše máma je pryč."

„Poppy, slibuju, že vás nikdo nikam nepošle."

„Ale může."

„Kdo by mi pak připravoval obědy do práce?"

„Nejsme tvoje děti. Nemusíš se o nás starat. Proč se máma nevrátila? Proč nám nezavolala nebo aspoň neodepíše na tvoji zprávu?"

„Já..." Už kvůli ní nemůžu lhát. „Já nevím, zlato. Ale vím, že vás nikdy nepošlu pryč."

„I když už se nevrátí?" Poppyin upřímný pohled mnou otřásl.

„Slibuju, že se to nikdy nestane."

„Máma už se nikdy nevrátí?"

Kousla jsem se do rtu. *Musím s tím přestat, nebo si tam vykoušu díru.*

„Je to proto, že zlobím a Ava kvůli mně brečí."

„Poppy, Ava brečí i kvůli mně."

„Já vím, ale někdy se k ní chovám hnusně. Mrzí mě to."

„To je pravda," snažila jsem se, aby to znělo vesele, ale pukalo mi při tom srdce. „Myslíš si snad, že já se za každé situace chovám správně?"

Poppy se maličko usmála.

„Chce to spoustu úsilí. Mám třicet let praxe. Máš se ještě co učit, je ti teprve deset."

„Ty to zlehčuješ, teto Claire." Odmlčela se a pak dodala. „Někdy se prostě neumím ovládnout. Omlouvám se za to, jak jsem se celý týden chovala. Myslela jsem si, že jsi nás dala do družiny, protože už nás tady nechceš. Protože máš svoji práci radši než nás. Máma vždycky říkala, že…," odmlčela se, „že nemáš ráda lidi, že seš radši v práci. Proto nechodíš k nám."

Přitáhla jsem si ji blíž. „Měla jsem toho v práci hodně. A vy ve škole taky. O víkendech jste chodily na oslavy, na fotbal, plavání a tancování."

„Nikdy jsme nechodily na fotbal," zaprotestovala Poppy.

Možná ne, ale pokaždé, když jsem Alici nabídla, že se zastavím, něco jim do toho přišlo. A když jsem jí nabídla, že holky pohlídám přes noc, odpálkovala mě s tím, že stejně nikam nechodí. Alice mi do cesty stavěla překážky. Ale jak to mám teď Poppy vysvětlit? Že mě její máma někam pozvala jen tehdy, když něco potřebovala? Většinou peníze.

„Už je ti trochu líp?" Zamluvila jsem to, ale toho si naštěstí nevšimla. Příště se budu muset na podobný výslech připravit.

Přikývla. „Můžu s tebou zůstat ještě vzhůru?"

„Samozřejmě. A co kdybych všem připravila horkou čokoládu?"

„Může tady Bill zůstat? Se mnou v pokoji?"

Podívala jsem se na psa, který byl schoulený u jejích nohou, a ona ho hladila po uchu. Zvedl hlavu a upřeně se na mě podíval velkýma hnědýma očima. Pak ji zasel složil Poppy do klína.

„Když s tím bude Ash souhlasit."

Bill strávil noc v Poppyině pokoji, ale Ash ji bohužel nestrávil v mém. Šel domů, což neměl v plánu ani jeden z nás.

„Já bych tu Alici přerazila," zamumlala jsem nešťastně k Hildě, když jsme se večer konečně posadily. „Neodpověděla mi ani na jednu zprávu. Nevím, co mám dělat. Bojím se, aby mi náhodou holky nevzali. Vůbec netuším, jestli na ně mám vůbec nárok."

„Počkej, to je něco, s čím bych mohla pomoct. Ráno zavoláme Farquharovi. Pracuje jako advokát. Specializuje se na rodinné právo. Tomu se těžko věří, já vím. Čekala bys spíš, že bude honit kriminálníky nebo kontrolovat velké firmy kvůli podvodům, ale on si vybral rodinné právo."

„Nebude mu to vadit?" Připomněla jsem si naši schůzku.

„Nemá na výběr. Když ti nepomůže, vydědím ho. A teď už je čas jít spát, dneska víc nezmůžeme." Pak mě poplácala po rameni a dodala: „Omlouvám se, že jsem vám zkazila večer. Zrovna když to vypadalo tak nadějně." Rošťácky se na mě usmála. Čekala jsem, že si začne spokojeně mnout ruce.

„Zrovna jsem se vás chtěla zeptat, jestli byste s náma v létě nejela na pár dní někam pryč," poškádlila jsem ji.

„To je ale vynikající nápad! Mám krásný dům v Norfolku, hned u pláže. Kevin McCloud o něm řekl, že je to jedno z jeho nejoblíbenějších míst. Asi bychom o tom neměli říkat Farquharovi, dokud nám neporadí, jinak ho tím zase rozčílíme. Myslel by si, že mu chceš ukrást jeho dědictví."

„Kde bydlí Farquhar?" zeptala jsem se. I když o něm Hilda nemluvila zrovna hezky, byl to pořád její syn.

„Kousek od Riponu. Vlastní malý palác. A po svém otci, až jednou zemře, zdědí půlku Skotska."

„Možná bychom ho někdy mohly pozvat na večeři."

„Proč bys chtěla něco takového zažít?" Hildin povýšený tón mě už neobalamutil.

„Protože by to od vás bylo hezké. A protože jste jeho matka."

„No, když to říkáš takhle…" Zvedla bradu a šarmantně se otočila, aby v pantoflích s černým peřím odkráčela do pokoje pro hosty.

Sledovala jsem ji s milým úsměvem. Aspoň jednou se mi podařilo vzít jí vítr z plachet.

Ráno jsem se cítila výborně, když jsem se oblékla do běžeckého outfitu a opustila rušnou kuchyni, kde Hilda učila Poppy a Avu dělat palačinky. Bill vesele poskakoval u mých nohou.

„Přivedeš Billa zpátky?" Poppy se rozběhla ke dveřím, když jsem se z nich chystala vyběhnout.

„Určitě. Vy nám zatím připravte snídani. Dám si s Ashem jedno kolečko a přijdeme i s Billem. Myslím, že se taky potřebuje proběhnout." Hilda se po snídani chystala zavolat synovi a pak předat hovor mně. Už teď jsem si nebyla naším krokem jistá, ale doufala jsem, že nám navzdory předchozím neshodám pomůže.

„Mohla jsem ho vzít ven sama," navrhla Poppy.

„Zeptám se Ashe, jestli si ho můžeme půjčit i zítra a vezmeme ho na procházku do lesa."

„Dobře," souhlasila a naposledy Billa podrbala na hlavě.

Ash na mě čekal na okraji parku. Dneska ráno jsme se chystali přesně zmapovat terén a vyznačit v aplikaci trasu, kterou Ash pečlivě naplánoval.

„Přemýšlel jsem," řekl, když jsme se pomalým tempem rozběhli a Bill vesele poskakoval mezi našima nohama, „že asi nechceme, aby byl náš parkrun moc jednoduchý, že?"

„Ne... ale zrovna těžký být taky nemusí."

„Chtěl bych těm lidem, co se rozhodnou běžet, na konci dopřát trochu uspokojení."

„Nemyslíš, že uběhnout pět kilometrů už je uspokojení samo o sobě?" zasmála jsem se a snažila se znít, jako že se vymezuju.

„Samozřejmě, ale napadlo mě, že bychom tam mohli zahrnout nějaký kopeček, trochu to ozvláštnit. Když povedeme cestu kolem západního cípu parku a pak to stočíme na severovýchod přes zalesněnou část, mohli bychom se dostat na Beacon Knoll na čtvrtém kilometru a v závěru nechat lidi jednoduše seběhnout z kopce do cíle. Ten bych dal kousek od pavilonu, kde bude dostatek místa. A je to jen dvě stě metrů od startu."

„Zdá se, že už jsi nad tou trasou dost přemýšlel." Podezřele jsem se na něj podívala. „Už jsi ji celou zmapoval a zanesl do aplikace?"

„Možná." Poplácal telefon, který měl v kapse snad až příliš těsných tepláků.

Během minuty jsem si tu trasu promítla v hlavě. I když obsahovala mírný kopec, zněla zajímavě. Stejně už jsme k západnímu cípu parku mířili. „Nechci to říkat moc nahlas, protože si o sobě zase budeš moc myslet, ale zní to výborně. I s tím stoupáním tam bude dost jednoduchých úseků a tím, že část přesuneme do lesa, se vyhneme běžným návštěvníkům parku. Výhled z Beacon Knoll už je jen třešničkou na dortu."

„Věděla jsi, že to bude dávat smysl."

„To ti řeknu, až se dostaneme na kopec."

I když už se mi běželo mnohem líp, než když jsem poprvé začala, stoupání mi pořád dávalo zabrat. Sledovala jsem Ashe, jak vůbec nezpomaluje a bere kopec útokem a Bill se prohání kolem něj a občas přičuchne k zajímavému objektu, který zpozoruje někde v příkopu. Zpomalila jsem téměř do chůze, ale rozhodla jsem se, že se za žádnou cenu nezastavím. Jedna noha před druhou, opakovala jsem si v duchu. Pálila mě stehna a bolela lýtka, ale na vrchol jsem nakonec doběhla. Poslední úsek z kopce už jsem si vyloženě užívala.

S hlubokými výdechy jsem se v cíli svalila na trávu a opřela čelo o kolena. Ash seděl rozvalený na zemi s Billem prohánějícím se kolem něj.

„Dobrá práce! Letěla jsi z kopce jako střela."

„Hmm," zamumlala jsem. „Chtěla jsem si trochu zlepšit čas."

Tohle přesně byl problém chytrých aplikací, které měřily čas za každý uběhnutý kilometr. I když jsem nikdy sportu moc neholdovala, měla jsem lepší čas pokaždé, když jsem se dostala ven. Najednou jsem byla parkrunem posedlá a srovnávala jsem každý den svůj výkon.

„Tak co na to říkáš?"

„Myslím, že jsi právě vytvořil trasu parkrunu pro Churchstone."

„I s tím kopcem."

„I s tím kopcem," souhlasila jsem.

Ash se spokojeně usmál. „Věděl jsem, že mi to schválíš."

„Pche."

„Pojď, dáme si snídani." Zvedl mě na nohy a pak mě políbil na rty.

„Tu si rozhodně zasloužím. Hilda mi slíbila ztracená vejce, avokádo a slaninu."

„Tak na co čekáme?"

„Uvědomuješ si, že za pár týdnů to tady budeme všechno chystat a pak zase uklízet. Kontrolovat a organizovat." Usmáli jsme se na sebe. „Už to skoro máme."

„To jo." Ash se ke mně přiblížil a začal mě líbat. Tohle bude naše sobotní ráno, naše výhra, náš splněný sen.

Znovu jsem si uvědomila, kam až jsme se dostali a co všechno se nám za tu dobu podařilo. Ale pořád mi v hlavě naskakovala jedna myšlenka – něco, co jsem chtěla udělat pro Hildu. A doufala jsem, že rozhovor s jejím synem mi v tom pomůže.

Vyšly jsme s Hildou nenápadně z kuchyně a nechali jsme Ashe uklidit špinavé nádobí po snídani. Asistovala mu u toho Ava,

Poppy se pořád nemohla odlepit od Billa. Hilda Farquharovi chvíli vysvětlovala situaci a pak mi podala telefon, posadila se na modrou pohovku v předním pokoji a předstírala, že ji nejvíc zajímá výhled z okna.

„Hmm, to je velice zajímavá situace," prohodil Farquhar, „z krátkodobého hlediska se ale nemusíte obávat. Odbor sociálních služeb má v zájmu především blaho dětí. Svěřit děti do péče někoho z nejbližší rodiny je vždy lepší řešení než je umístit do náhradní péče nebo do ústavu... Za předpokladu, že s tím souhlasíte."

„Samozřejmě že souhlasím."

„A co vaši rodiče?"

„Myslím, že by proti svěření do jejich péče nic neměli, ale..." Na chvilku jsem se zarazila. I když jsem mámu s tátou milovala, a byli v dobrém fyzickém i duševním stavu, měla jsem pocit, že se o holky postarám líp. „Myslím, že jsem v tuhle chvíli nejlepším řešením já. Aspoň z dlouhodobého hlediska se mi to zdá nejrozumnější."

„V tom s vámi musím souhlasit. Myslíte si, že situace by se časem mohla stát... permanentní?"

„Před měsícem bych ještě řekla, že ne, ale... sestra se mi úplně přestala ozývat."

„Máte možnost ji nějak kontaktovat?"

„Ano. Předpokládám, že moje zprávy obdržela a přečetla si je. Má u sebe telefon, který vyzvání, a z Messengeru a WhatsAppu poznám, že je online." Kontaktovala jsem ji přes všechny možné kanály, abych zvýšila šanci, že se mi ozve.

„To je opravdu choulostivá situace. Zní to, jako by se je rozhodla opustit. Pokud máte pocit, že Alice selhává ve své povinnosti a chcete učinit nějaká opatření, z mého pohledu pro vás bude nejlepší zažádat o zvláštní opatrovnický příkaz. Ten do vašich rukou svěří určité právní úkony, budete schopná za děvčata rozhodovat v zájmu jejich zdravotního stavu, vzdělávání a dalších věcí. V tuto chvíli na ně nemáte žádné právo. Pokud úřady zjistí, že Alice své děti opustila a neučinila v jejich zájmu předem žádná rozhodnutí, vloží se do toho. Takže raději jednejte předem. K vydání opatrovnického potvrzení budete potřebovat sestřin souhlas, budete muset požádat o soudní stání, s tím vám můžu pomoct. Dalším řešením, pokud se tak rozhodnete a máte pocit, že by to tak bylo vhodnější, je možná formální adopce."

„Adopce?" Zakuckala jsem se. Ta mě ještě vůbec nenapadla. Hilda už ani nepředstírala, že neposlouchá. Překvapeně zvedla obočí.

„Šlo by o relativně jednoduchý proces. Pokud byste ovšem disponovala Aliciným souhlasem."

„Bože, to mě ani..."

„Můžete o tom přemýšlet. Pamatujte, že musíte udělat to, co je nejlepší pro děti. Můžete požádat o adopci i bez souhlasu jejich matky, ale to je zdlouhavé a nepříjemné. Vůbec bych vám to nedoporučoval."

„To ne." Rodiče by z toho rozhodně neměli radost. I když musím říct, že pokud by máma věděla, co Alice holkám udělala, byla by zlostí bez sebe. Ani jsem se s ní nesnažila od posledního hovoru spojit. Doufala jsem, že kdyby se máma Alici dovolala nebo se jí podařilo ji kontaktovat, dala by mi vědět.

„Uložte si prosím moje číslo, a když budete potřebovat, zavolejte mi. Podobnými případy už jsem se v minulosti zabýval. Rodinné vztahy jsou komplikované. Setkal jsem se s mnohem horšími situacemi, než je ta vaše. Zajistila jste jim stabilní domov. Dokud budou mít tohle, budou v pořádku."

„Děkuju," řekla jsem pokorně.

„Není za co. Jak se daří matce? Pořád se zdržuje u vás?"

„Ano," řekla jsem opatrně.

„Vím, že pokud je poblíž, rozhodně nás poslouchá. Můžete si z ní vystřelit, přesně jako by to udělala na vašem místě ona."

„Dobře," řekla jsem pobaveně. Nepřekvapilo mě to. Hildin syn její geny nezapřel. „Daří se jí dobře."

Hilda se na mě zamračila.

„Takže je tam s vámi." V jeho hlase zaznělo pobavení.

Odmlčela jsem se a zadívala se na tu postarší osobu vedle sebe. Obrátila oči v sloup a zatvářila se tak, že by jí musela složit poklonu i Poppy, a vydala se ke dveřím.

„Jestli spolu chcete mluvit o mně, tak jenom v dobrém. Jsem koneckonců rozkošná stará dáma." Pak za sebou zabouchla dveře.

Musela jsem se zasmát. „Vaše matka právě opustila místnost. Nevypadala zrovna nadšeně, že se stala tématem našeho hovoru."

„Jde mi jen o její dobro. Uvědomuju si, že umístit ji takhle zničehonic do domu s pečovatelskou službou bylo trochu… neempatické, ale ten dům…"

„Souhlasím s vámi, pro jednoho člověka je obrovský. Možná byste jí mohl pořídit něco menšího tady v okolí. Vaše matka je pořád dost aktivní, nechce celý den sedět u televize. Nejdřív jsem si myslela, že se v domově cílila osaměle. Ale od té doby, co jsme se sblížily, o tom až tak přesvědčená nejsem. Vídáme se dost často. Pomáhá mi hlídat holky, někdy u nás zůstane celý víkend."

„Musí vás mít všechny opravdu ráda, když se rozhodla mi zavolat. Nemá vlastní vnoučata. Asi bych se nad tím měl zamyslet. Možná by pak na mě změnila názor."

Na druhé straně jsem zaslechla hluboký povzdech. „Možná byste za ní mohl někdy zajít."

„Mám moc práce. Přesně jako měla ona, když jsem byl malý."

„Možná už dneska chápete, proč se tenkrát tak chovala," navrhla jsem a slyšela vzpurnost v jeho hlase. „Myslím, že toho lituje. Pořád máte čas. Co kdybyste k nám přišel v sobotu na večeři? Hilda určitě ráda něco upeče."

„Kdysi dělala ten nejlepší piškotový dort, jaký jsem kdy jedl."

„Pořád ho dělá. A určitě vás moc ráda uvidí."

„No, tím si nejsem moc jistý. Určitě bude přemýšlet, co tam dělám."

„Tím se netrapte. Můžete třeba přijít zkontrolovat, jestli jsme vás nepřipravili o rodinné stříbro."

„Cože?" zeptal se a pak se dal do smíchu.

„Možná byste měl vědět, že po stříbru už není taková poptávka jako před lety, i když ten křišťál od Baccarata, který jsem u ní viděla, by se dal prodat za hotový majlant."

Teď už se dal do srdečného smíchu. „Myslím, že s mou matkou trávíte nebezpečně moc času. Jako bych ji právě slyšel. Uložte si prosím moje číslo. A brzy se mi ozvěte."

„Pomohl ti?" zeptala se Hilda, když jsem se vrátila do kuchyně. Ash vzal holky na zahradu, kde si všichni hráli s Billem, házeli mu míček a nechali si ho nosit zpátky k nohám.

„Ano, uklidnilo mě to."

„Myslím, že v tom, co dělá, je docela dobrý," řekla nonšalantně, ale už jsem ji měla přečtenou.

„Jste na něj hrdá?" zeptala jsem se s ironickým úsměvem.

Pokrčila rameny. „Byl jedním z nejmladších členů advokátní komory."

„Takže jste."

„Možná. Trochu." Posadila se a na jejím bledém obličeji se usadil sebevědomý výraz. „Samozřejmě že jsem na něj hrdá."

„Vy jste prostě nenapravitelná."

„Já vím," řekla s ostýchavým úsměvem, který mě znovu pobavil.

„Mám vás moc ráda, Hildo," vysypala jsem ze sebe najednou, až mě to samotnou překvapilo.

„To vždycky ráda slyším."

Najednou jsem byla plná emocí, nahnula jsem se k ní a objala jsem ji kolem ramen. „Nevím, co bych si bez vás počala," zašeptala jsem do její růžemi vonící halenky, když mi objetí vrátila.

„Zvládla bys to i beze mě," řekla a hladila mě po zádech. Trochu jsem se odtáhla.

„Vážně nevím, co bych dělala. Děkuju za všechnu podporu."

„Neblázni, drahoušku. Od toho jsou přece přátele." I když se tomu bránila, všimla jsem si, že se jí v oku zaleskla slza.

29

„Dobře," zvolala jsem nad hlučným davem, „zpátky k tématu. Dnes se musíme rozhodnout, kolik budeme na trase potřebovat dobrovolníků, jaká přesně bude jejich práce a jak je budeme školit. A taky bych chtěla poděkovat Neilovi, který si dnes udělal čas a připojil se k nám." Neil nám měl udělit rady ohledně trasy, únikových cest, přístupů a exitů v případě nebezpečí. A taky nám měl dát vědět, zda bychom mohli dostat klíče od některých uzavřených příjezdových cest do parku.

Když jsme s tím nápadem začali koketovat, vůbec by mě nenapadlo, kolik aspektů takový běh zahrnuje, ale teď, když jsem se rozhlédla po přeplněné kuchyni, bych to zpátky nevzala. Můj život se změnil k lepšímu, i když nám rozjetí závodu zabíralo spoustu volného času.

Z rohu se ozvalo zatleskání. Během uplynulých týdnů se zformovala skupinka hlavních aktérů, z nichž se každý chopil toho, co mu šlo nejlíp. Kromě mě a Ashe tady byla samozřejmě i Hilda, pak Penny, Janie, Charles, Elaine a Marsha. Jednalo se o naši čtvrtou schůzku v pořadí. Start parkrunu v Churchstonu se nezadržitelně blížil.

Rozhodli jsme se, že uspořádáme tréninkový běh hned následující sobotu, kde už všichni dobrovolníci budou muset být na svých místech a budou přesně vědět, co mají dělat. Trasu vyzkouší dvacet účastníků běžeckého klubu Harriers. Každý z nich pak vyplní dotazník a upozorní nás na případné problémy. Díky bohu za Ashe, který veškerý volný čas před tím, než nastoupil do nové práce, věnoval simulování všech možných katastrof a snahou se jim za každou cenu vyhnout.

„Neile, myslím, že bude nejlepší, když budeme mít na trase čtyři dobrovolníky rozmístěné zhruba kilometr od sebe. Jejich aktuální pozice bude záviset na terénu a únikových cestách v případě nehody.“ Ash zvedl zvětšenou mapu části parku, o které jsem právě mluvila. Zaostřila jsem na obrázek a pak jsem si všimla, že je zezadu umaštěný od Hildiných čokoládových sušenek.

Trasa byla vyznačená tlustou červenou linkou. Vybavila jsem si Poppy, jak s jazykem mezi zuby soustředěně plní úkol, který jsem jí svěřila. Ava se pochopitelně chtěla připojit, takže do prostoru, kde se měl nacházet Beacon Knoll, přikreslila několik vachrlatých stromů. Když to spatřila Hilda, překvapivě odložila zástěru a s šokujícím smyslem pro detail do mapy zasadila altán, děti hrající si na houpačkách a cílovou čáru ozdobenou barevnými praporky. „Jednoho bych dala sem, druhého sem, tady bude třetí a čtvrtý tady u konce.“

Neil se postavil a naklonil se nad hlavami ostatních, aby na mapu dobře viděl. „Kdybyste umístili jednoho sem, bude blíž k cestě. Pokud byste potřebovali sanitku nebo bezpečnostní složky, mohli by se dostat přímo k trase. Nějakému zodpovědnému člověku bych svěřil klíč od zábrany.“

„Tím člověkem by byl vedoucí běhu daného dne.“

„Jakým způsobem upozorníte všechny běžce na nebezpečí?“

Ash vysvětlil způsob daný protokolem, na kterém jsme už několik týdnů pracovali. Každý dobrovolník na trase bude mít vysílačku a vedoucí závodu obdrží mobilní telefon. Sledovala jsem Ashe, jak mluví, a hrudník se mi málem rozskočil hrdostí. Od té doby, co nastoupil začátkem tohoto týdne do nové práce, mi kvetl před očima. Už to nebyl Ash, kterého jsem tenkrát potkala. Ani ten, kterého přitáhla téměř polomrtvého na lavičku Hilda. Dospěl v někoho dokonalého.

Už jsem věděla, že to, co k němu cítím, je mnohem hlubší a silnější než to, co jsem dřív cítila k jiným mužům. Moje láska k němu sílila každým dnem. Už nešlo o chvilkové poblouznění. Teď mě city k němu hřály zvenku i zevnitř. Když dokončil svoji řeč, podíval se na mě a usmál se. V očích měl tolik něhy. Byla to intimní souhra v místnosti plné lidí, která mě zasáhla přímo do srdce.

Zavřela jsem oči a snažila jsem se soustředit na probíhající schůzku a další bod programu. Čas plynul a prokousávali jsme se agendou. Elaine s Marshou všechno zapisovaly, aby pak mohly poskytnout důležité informace každému účastníkovi. Ty dvě zastaly spoustu práce. Přes den, když byla většina z nás v práci, všechno přepsaly na počítači a připravily štosy dokumentů k podpisům a odsouhlasení. Elaine vlastnila laminovačku a důležité informace rovnou vytvářela ve verzi, která byla téměř nezničitelná. Navzdory mému prvnímu dojmu se z ní vyklubala skvělá sousedka. Navíc si dobře rozuměla s Avou. Dlouhé hodiny si povídaly na zahradě a Elaine vypadala, že je jako jediná v okolí fanouškem početné skupiny Aviných plyšových hraček.

V polovině schůzky se Hilda najednou postavila.

„Dá si někdo čaj nebo kávu? Upekla jsem citronový koláč.“

Janie spokojeně zamručela. „Miluju vaše koláče, Hildo. Musíte mi dát recept. Už musíme s tím během začít, abych spálila všechny nashromážděné kalorie.“

„Nikdo tě nenutí jíst," poškádlila ji Penny a pak se postavila. „Pomůžu vám s tím, Hildo."

Vytáhla jsem z poliček všechny hrnky, které jsem měla. Hilda už dala vařit vodu a Penny sbírala objednávky.

„Koláč je tamhle, ozdobily jsme ho lentilkami."

„To byl Avin nápad?" zeptala jsem se.

„Ano. Proč by ne?" Hilda se zasmála.

Teď tři dny v týdnu vyzvedávala holky ze školy. Byla jsem jí za její pomoc opravdu vděčná. Všechno se tím usnadnilo a Poppy se trochu uklidnila. Nebyla tak náladová, aspoň ne v posledních dvou týdnech, a tak jsme zapluly do nové rutiny. Hilda je v úterý, ve středu a v pátek vyzvedla, a když jsem přijela domů z práce, příprava večeře už byla v plném proudu. Ash pravidelně přicházel po práci i s Billem, kterého se hned jako vrchní venčitelka ujala Poppy, což nám samozřejmě vyhovovalo, protože ho vzala na procházku, zatímco jsme si šli s Ashem zaběhat. A pak jsme si všichni sedli k večeři jako šťastná rodina.

Hilda si zvykla u mě zůstávat přes noc, takže jsme konečně s Ashem mohli strávit nějaký čas o samotě. Často jsme brali Billa na procházku před spaním.

„Vůbec nevím, co bych si bez vás počala, Hildo."

„To je vzájemné, drahoušku. Už si ani nepamatuju, kdy jsem se naposledy cítila takhle šťastná." Zvedla víko a ukázala mi podivně zabarvený koláč. Barva z lentilek se roztekla po bílé citronové polevě. Hilda se zakuckala. „No jo, celá Ava."

„Vypadá, jako by u něj někdo vykrvácel," okomentovala jsem červenou lentilku, která za sebou nechala podezřelou stopu.

„To sice ano, ale chutnat bude výborně," povzbudila nás Penny, která se objevila za našimi zády. „Protože ho upekla Hilda. Opravdu neznám nikoho, kdo peče lepší piškot. Měla byste jít soutěžit do televize."

„O to jsem se taky snažila. Už jsem byla v užším výběru, když mě zradila ta zpropadená kyčel. Jednou vám upeču můj vítězný dort, to teprve uvidíte."

„Cože, v soutěži *Peče celá země*?" přidala se Poppy a zapomněla zavřít pusu. „Byl tam Paul Hollywood?"

„Ne, ti přicházejí až do finále. Ale znám božskou Mary ještě z dob, kdy soutěž v pečení neexistovala."

„Vážně?" pípla Penny.

V duchu jsem se zasmála. Na Hildiny historky už jsem si zvykla.

Když jsme roznesly nápoje a rozkrájený koláč po místnosti, sedly jsme si zpátky ke stolu a užívaly jsme si konverzaci. Neil, Ash a Charles diskutovali o nějakých technických záležitostech, Penny s Janie se jako obvykle popichovaly a Hilda poslouchala Marshu s Elaine. Opřela jsem se zády o židli a vnímala jsem štěbetání kolem mojí hlavy. Takhle to mám ráda, takhle to má být. I když za to možná může ten koláč. S radostí jsem pozorovala nadšené tváře kolem stolu. Hřál mě pocit, že jsme všichni schopní a ochotní přiložit ruku k dílu, když jde o společný cíl. Naplňovalo mě to radostí.

Sem patřím. Tohle je moje rodina.

30

Zmáčkla jsem tlačítko vysílačky. „Jime, už jsi na místě?"

„Právě jsem dorazil, Claire. Přepínám."

Dobrovolník na konci tratě byl na místě a závod mohl začít. Posledních pětačtyřicet minut jsme s Ashem pobíhali z místa na místo, kontrolovali seznam dobrovolníků a odškrtávali si úkoly na zalaminovaných dokumentech. Účastníci běhu se začali pomalu scházet, přešlapovali okolo a hledali místo, kam by si mohli odložit věci. Rychle jsem popadla poznámkový blok a zapsala si první postřeh.

Pak jsem k nim přistoupila. „Omlouvám se, příště sem umístíme plachtu, kam si budete moct všechno odložit. Proto pořádáme zkušební běh, abychom vychytali všechny mouchy. Pro dnešek si to odložte tamhle na stůl." Ukázala jsem na piknikový stůl, který jsme připravili hned za pásku označující cíl.

Marsha s Elaine už tam s napětím čekaly a ujišťovaly se navzájem, že vědí, jak používat stopky. Wendy měla pod kontrolou cílovou pásku. Ty tři pro nás byly klíčovými postavami. Na jejich bezchybném počínání závisela spokojenost každého účastníka běhu, která se odrážela v přesném změření času. Na druhé straně pásky stáli další dva dobrovolníci, kteří každému, kdo závod dokončil, rozdávali žeton s pozicí umístění, který musel být na konci naskenovaný spolu s osobním kódem běžce. Tento proces zpočátku působil dost komplikovaně, ale díky trpělivému vysvětlování ambasadorky našeho běhu, Helen, mi po čase jednotlivé kroky začaly dávat smysl. Těšila jsem se, až ji příští týden potkám na skutečném prvním běhu, kde bude funkci vedoucího zastávat Ash. Dnes byl běžným účastníkem, příští týden bude řada na mně. I když jsme s Ashem trasu proběhli už několikrát, těšila jsem se, až ji poběžím oficiálně. Docela jsem mu to dneska záviděla, ale někdo se organizace chopit musel.

Běžci se pomalu scházeli a dobrovolníci už stáli na svých místech, všechno to najednou vypadalo reálně. Doufala jsem, že se příští týden sejde víc lidí. Celý týden jsme roznášeli nové letáky, aktualizovali sociální sítě a kontaktovali vedení okolních parkrunů v Leedsu a v Harrogatu. Předpokládali jsme, že někteří přespolní běžci budou zvědaví a přijdou si omrknout novou trať.

„Jsi v pohodě?" zeptala se Penny, která se najednou zjevila vedle mě. Poskakovala na místě a snažila se zahřát.

„Jasně, jen jsem trochu unavená, jak se snažím skloubit tohle a práci. Ale jsem na sebe hrdá. V práci jsem dvakrát odmítla pracovat přes čas, asi si uvědomili, že to přepískli, takže mi v pátek odpoledne dali volno. Kvůli činnosti pro komunitu. Docela se mi to hodilo, nikdy by mě nenapadlo, že realizovat takový běh zahrnuje tolik práce."

Prohlížela si moji tvář a pak s obdivem v hlase pronesla: „Nechápu, jak to všechno zvládáš."

„To někdy sama nevím. Díky bohu za Hildu."

„Kde dneska je?"

„Chceš říct, že sis jí nevšimla?" ukázala jsem na druhou stranu parku.

„Jak jsem ji mohla minout?"

Hilda se dneska vyparádila, oblékla si novou teplákovku, kterou jí na e-shopu pomohly vybrat Ava s Poppy. Předpokládala jsem, že Poppy při výběru neměla hlavní slovo, určitě by nevybrala výrazně fialový set ve stylu sedmdesátých let se zelenými pruhy na bocích. Oproti tomuto outfitu vypadala i ta limetkově zelená teplákovka konzervativně.

Zamávala na nás a obě jsme se zasmály. I když se Hilda do oficiálního závodu nezapojila, byla mi s Poppy i Billem v patách. Jejich povinností bylo dohlédnout na posledního závodníka a ujistit se, že jsme na trati nikoho nezapomněli. Poppy chtěla stůj co stůj pomáhat, zatímco Avu zajímalo jen to, jak daleko bude muset dojít. Proto jsem ji dneska ráno zavezla k Janie, kde si hrála s její dcerou.

„Jak se máš?" zeptal se Ash, který se tiše přikradl za mými zády a políbil mě na šíji. Otočila jsem se s pokušením začít ho líbat a stulit se mu do náruče, ale musela jsem se ovládnout. Chyběl mi. Ale jeho práce byla důležitá a stavěl ji na první místo. Rozuměla jsem tomu. Taky jsem se tak dřív chovala.

Uvědomila jsem si, že už pro mě moje práce tolik neznamená. Měla jsem domov, rodinu, parkrun, to mi stačilo. Můj život měl smysl, byl plný věcí, které jsem milovala a užívala si je.

Ash chodil do nové práce teprve týden, rytmus nás všech se ale znovu změnil. Už se nemohl starat o Billa jako dřív, takže souhlasil s Hildiným návrhem vyzvednout ho ve dvě hodiny, vyvenčit ho v parku a pak zajít pro holky do školy. Ve dnech, kdy neměla Hilda službu, jak svoje dobrovolničení označovala, pro něj zašla Poppy hned po škole a přivedla ho k nám. Ash si ho vyzvedával u nás, ale už to nebylo jako dřív. Nestíhali jsme společný běh ani večeře. Dostal se do pracovního módu, byl odtažitý a roztěkaný. Včera se měl konečně zastavit na večeři, ale zmeškal ji, protože zůstal dýl v práci.

Poppy ho prosila, aby u nás nechal Billa přes noc, takže jsme se potkali až dneska ráno.

„Jsme připravení." Žaludek se mi chvěl, když jsem popadla amplion. „Jdeme na to."

S Ashem jsme se vydali ke startovní čáře, čehož si všimli běžci a začali se formovat do štrúdlu.

Než jsem promluvila, přeletěla jsem pohledem dav před sebou. Ash se na mě usmál a ukázal mi zvednuté palce. „Děkujeme všem, kteří si dneska udělali čas a přišli na náš testovací běh. Budu se to dnes snažit zkrátit. Pokud se někde vyskytne problém nebo někdo nebude s něčím spokojený, oznamte to prosím přímo mně, Ashovi nebo tady Charlesovi." Pak jsem vysvětlila trasu běhu, poděkovala dobrovolníkům a pozvala všechny, aby pak přišli do Šťastného zrnka. „Po proběhnutí cílem zůstaňte poblíž, abyste dostali žeton. Pokud se vám to nepodaří, vyhledejte prosím po ukončení závodu Wendy, která vám se vším pomůže." Ukázala jsem na Wendy, která se zatím držela opodál. „Je důležité, abyste na konci naskenovali kódy společně s žetony a ty pak zase vrátili nám. To je všechno. Hodně štěstí, užijte si běh a jdeme na to. Tři, dva, jedna… start!"

Nato se všichni běžci dali do pohybu. Viděla jsem, jak se Charles sebevědomě dostává do vedení a Penny se s mírným poklusem držela někde uprostřed. Zachytila jsem mobilem pár momentek. Široký úsměv mi málem roztrhl koutky. Kdo ví, kolik se jich tady sejde příští týden. Zkřížila jsem prsty a přála si, aby dorazil pořádný dav. Pracovali jsme tak tvrdě. Moc jsem si přála, aby byl náš projekt úspěšný.

Hilda mě poplácala po rameni. „My mizíme."

Dala jsem Poppy pusu na tvář a pohladila Billa po hlavě. „Užijte si procházku."

Měla jsem chvilku volno, a tak jsem s amplionem došla dvě stě metrů k cílové čáře. Teď už jsem musela jen čekat. Nejrychlejšímu běžci bude trvat zhruba dvacet minut, než se objeví v mém zorném poli.

Po devatenácti minutách se v davu lemujícím cílovou rovinku ozval šum a nadšení. Vzápětí se ze zatáčky vyloupnul první běžec. Kluk, který snad celou dobu z kopce sprintoval. Další běžec byl dobrých tři sta metrů za ním a nějakých sto metrů od něj běžel třetí. Za nimi se pak v pozadí formovaly další skupinky.

Všichni dobrovolníci se připravili k akci a všichni vypadali, že jsou v obraze. „Výborně!" řekla jsem a pokynula prvnímu běžci, i když lapal po dechu tak, že mi sotva mohl odpovědět.

„Dobrá práce, Claire, Ashi, Hildo a Poppy," řekla Penny a zamávala nám, když s Charlesem opouštěli mezi posledními kavárnu U Šťastného zrnka. Se zhruba dvaceti běžci nebyl závěr tak složitý, Elaine s Marshou zanesly do systému časy a Wendy je rozeslala spolu s testovacím e-mailem. V půl jedenácté bylo všechno hotovo.

„Uf," oddechla jsem si hlasitě. „Kromě toho, že jsme neměli žádné odkládací místo, se žádný problém neobjevil."

„Myslím, že jsme na příští víkend připravení," řekl Ash.

„Doufám, že přijde dost lidí." Hilda do sebe obrátila hrnek s kávou a rychle dodala: „Kdo jde se mnou? Musíme se pustit do toho dortu. Claire pozvala někoho na večeři." Pak se na mě zadívala s nabroušeným výrazem ve tváři. Ignorovala jsem ji, věděla jsem, že chystá něco extra, což jsem odtušila ze seznamu nezvyklých ingrediencí, pro které mě poslala do obchodu. Proč by jinak musela mít zrovna malinový džem od Baxters?

„Chudák Farquhar, musela jsem být příšerná matka." Hilda se odmlčela a začala sypat mouku do mísy. Už jsme se všichni stihli vysprchovat, převléknout a holky si hrály venku na zahradě, když je Hilda zavolala, aby dojedly zbytky po pečení. Pak se zase vydaly ven.

„Určitě ne. Už jste mi dala desítky výborných rodičovských rad." Z okna jsem viděla Poppy sedící na dece na zelené trávě s věrným psím přítelem u jejích nohou, zatímco Ava si hrála na nemocnici. Plyšové hračky s různě obvázanými končetinami umístila do krabic od bot, které si obutá do mých lodiček přinesla z mojí šatny. „Podívejte se na ně, jak jsou šťastné. Díky bohu za to. Nemyslím si, že jim Alice až tak moc chybí. I když mám pořád o Poppy trochu strach," povzdychla jsem si. „Poslala jsem tento týden Alici další zprávu. Už fakt nevím, co mám dělat. Nemůžu přece donekonečna lhát o tom, že je zaseklá někde na horách."

„Vedeš si výborně. Vědí, že je někdo miluje a že se o ně postaráš. To je nejdůležitější. Já jsem si to uvědomila dost pozdě. Myslím, že jsem to měla dávat Farquharovi víc najevo, když byl malý. Teď už to nevrátím. Má vlastní život. Nebyla jsem u něj, když mě potřeboval. Karma mi to vrátila."

„Nikdy není pozdě. Vždyť si vzpomněl na ten váš piškotový dort."

„Opravdu?"

Přikývla jsem. „Má o vás strach."

„To nemusí," řekla Hilda naoko příkře. I já už jsem věděla, že to tak ve skutečnosti nemyslí. „Vždycky měl ten piškotový dort nejradši. Dokonce i k narozeninám, každý rok. Nikdy si toho moc nenavymýšlel."

„Odkud to asi měl? Jste oba stejní."

Hilda se zatvářila tak, že jsem se musela nahlas zasmát. „To si rozhodně nemyslím. Je stejný jako jeho otec." Pak se usmála

314

a dodala: „Ten chlap vůbec nevěděl, co je to být spontánní. Ale byl odhodlaný, loajální a za všech okolností čestný. Stejně jako jeho syn. Farquhar udělá za každé situace to, co je správné. Teď už to vím." Pak se na chvilku odmlčela. „Kde je vůbec Ash?"

„Měl dneska něco na práci, ale přijde si večer pro Billa."

„Nevím, proč tady Billa rovnou nenecháš. Poppy je na něj upnutá a teď, když je Ash pořád v práci, by to bylo pro všechny jednodušší. A pro Billa lepší."

„Hlavně to neříkejte před Poppy." Rychle jsem zkontrolovala, že nás neslyší.

„Proč ne? Určitě by s tím souhlasila."

„Protože…" Stiskla jsem rty a sledovala jsem Poppy zabranou do čtení, jak hladí Billa po hlavě. Už jsem si bez nich svůj život nedokázala představit. I když byl Bill rozkošný, mámu by jim nikdy nevynahradil. „Protože co s ním budu dělat, až se vrátí Alice? Když nemá zodpovědnost za vlastní děti, těžko si k tomu pověsí na krk ještě psa."

„Necháš si ho."

„Myslím, že si na něho Ash zvykl."

„Necháš si i Ashe." Ignorovala moji poznámku.

„Hmm." Radši jsem se soustředila na oddělování bílků od žloutků.

Než Farquhar dorazil, kuchyně byla nablýskaná a uprostřed stolu stál na stojánku nádherný piškotový dort. Hilda ještě přidala brownies s marshmallows, které už Ava nedočkavě hypnotizovala, a domácí vanilkové sušenky s levandulovou příchutí ve tvaru hvězdiček. Doteď jsem neměla ponětí, že všechno to vybavení na pečení vůbec vlastním. Ash přijel pět minut před Farquharem, vlasy měl ještě mokré a voněl sprchovým gelem a parfémem.

Farquhar svíral v ruce lahev vína Veuve Cliquot a kytici žlutých růží. Přešlapoval na prahu jako školák přistižený při činu. Z jeho vylekaného pohledu těkajícího mezi mnou a Hildou jsem pochopila, že si není úplně jistý, kdo by měl květiny a víno obdržet a kdo ho vlastně pozval. Bylo mi ho skoro líto. Nakonec jsem se nad ním slitovala a nenápadným pohybem naznačila, ať jde nejdřív k Hildě.

„Matko," pozdravil ji a předal jí dárky.

Vypadala potěšeně. „Moje oblíbené. Pojď dál."

Vešla do kuchyně, květiny držela v náruči jako zasloužilá umělkyně na premiéře a tiše přes rameno utrousila: „Děkuju."

„A kdo je ten chlupáč?" zvolal vesele Farquhar, když zahlédl Billa, čímž si okamžitě získal Poppyiny sympatie. Ta se rychle dala do vysvětlování, jak se k nám pes vlastně dostal.

„Kdysi jsme měli lovecké psy, pamatuješ?" Otočil se na matku, přisedl si k Billovi a začal ho drbat. „Na panství. Jmenovali se Gertie a Bertie."

„Ach bože, samozřejmě. A pamatuješ si, jak jeden z těch rošťáků sežral celý rostbíf, když ho nikdo nehlídal? Bylo jich všude plno, ale byli roztomilí. A zvědaví. Proto jsem vybrala Billa. Věděla jsem, že se k vám bude hodit." Usmála se na všechny, jako by to celé byl její nápad.

Snažila jsem se pohledem vyhnout Ashovým očím. Typická, nehorázná, ale milá historka, jakou má Hilda vždycky v zásobě.

„Chtěla jsem ho pojmenovat Chlupatý koberec," dodala Poppy.

Farquhar se tomu srdečně zasmál. „To je vynikající jméno!"

„Ale nakonec mě přehlasovali," řekla smutně se svěšenými koutky pusy.

„To určitě nebylo fér, ale myslím, že Bill k němu sedí. Představ si, jak na něj v parku křičíš *Chlupatý koberče!* Utekl by ti dřív, než bys to vyslovila."

„To mě nenapadlo." Poppy se na něj vděčně usmála. Teď mi bylo jasné, že si ji Farquhar získal.

„Nedáte si čaj?"

„Dá. Když si dá čaj, dá si i dort, a tak si ho konečně můžeme dát všichni, už to nevydržím," zanaříkala Ava. „Mám strašný hlad."

„Samozřejmě, pojďme na to. Omlouvám se, slečno. Hned se do toho dortu pustíme." Zvedl ke mně modré oči. „Moje matka peče nejlepší piškotový dort na světě."

„Cože? Na celém světě?" zeptala se šokovaně Ava.

„Aspoň si to myslím." Farquhar uznale přikývnul. „Můžeš ho zkusit a pak mi dáš vědět."

Ava vyskočila na nohy a rozběhla se ke stolu, kde odsunula židli a slušně se na ni posadila. Rozhodně nepotřebovala dvakrát pobízet.

Hilda kývla na svého syna, který galantně pomáhal na nohy Poppy. Ash ho sledoval zamračeným pohledem, jako by se tomu muži snažil přijít na kloub. Když odvedl Poppy ke stolu, usadil svoji matku a pak se rozhlédl po kuchyni.

„Víno je vychlazené, kdyby si někdo chtěl dát skleničku," nabídl nám.

„To zní lákavě. Skleničky na šampaňské jsou tady ve skříňce."

Šokovaně jsem se na Hildu podívala. Netušila jsem, že jsem koupila i skleničky na sekt. Když jsem otevřela skříňku, objevila jsem šest Hildiných křišťálových skleniček Baccarat.

„Jak se to sem…?" Zamumlala jsem a vyskládala je opatrně na stůl.

Setkání se neslo v příjemném duchu. V jednu chvíli Farquhar dokonce souhlasil, že se někdy zúčastní sobotního běhu.

„Můžete s náma jít v pátek do kina," navrhla najednou Poppy. „Ash nás bere na *Vlaštovky a Amazonky*. Prý se nám to bude moc líbit."

Ash se před několika týdny nabídl, že vezme holky do nedávno zrekonstruovaného artového kina, protože sám chtěl novou adaptaci filmu vidět.

„Mockrát děkuju," usmál se Farquhar. „Je to jedna z mých oblíbených knih. A to staré kino mám moc rád. Bohužel mám v ten den důležité stání u soudu v Londýně a nestihnu se do té doby vrátit."

K mému překvapení to byl docela příjemný host, i když jeho chování bylo trochu škrobené. Holky se do něj zamilovaly, naslouchaly každému jeho slovu a zářily, když se k nim choval jako k dospělým. Hilda všechno sledovala ostřížím zrakem a minutu po minutě tála jako sníh na slunci. Dokonce i Ash, který k němu byl zpočátku dost rezervovaný, odpovídal na zvídavé otázky ohledně jeho nové práce.

„Aby bylo jasno, neměla jsem nejmenší tušení o tom, že sem vaše matka přinesla ty broušené skleničky," zašeptala jsem naléhavě Farquharovi, když jsme se u hlavních dveří loučili.

„To přece vím. Jen mě testovala, chtěla vědět, jestli to budu nějak komentovat."

„Aha."

„Ještě jednou děkuji za pozvání. Máte úžasnou rodinu… Málem bych zapomněl... Už se vám ozvala sestra?"

„Ne. Napsala jsem jí zprávu, aby se mi ozvala, protože za holky nemám žádnou právní zodpovědnost. Pokud tam plánuje zůstat ještě dýl, musím požádat o opatrovnictví a k tomu potřebuju její souhlas. Vůbec nereagovala. Ve škole mi řekli, že se mnou potřebuje mluvit ředitelka."

„Už jste za ní byla?"

„Ještě ne, mám s ní schůzku v úterý."

„Tady je moje vizitka. Zavolejte, když budete cokoliv potřebovat. A nebojte se. Zvládáte to na jedničku, holky jsou u vás v bezpečí. Kdybych to nevěděl, myslel bych si, že jste jejich skutečná matka. Jsou tady šťastné a je o ně postaráno. Kdyby se do toho vložily úřady, tohle je bude zajímat především."

Promnula jsem vizitku mezi prsty. „Děkuju. To je od vás moc milé."

„Opravdu se nebojte kdykoliv zavolat. Je to přece jen můj obor."

„Já vím, ale…"

„Ani nemyslete na to, že bych od vás chtěl peníze. Jsem vám velmi vděčný, že dohlížíte i na moji matku. Někdy to s ní není jednoduché. Například ředitel Výsluní není její největší fanoušek." Zatvářil se ustaraně. „Bohužel jsme oba dost tvrdohlaví. Ale její chování se poslední dobou zlepšilo, a to díky vám. Vlila jste jí do žil energii. Přestěhoval jsem ji do domova jen proto, že… Prostě to s ní šlo z kopce. Po tom pádu se chovala… Bylo to s ní složitější a úplně se mi ztrácela před očima. Až teď si uvědomuji, že měla depresi a cítila se osaměle." Omluvně se usmál. „Nikdy jsme si nebyli příliš blízcí. Vina je na obou stranách. Taky za to může její nemožný vkus. Její poslední manžel, George, byl podvodník. Přistihl jsem ho, jak se snaží prodat její šperky."

„Myslím, že to moc dobře věděla," řekla jsem a vzpomněla si, jak mi říkala o prstenu, který mu darovala. „Ale byla s ním šťastná. Když o něm mluví, zdůrazňuje, kolik toho spolu zažili."

„Až moc." Farquhar stiskl rty. „Ale máte pravdu. Když byla s ním, celá zářila."

„Myslím, že něčeho ze své minulosti taky lituje," nadhodila jsem. „Hlavně toho, že se vám nevěnovala, když jste byl malý."

„K tomu už nemá cenu se vracet." Překvapil mě. „Jsem dospělý, na vrcholu kariéry, už to chápu. Měla práci, kterou si užívala. Neměl bych o tom mluvit," zatvářil se přehnaně tajemně, což mě málem rozesmálo, „ale myslím, že dokonce pracovala pro tajné služby. Můj otec se o tom jednou zmínil."

„Vážně?" snažila jsem se zadržet smích.

„Děkuji za příjemně strávený čas. Rád přijdu znovu, když to bude možné. Měli bychom se spolu někdy posadit a vyřešit nějaké praktické záležitosti. Připadám si teď mnohem lépe, když vím, že matka kolem sebe má přátele, kteří na ni dohlížejí."

„Nechci do toho zasahovat, ale myslím, že by se cítila mnohem líp, kdyby bydlela ve svém domě. Pořád je schopná se o sebe postarat." Položila jsem mu paži na rameno. „Vím, že ten dům je pro ni moc velký, ale moc ráda vaří a peče. Chce mít kolem sebe vlastní věci, chybí jí zahrada. Možná pro ni můžete najít něco menšího."

Farquhar si povzdychl. „Oceňuji, že za ni bojujete, ale v jejím věku to s ní může jít z kopce velmi rychle." Pak se zamračil. „Vy netušíte, kolik jí je let, že?"

„Ne."

Když mi prozradil Hildin věk, nebyla jsem ze sebe schopná dostat ani slovo.

31

„Má někdo nějaké otázky?" přeletěla jsem pohledem místnost plnou významných mužů v drahých oblecích studujících s velkým zaujetím poslední stránku mojí prezentace.

„Já určitě ne," oznámil Alastair Taylor. „Vše je rozepsáno a vysvětleno do posledního detailu, dobrá práce, Claire."

„Ano, souhlasím, kvalitní zpracování daného projektu," přidal se Bob Wilding. To proto, že jsem odmítla několik dalších úkolů a rozhodla se soustředit na ten, který jsem měla rozpracovaný.

Oba zmínění muži byli zakládajícími členy naší firmy a na jejich názoru mi moc záleželo. Aspoň před pár týdny. Profesionálně jsem se na ně usmála, ale vlastně mě to nenaplňovalo. Zpracovala jsem úkol, který mi zadali, podle svých nejlepších schopností, ale už jsem při tom necítila výzvu ani to pro mě nebylo žádné dobrodružství.

Členové představenstva se pomalu rozešli za svými povinnostmi. Když za nimi zapadly těžké dřevěné dveře, složila jsem se unaveně na koženou židli a začala si masírovat spánky.

Když jsem se vrátila do své kanceláře, našla jsem tam Karen. „Slyšela jsem, že tvoje prezentace proběhla nadmíru dobře." V očích měla otázku, kterou se mi chystala položit. „Alastair

Taylor by s tebou chtěl dnes v půl páté mluvit." Teatrálně na mě mrkla, jako bychom spolu vystupovaly v nějaké komedii.

„V půl páté?" Moje první myšlenka nebyla překvapivě *Kdy bouchneme šampaňské?*, ale *Sakra, dostanu se domů včas, abych vyzvedla holky?*

Když jsem zvažovala svoje možnosti, začalo se mi dělat nevolno. Musím tu schůzku zredukovat, aniž bych upozornila na to, že potřebuju odejít domů. Ještě toho musím před odchodem spoustu stihnout.

„Zkontrolovala jsem tvůj diář, máš odpoledne volno." Šťouchla do mě, jako by se ve mně snažila probudit trochu nadšení.

„Dobře." Přiměla jsem se k úsměvu.

„Víš, co to znamená, že?"

„Myslím, že jo."

„První žena v představenstvu," zašeptala. „Jsem na tebe hrdá."

„Ještě to není jisté," zašeptala jsem, pořád mi to nedocházelo. Byla jsem přesvědčená, že nečekaná absence mi kariérní postup znemožní.

O pár hodin později jsem kancelář svého nadřízeného opouštěla v naprostém šoku. Alastair Taylor mi opravdu nabídl vysněnou pozici. Něco, po čem jsem toužila dobrých deset let. Všechny přesčasy, probdělé víkendy, noční vysedávání u počítače… to všechno se nakonec vyplatilo.

První žena v představenstvu.

Pořád jsem tomu nemohla uvěřit.

Strnule jsem hleděla na displej telefonu, než jsem se rozhodla poslat Ashovi zprávu. Snažila jsem se ignorovat slabý hlásek dožadující se odpovědi na otázku, jestli je to směr, jakým se má můj život ubírat.

Hádej, komu dneska nabídli povýšení!!!

Seděla jsem a tiše sledovala displej, dokud se na něm neobjevila jeho odpověď. Teď, když už zase chodil do práce, bude určitě z takové zprávy nadšený. Vzápětí se ozvalo pípnutí.

Holka s kávou jede! Skvělé! Obchodník se zbraněmi právě přemluvil vševědoucí Hildu, aby večer pohlídala holky. Večeře. Beech House. Oslava.

Večeře s Ashem, tomu se říká třešnička na dortu. Přemýšlela jsem, jestli bych mohla Hildu poprosit, aby u mě zůstala přes noc. Konečně bychom s Ashem navázali tam, kde jsme posledně skončili.

Běžela jsem z nádraží a ke škole jsem dorazila přesně dvě minuty po půl sedmé. Vychovatelka už stála s Avou a Poppy ve dveřích a ve tváři měla výraz, jako kdyby si kousla do toho nejkyselejšího citronu na celé planetě. V takové situaci jsem si nedovolila přečíst si další zprávu, která se ohlásila pípnutím. Vlastně jsem se jí tak bála, že jsem se neodvážila telefon ani vytáhnout z kapsy. „Jdete pozdě, slečno Harrisonová. Je mi to líto, ale budete muset uhradit pokutu za pozdní příchod."

Její nabroušené upozornění ani zamračený výraz mě nemohly připravit o dobrou náladu. „Omlouvám se, trochu jsem se zdržela v práci." *Jdu na večeři s Ashem!*

„Můžete jít." Pokynula k holkám a afektovaně začala zhasínat světla a nastavovat alarm na zamčených dveřích.

„Mrzí mě to, dneska jsem měla náročný den." Nevěděla jsem, jestli by je to, že jsem se v práci konečně dočkala povýšení, vůbec zaujalo. „Jak jste se měly vy?"

„Nijak," odpověděla Poppy. „A ona," ukázala prstem za záda, „byla strašná. Pořád kontrolovala hodinky. Musely jsme čekat u dveří. Říkala, že má na práci jiný věci, jako by to snad byla naše vina, že jsi přišla pozdě." Podívala se na mě naštvaně.

„Vážně mě to mrzí, Poppy. Musela jsem něco řešit v práci."
Pokusila jsem se ji obměkčit úsměvem, ale ona jen pohrdavě
pokrčila rameny.

„Dostala jsem jen jeden párek," pípla hladově Ava, „a Lucy
Chambersová dva. To není fér." Nafoukla uraženě tváře. „Nesnáším to tam."

Bože, ty dvě opravdu věděly, jak člověka dostat na kolena.
Zvedla jsem obočí. Ava si většinou na družinu nestěžovala. „Ale
prosím tě, vždyť jsi mi vždycky říkala, že se ti tam líbí."

„Nelíbí! Z mojí třídy je tam jen Lucy Chambersová a její máma
ji vyzvedává v půl šesté. My na tebe musíme vždycky hrozně
dlouho čekat. Jsme pokaždý poslední a paní Winterová si pořád
stěžuje."

„To by neměla." Družina byla otevřená od tří do půl sedmé
a nikdy jsem nepřišla pozdě, až dneska. *O dvě minuty!*

„Ale stejně to dělá!" vyštěkla Poppy.

Došly jsme domů, kde jsem odložila všechny tašky na stůl
v kuchyni. „Dáte si fazole, sendvič se sýrem nebo rybí prsty?"
zeptala jsem se a doufala, že jim tím zlepším náladu.

„Rybí prsty, rybí prsty!" zvolala Ava a hodila sebou na pohovku.

Mrkla jsem na Poppy a ona po chvilce zaváhání přikývla
a vlažně se na mě pousmála. Není jednoduché být dospělý a mít
všechno pod kontrolou, když vás můžou děti během pár minut
připravit o všechnu radost.

Když jsem z mrazáku vytáhla krabici s rybími prsty, vzpomněla jsem si na zprávu, která na mě čekala.

Promiň, můžeme to dneska zrušit? Potřebuju tady něco dodělat.
Nevadí ti to, že? Večeře zítra? Už jsem volal Hildě. Ozvu se později.

Nejsmutnější na tom bylo to, že se mi vlastně ulevilo. Teď,
když jsem byla doma, v té změti povinností a úkolů, jsem si

uvědomila, jak jsem unavená. Zdá se, že i já dnes budu mít k večeři rybí prsty. Aspoň večer můžu začít dělat na dalším projektu, schůzka s Alastairem mě dneska trochu zdržela. Trochu s tím pohnu a půjdu si brzy lehnout.

Po desáté se rozezněl telefon. „Ahoj, Ashi."

„Ahoj, Claire. Gratuluju."

„Děkuju." Odložila jsem laptop stranou, natáhla se na pohovku a protřela si oči. „Zdá se, že aspoň tady se mi podařilo dostat se na vrchol hory." Připadala jsem si jako někdo, kdo si naložil víc, než unese.

„Musí to být úžasný pocit. Zasloužíš si to, holko s kávou."

Znovu jsem si vzpomněla na den, kdy jsme se poprvé setkali. Jako by ta přezdívka patřila do minulého století. Holka s kávou by byla dnešními událostmi nadšená. Minimálně těmi pracovními. Ještě teď by seděla v baru a nalívala se s kolegy proseccem. Ale já jsem běžela do družiny a uvažovala jsem, co pro mě bude povýšení znamenat a jestli po něm vůbec toužím. Práce už mi nepřinášela uspokojení jako dřív. Jako v minulém životě. Když jsem začínala, setkávala jsem se se skutečnými lidmi. Teď už jsem jen seděla za počítačem s telefonem v ruce. Opravdu mě to tak naplňovalo? A co bude s holkama? Budou v družině pokaždé až do poslední minuty? Děti, které nikdy neodcházejí domů hned po škole? Ty, které mají správně jen dvě slova z deseti a zaostávají ve čtení, protože se jim nemá nikdo čas věnovat?

„Claire?" Ashův hlas mě vrátil do reality.

„Jak se má Ashwin Laghari?" zeptala jsem se odlehčeně, protože jsem nechtěla dát najevo žádné pochybnosti. Ještě ne. Teď jsem si chtěla užít pohádku s Ashem. Tu, kterou jsem si vysnila, když jsme se poprvé políbili.

„Dobře. I když…" Na chvilku se odmlčel. „Mám špatné zprávy."

„O co jde?"

„No… o sobotu."

„Neříkej mi, že nemáš čas." Zasmála jsem se, protože to by přece neudělal. Pracovali jsme na tom běhu strašně dlouho, věnovali jsme tomu projektu každou volnou chvilku. Když ticho na druhé straně nepolevovalo, naskočila mi husí kůže. „Ashi?"

„Moc mě to mrzí. Práce… Prostě nemůžu… když jsem tam nový…"

„Ale… jsi přece vedoucím závodu. Musíš tam být."

„Já vím… Ale ty mi přece rozumíš. Neudělal bych to, kdyby nešlo o moc důležitou věc. V Gloucestershiru je tento víkend konference, kde musím být. V pátek budu mít přednášku a v sobotu ráno se musím účastnit nějakého panelu."

Byla jsem tak zklamaná, že jsem mu nemohla odpovědět. Nejspíš úplně zapomněl, že holkám slíbil, že je v pátek vezme do kina. Bude ho to mrzet ještě víc.

„Claire? Prosím, nezlob se. Vím, že je to důležité, protože je to první oficiální běh, ale myslím, že mnohem důležitější je, že se nám to podařilo zrealizovat. Je to jen první běh z mnoha. Po třetím, pátém nebo desátém už bude jedno, že jsem na tom prvním nebyl."

Samozřejmě že to dávalo smysl. Kdybych se párkrát nadechla, možná bych mu dala šanci. Ale trápilo mě něco jiného.

Tohle byl začátek konce.

Holka s kávou a Ashwin Laghari možná měli na začátku šanci, ale ta záře už prostě vyhasla. Kariéra pro nás bude vždycky důležitější.

Claire a Ash… Bylo to fajn, ale prostě jsme teď každý mířili jiným směrem. Náš rozkvétající vztah se dočkal podzimu, lístky začaly opadávat a chřadnout. Už jsme neměli šanci. Už to neustojíme. Možná bych to měla včas utnout. Ale knedlík v krku mě tížil tak, že jsem nemohla promluvit.

„Claire?"

„Máš pravdu." Vypotila jsem ze sebe. Sobotní běh pro mě znamenal mnohem víc než pro něj. Byla jsem hrdá na to, co se nám podařilo vytvořit.

„Vynahradím ti to. Příští týden si zajdeme na večeři."

Kdo to ale vynahradí holkám? Ještě pořád si neuvědomil, že zklamané budou i ony.

„Tento týden… Prostě se toho děje hrozně moc. Málem jsem zapomněl, jaké to je. Musím pořádně zabrat, když jsem nový. Ale cítím se výborně, fakt. Vůbec mi nedošlo, jak moc mi to chybělo. Ta rutina. Mít práci."

Ashwin Laghari byl zpátky ve své formě a já jsem se na něj nemohla zlobit za to, že si pracovní úspěchy tak užívá. Vzpomněla jsem si na tu smutnou postavičku, kterou Hilda tenkrát přivedla na lavičku. Ash práci potřeboval. Definovala ho.

„Zníš moc spokojeně," řekla jsem a vlastně jsem za něj byla ráda. „Znám ten pocit. Mám toho ještě hodně. Tak to na té konferenci zvládni. Doufám, že jim tam ukážeš, zač je toho loket."

„Díky… Fakt mě ta sobota moc mrzí. Budeš mi chybět."

„Ty mně taky." Ale nemyslela jsem si, že to bude trvat dlouho. „Vítej zpátky ve skutečném světě."

Zasmál se a já jsem byla ráda, že jsem ještě pořád zněla jako holka s kávou. Ta, která upřednostňuje kariéru před osobním životem. Ale uvnitř už jsem o tom tak přesvědčená nebyla.

32

„Dobré ráno." Přede mnou se zjevila Sascha se dvěma termoskami s kávou, konvičkou s mlékem a proutěným košem naplněným kelímky, plastovými víčky a dřevěnými míchátky. „Říkala jsem si, že vám to pomůžu trochu rozjet."

„Bože, seslalo vás samo nebe." Málem jsem jí kávu vytrhla z ruky. Bylo něco po osmé, krásné sobotní ráno, a já jsem se snažila ovládnout ten neklidný pocit v žaludku. Káva byla přesně to, co jsem potřebovala.

V noci jsem se moc nevyspala, ale byla jsem vděčná za kino, kam jsem šla s holkama místo Ashe. I když jsem jim trochu lhala, že nám koupil lístky, protože se cítil provinile, že s nimi nemůže jít.

„Děkuju. Ráno jsem si doma ani nestihla udělat kávu, jsem strašně nervózní."

„Nervózní? Proboha z čeho?" pronesla tónem někoho, kdo je úplně nad věcí. „Mám si to rozložit tady?" Hlavou pokynula na stůl u cílové čáry. „Myslím, že to máš všechno pod kontrolou."

„Uvidíme," řekla jsem. Sascha odložila termosky a rovnou nám dva kelímky nalila.

„Mě byste asi takhle brzo ráno do tenisek nedostali, ale každý si přijde na své. Budu držet palce." Zvedla kelímek do vzduchu, jako by si se mnou chtěla přiťuknout.

„Děkuju. Teď už stejně nic nezachráníme. Musíme se jen modlit, aby vůbec někdo přišel."

„Vždycky to může být příští týden lepší. Řím taky nepostavili za jeden den."

„Přesně to si teď opakuju každé ráno."

„Obula ses do toho, Claire. Je to výborný nápad, skvělá příležitost pro celou komunitu. Všichni ti dobrovolníci... To se jen tak nevidí. Některé z těch lidí vůbec neznám a to tady žiju celou věčnost. Park by měl být využívaný mnohem víc, a než to řekneš, ano, nejen proto, aby víc lidí přišlo ke mně do kavárny. Vím, že si o mně lidi myslí, že jdu přes mrtvoly a jde mi jen o zisk, ale tohle místo je prostě kouzelné." Zadívala se do dálky a její hlas podivně zjihl. „Když mi bylo sedm, chodívala jsem sem každou sobotu s babičkou. Za sluníčka i za deště. Když pršelo, vzala s sebou deku, schovaly jsme se v altánu a jedly sendviče a pily čaj, který přinesla v termosce. Byla to úžasná osoba. Rodiče se zrovna rozváděli, doma byl hotový blázinec a ona mě z něj vždycky v sobotu na chvilku vytáhla. Byla jsem jí za to moc vděčná. Jediný čas, kdy jsem se nemusela cítit provinile, že trávím víc času s jedním nebo s druhým z rodičů. Babička tenhle park milovala. Moc mi chybí. Zemřela před rokem."

„Moc mě to mrzí. Měla vás určitě moc ráda."

„To ano." Sascha začala leštit termosku a já jsem se dovtípila, že se potřebuje uklidnit a do té doby se na mě nechce podívat. „Vždycky se zachovala správně, nerozmazlovala mě, ale taky na mě zbytečně nekřičela, prostě jsem vždycky měla pocit, že je tady pro mě. Hilda mi ji hodně připomíná. Milá, ale přísná a svérázná."

„My o vlku..." řekla jsem, když jsem zahlédla Hildu v nové teplákovce. Zamrkala jsem, dneska se opravdu překonala. Mašírovala si to přes park v tmavě fialové verzi, až jí látka šustila kolem kotníků.

„Kde to splašila?" Sascha si dala přistiženě ruku před pusu. „V sekáči?"

„Obávám se, že Hilda svoje outfity nakupuje online," zamumlala jsem.

„Právě proto by někteří lidi měli mít zakázaný přístup k internetu," dodala tiše Sascha.

Hildu rychlými kroky následoval muž s velkým foťákem kolem krku. To byl zřejmě Adam, fotograf z místních novin, a za nimi kráčel další postarší muž.

„Nebudu tě zdržovat," řekla Sascha a nenápadně se vytratila.

„Dobré ráno, Claire, tohle je pan Benton a jeho otec. Vidím dobře, ty tu máš kávu?"

„Říkejte mi prosím Harolde," řekl starší muž, smeknul klobouk a jako ve filmu pro pamětníky se přede mnou uklonil. „Nepřišel jsem sem pracovat ani běhat, jen jsem zvědavý." Hilda už si nalívala kávu a další kelímek nabídla i jemu.

„Já jsem syn tady toho zvědavého pána a přišel jsem sem pracovat. Adam Benton, fotograf z Churchstone Advertiseru." Natáhl ke mně ruku.

„Dobrý den, ráda vás poznávám a děkuju, že jste přišel."

Usmál se na mě a ohlédl se na otce, který se dal u horké kávy do řeči s Hildou. „Obávám se, že jsem neměl na výběr. Můj otec potkal Hildu tento týden v knihovně. Je dost... urputná."

„Za to se omlouvám." Ohlédla jsem se přes rameno. „I když tohle všechno byl její nápad," zasmála jsem se, „takže je to hlavně její zásluha. Jen bych vás chtěla uklidnit. Podívejte, kam až nás ta její urputnost dostala." Mávla jsem rukou do vzduchu a zdůraznila tak práci všech dobrovolníků chystajících závod.

„Máte za sebou kus práce." Jeho obdivný úsměv mě docela potěšil. „Netušil jsem, co mám očekávat, ale máte to tady všechno opravdu dobře zorganizované." Klouzal pohledem na všechny strany.

„Za to jsem vděčná ústředí parkrunů. Dostali jsme od nich spoustu cenných rad. A taky našim dobrovolníkům."

„Kolik lidí očekáváte?"

„To nevím, ale byla bych ráda, kdyby jich přišlo aspoň čtyřicet."

Charles slíbil, že přijdou téměř všichni z běžeckého klubu Harriers. Penny a Janie přesvědčily vedení školy, aby rozdalo letáky mezi dětmi, které je donesou domů. A Elaine zanesla dvě krabice na místní střední školu. Docela velkého zájmu jsme se dočkali na Facebooku a Hilda samozřejmě zvala každého, na koho narazila.

„Na čtyřicet lidí mi to přijde jako spousta práce." Pokrčil rameny a já jsem přemýšlela, jestli to řekl jen proto, aby nakonec mohl psát o smutném příběhu jednoho sobotního parkrunu. Už jsem ten titulek viděla.

„To vůbec ne. Jde o to zpřístupnit bezplatnou událost místní komunitě. Nejmenší parkruny běhává v průměru třicet až čtyřicet lidí. Věděl jste, že parkrun organizují i některé věznice?"

„To jsem nevěděl." Konečně jsem ho zaujala.

„Ano, v Británii se pořádá snad dvacet parkrunů ve věznicích a institucích pro nezletilé pachatele. Není to úžasné?"

„Zníte přesvědčivě," poškádlil mě Adam.

„Tohle," zvedla jsem paži nad hlavu, abych znovu zdůraznila plochu parku, „mi změnilo život. Za posledních šest týdnů jsem poznala víc lidí než za celých šest měsíců, co tady bydlím. Získala jsem nové přátele, potkala ty, které bych nikdy nezaznamenala. Myslím, že tímhle během změníme život spoustě lidí." Myslela jsem třeba na Elaine, Marshu a Wendy, které se díky nám znovu setkaly.

„Nemyslíte si, že tomu připisujete zbytečně moc… Vždyť jde jen o běhání v parku."

„Nemyslím. Dočkali jsme se obrovského zájmu a podpory od místní komunity."

„Tak jak to celé funguje?" zeptal se a znovu se na mě usmál tím nezvyklým způsobem. Potěšilo mě to. Kromě několika strohých zpráv jsem o Ashovi vůbec nevěděla. Ani mi ráno nepopřál štěstí. S širokým úsměvem, který si Adam zřejmě vůbec nezasloužil, jsem mu začala rychle vysvětlovat, jak takový parkrun probíhá. Za pět minut jsem měla mít brífink s dobrovolníky.

„A to je celé. Pokud by to bylo jen trochu možné, rádi bychom pak nějaké snímky využili. Měla jsem domluveného dobrovolníka s foťákem, ale nakonec nedorazil." *Proč bych jeho flirtující nálady trochu nezneužila?*

„Určitě můžu zůstat, ale možná mám ještě lepší nápad. Tati, něco bych pro tebe měl."

Harold zvedl hlavu, když mu Adam vysvětlil, že nám dnes chybí fotograf. „To bych byl moc rád. Tím spíš, když budu moct strávit víc času s touto mladou dámou."

Hilda se zachichotala.

Snad tady nejde o námluvy číslo pět!

„Určitě se nám to bude hodit a budeme velmi vděční. Vlastně, víte co?" Otočila jsem se k Adamovi. „Projděte se tady, povídejte si s lidmi. A vraťte se příští týden a zaběhněte si to. Narazíte na spoustu příběhů. Není přesně tohle, po čem média touží? A teď už mě omluvte, musím na brífink."

Když se za mnou Adam zahleděl, viděla jsem, že jsem zahrála na správnou notu.

„Myslím, že se tu dneska zdržím. Udělám pár rozhovorů. Děkuju, Claire. A hodně štěstí. Možná bych vám mohl zavolat, dala byste mi pár citací?"

Přikývla jsem. Měl moje číslo. I když byl velmi milý, byla by to jen slabá náhražka Ashe.

I tento týden se v parku sešli dobrovolníci, kteří už věděli, co a jak, takže brífink nezabral tolik času. Pověřené osoby se vydaly s vysílačkami na svá místa. Všichni se tvářili, že mají své úseky pod kontrolou. S Charlesem jsem trať prošla už ráno, abychom se přesvědčili, že je připravená. A kromě velké větve, kterou jsme sebrali a odklidili z hlavní cesty, na trati nebyla žádná překážka. Elaine, Wendy a Marsha si zkontrolovaly a nastavily stopky a skenery a upravily poslední detaily v cílové rovince. Procházela jsem se kolem a snažila jsem se zahnat lítost, že se dneska nemůžu běhu zúčastnit. Budu muset zpovzdálí sledovat tu radost a nadšení a čekat několik desítek minut, než se v zatáčce objeví první běžec.

„Claire!" Penny se ke mně přitočila s Hildou v závěsu. „Přemýšleli jsme a rozhodli se, že Charles za tebe dnes převezme funkci vedoucího běhu, aby ses mohla sama zúčastnit."

„Cože?"

„Běžel přece minulý týden. Stejně se podílí na vedení. Prostě jsme se všichni shodli, že bys měla dneska běžet ty. Vždyť za tím vším je stejně nejvíc tvojí práce."

Hilda mě pohladila po paži. „Prostě řekni ano, zlato. Zasloužíš si to. A není Harold okouzlující?"

Podívala jsem se na ni a odolala pokušení ji obejmout. „Děkuju, Hildo." Vsadila bych se, že to byl její nápad.

„Takhle je to správně, drahoušku. Díky tobě jsme parkrun zrealizovali. Kdybych jen tušila, co je za tím práce, nikdy bych to nenavrhla."

„To mi říkáte až teď?" zeptala jsem se s předstíraným šokem.

„Byla to ale jízda, co?" mrkla na mě Hilda.

„To teda byla. Zběsilá jízda, ale stálo to za to."

„To ano. Podívej!" Ukázala za sebe na rostoucí dav, který se pomalu shromažďoval u plachty, kterou jsme natáhli na zem, aby si na ni běžci mohli odložit věci.

„Proboha!" Byla jsem tak zaneprázdněná, že jsem si ani nevšimla, kolik lidí za tu dobu přišlo. Muselo jich být minimálně sto. A to do začátku běhu zbývalo ještě patnáct minut. „Začni stavět a oni přijdou," zamumlala jsem si sama pro sebe a kroutila jsem hlavou.

„Další pořád přicházejí." Hilda zvedla zaťatou pěst, aby bouchla do té mojí. „Dokázali jsme to!"

„Ano, dokázali." Narovnala jsem se a dmula se pýchou.

„Byla bych zklamaná, kdybys dneska neběžela. A ty taky." Hilda se zadívala na druhou stranu, kde stály v kabátech zachumlaná Poppy a Ava. Rána byla ještě chladná. „Neboj, dohlídnu na ně." Poppy si hrála s Billem a Ava hlídala hromádku proteinových tyčinek, cookies a čokolád, které přinesli dobrovolníci.

„To je od vás milé. Ale Bryan, jezdíme spolu ráno vlakem, se nabídl, že se holky můžou připojit na procházku s Billem." Bryan Fellbrook se podle všeho kdysi rád věnoval běhu, ale už vyšel ze cviku. Nedávno mu zemřela žena a on se nabídl, že nám bude v sobotu ráno chodit pomáhat. Od prvního setkání dobrovolníků se z nás, a taky té dámy s krásnými hnědými vlasy, stala společně cestující trojice. Občas jsme si povídali až do Leedsu.

Nakonec jsem se nenechala přemlouvat. Byla jsem Charlesovi vděčná, že můžu běžet.

A tak jsem se najednou ocitla uprostřed nadšeného davu běžců čekajících, až Charles vydá povel ke startu. Srdce mi zběsile bilo v hrudi. Je to tady, dokázali jsme to! Dokázala jsem to. Parkrun v Churchstonu.

„Vítejte!" Zvolal najednou Charles a následoval scénář, který jsem sepsala minulý týden. „Děkujeme, že jste se dnes rozhodli připojit k dalším sto čtyřiceti tisícům lidí, kteří běží parkrun na území Velké Británie. Rád tady vidím tolik nadšených tváří." Pak přidal organizační informace a proces, kterým musí při doběhnutí každý projít. „A nakonec bych rád poděkoval Claire Harrisonové a Hildě Fitzroy-Townsendové, které stály na samém počátku zrodu parkrunu v Churchstonu. Další dík patří Ashovi Lagharimu, který tady s námi bohužel dnes nemůže být. Můžete na nás, dámy, zamávat? Pojďme jim všichni zatleskat."

Nesměle jsem zvedla ruku nad hlavu. Potlesk, který se v tu chvíli strhnul, mě málem připravil o sluch. Lidi, kteří stáli v mojí blízkosti, mě plácali po zádech.

„Dobrá práce."

„Děkujeme."

„Paráda."

Jen jsem se na ně usmála a netušila jsem, co na to říct. Nebyla jsem si jistá, že si tolik povyku zasloužím. Najednou jsem hrozně zatoužila, aby tady byl Ash se mnou. Vtom mi v kapse legín zavibroval telefon.

Držím palce. Myslím na tebe. Kéž bych tam mohl být s tebou. Ukaž jim to!

Nezapomněl.

„Tak jdeme na to. Tři, dva, jedna!"

Masa lidí se dala do pohybu. Byla jsem doslova zaplavená nadšeným davem plným euforie. Běžet v obklopení dalších účastníků bylo něco naprosto jiného než běžet sama. Musela jsem se přimět trochu zpomalit, když jsem si uvědomila, jak rychle mi bije srdce. Na můj vkus jsem běžela příliš rychle, takhle se moc daleko nedostanu. Na rozdíl od většiny lidí jsem věděla, co mě za chvilku čeká. Musela jsem na ten kopec šetřit energii.

Běžci se nakonec rozprostřeli po trati a já jsem naběhla do svého přirozeného tempa po boku dvojice z Harriers, která se na mě usmála a ukázala mi zvednuté palce. Všechen ten trénink se nakonec vyplatil a já jsem si vesele vyklusávala. V hlavě jsem si promítla den, kdy jsem v parku běžela poprvé a doslova lapala po vzduchu. Pořád jsem ještě nebyla ve vrcholné kondici a moc dobře jsem si uvědomovala pálení v plicích, ale měla jsem svůj rytmus, kterého jsem se držela. Natahovala jsem jednu nohu před druhou, pěkně krok za krokem, jak jsem si to vždycky říkala, a pomalu jsem se připravovala na stoupání k Beacon Knoll.

Nejrychlejší běžci už byli dávno mimo moje zorné pole a já jsem s potěšením zjistila, že několik dalších účastníků zpomalilo a kopec pomalým tempem vyšlo. Nedokázala jsem si představit, že tohle jednou vyběhnu bez zastavení, ale věděla jsem, že jsem na tom mnohem líp, než když jsem tu běžela poprvé. Pak jsem sebrala zbytky energie a přinutila se poslední třetinu kopce lehce vyklusat. Věděla jsem, že když se dostanu na vrchol, už mě čeká jen poslední kilometr dolů.

S napětím v nohou a tíhou na hrudníku jsem se vyšplhala nahoru. Pálila mě stehna a sípala jsem, ale nezastavila jsem a pomalu jsem se pustila kopcem dolů. Povolila jsem ruce, nechala je vlát kolem unaveného těla a naslouchala jsem bušení tenisek o štěrkovou cestu. Zaostřila jsem na červené tričko muže před sebou, byla na něm velká padesátka. Už jsem věděla, co to znamená. Těšilo mě, že jsem jeho rychlost skoro pokořila. Přidala jsem a rozhodla se ho předběhnout. Musely mě ovládnout endorfiny, jinak si to neumím vysvětlit, ale v hlavě mi hrála písnička *Chariots of Fire*. Úplně jsem se ponořila do soutěživé nálady. Pádila jsem z kopce jako splašená, předběhla dalšího běžce, před sebou jsem měla jen vidinu cíle. Za zatáčkou. Vím, že tam je.

Vyběhla jsem do slunečních paprsků, čekalo mě posledních pár metrů. Začala jsem sprintovat, jako by mi šlo o život.

„Makej, Claire!" křičela Elaine někde přede mnou. A když jsem konečně pokořila cíl, slyšela jsem, jak zmáčkla stopky.

„Výborně!" křičela Marsha.

Zvolnila jsem a snažila jsem se dostat splašený tep zpátky pod kontrolu.

Umřu. Nebo se pozvracím. Nebo obojí.

„Výborný finiš," poplácal mě po zádech muž s padesátkou na tričku.

„Děkuju," zachrčela jsem. „Nevím, kde jsem na to vzala sílu."

Natáhla jsem ruku k mladému dobrovolníkovi, který rozdával žetony s pořadím. „Díky."

„Nádherná trasa," řekl muž za mnou. „Opravdu jsem si to užil. Jsem moc rád, že mám parkrun tak blízko domova. Už dva roky musím každou sobotu jezdit do Harrogatu. Tenhle je ale trochu náročnější."

„Už vím, že zahrnout tam ten kopec byl velký omyl." Mrkla jsem na něj.

Dali jsme se do smíchu a oba jsme se připojili k frontě čekající na skenování kódů.

33

V kavárně U Šťastného zrnka to vřelo nadšením. Obzvlášť po tom, co Sascha oznámila, že káva je na její účet. „Ale jen pro dnešek," dodala pro jistotu. „Nemyslete si, že jsem snad vyměkla."

Její otec, který, přesně jak slíbil, přišel pomáhat, obrátil oči v sloup a dál rychle připravoval jedno espresso za druhým. Cestou do kavárny jsem s ním měla velmi zajímavý rozhovor.

„To by bylo něco," zamumlala Penny a já jsem ji šťouchla do žeber. Všichni možná neměli pro Saschu pochopení, ale nám ohromně pomohla.

„Můžu to sníst?" zeptala se Ava a natáhla se po zbytku brownie na mém talířku.

Zamračila jsem se. „Rozkrojím to na půlku a rozdělíš se s Poppy, ano?" Podívala jsem se přes stůl na její sestru, která seděla vedle Penny a upřeně sledovala něco na telefonu. Skrývala displej, aby na něj nikdo neviděl. Přišlo mi, že se chová nějak podezřele. Ze školy jsem už několikrát dostala upozornění o zajištění bezpečnosti dětí v online prostředí, což mi do hlavy nasadilo dalšího brouka. Neměla bych nějak zabezpečit internet a začít sledovat, na co se tam Poppy dívá? Věřila jsem, že je dost chytrá na to, aby se do ničeho nenamočila. Ale nebezpečí číhá na každém kroku.

„Poppy, všechno v pořádku?"

Přes obličej jí přeletěl náznak paniky a na chvilku nevěděla, jak se má zatvářit. Pak rychle strčila telefon do kapsy a dělala, že se nic nestalo. „Jo."

Přivřela jsem oči a snažila se představit si, co ji mohlo tak vyvést z míry. Určitě bych se jí nechtěla hrabat v mobilu, ale zajímalo by mě, o co jde. Poppy byla hodná holka, věděla jsem jen, že si píše s nějakým klukem. „Nechceš kousek brownie?"

Zakroutila hlavou a zvedla bradu. Přišla mi trochu bledá, rty měla pevně stisknuté. „Ať to sní Ava."

Zvedla jsem obočí. Nestávalo se moc často, že by Avě nabídla vlastní porci.

„Nemám hlad. Můžu na chvilku ven?"

„Jasně, už tady nebudeme dlouho. Nechoď nikam daleko."

Jako ptáček držený v zajetí se najednou zvedla a doslova vyběhla ze dveří.

Penny si všimla mého zadumaného výrazu a daly jsme se do řeči. Když jsem se po několika minutách podívala oknem ven, viděla jsem Poppy opřenou o nízkou zídku u dětského hřiště zabranou do mobilu.

„Nemůžu uvěřit, že přišlo přes tři sta běžců," zopakovala Elaine asi popáté od stolu, kde s Wendy a Marshou sepisovaly časy a pořadí účastníků.

„Ani já ne," přiznala jsem, tím číslem jsem byla úplně šokovaná. „Zvládnete to samy? Nechcete s tím pomoct?"

„Jde nám to jako po másle," odpověděla Wendy trochu dotčeně, jako bych snad pochybovala o tom, že mají všechno pod kontrolou. „Potřebovaly jsme se do toho pořádně zakousnout." Všechny tři se zasmály a pokračovaly v ťukání do klávesnice.

„Nepochybuj o nás, Claire." Marsha se na mě usmála, prošedivělé vlasy měla rozcuchané z toho, jak si je občas při kontrolování zadaných časů a pořadí běžců nervózně prohrabovala prsty. Nezáviděla jsem jim to, tuhle činnost jsem ráda přenechala druhým. „Všechny časy budou zveřejněny ještě před polednem."

Přišlo mi to jako zázrak. Každý běžec obdrží e-mail s osobním časem a pořadím včetně dalších statistik ohledně kategorie podle věku a pohlaví, aby mohl sledovat osobní rekordy. Nemohla jsem se dočkat, až zjistím, jak jsem si dneska vedla.

Koutkem oka jsem si všimla, jak se otevřely dveře, uslyšela jsem cinknutí zvonku a šestý smysl mě přiměl otočil hlavu za zvukem. Do kavárny vstoupil Ash a pohledem okamžitě vyhledal moje oči.

Když jsem si prohlídla jeho široká ramena v obleku šitém na míru, který byl na hony vzdálený kalhotám z Marks & Spencer, málem se mi zastavil dech. Jeho pichlavé oči se ponořily do těch mých a já jsem najednou zatoužila se rozběhnout a skočit mu do náruče. Něco mě ale zastavilo. Nezlobila jsem se na Ashe za to, že na běh nedorazil. Rozuměla jsem jeho důvodům. Ale uvědomovala jsem si, že náš vztah je na začátku konce. Takových situací, jako je ta dnešní, by bylo v budoucnu mnohem víc. Nebyl by tu pro mě. Ani pro holky a Hildu.

Postavila jsem se a prodrala se k němu, abych se s ním přivítala, a pak jsem ho za paži odvedla ven. Při představě, co se právě chystám udělat, se mi sevřelo srdce.

„Jak to šlo?" zeptal se.

„Úžasně. Přes tři sta účastníků."

„Nádhera. Promiň. Měl jsem tady být. Odešel jsem hned po snídani."

Odvedla jsem ho k lavičce, a když se mi chystal položit ruku kolem ramen, nenápadně jsem se vysmekla.

„Ashi, zvládli jsme to. Dnešek byl úžasný. Uvědomuju si, že jsme vytvořili něco jedinečného, vážně se nám to společně povedlo. Podívej, kam jsme to dotáhli!"

Znovu se natáhl a chtěl mě chytit za ruku, ale ucukla jsem.

„Claire?"

„Ashi, nic od tebe neočekávám. Když jsme se potkali… všechno bylo jinak. Spousta se toho pro mě změnila, ale pro tebe nemusí."

„Co tím myslíš?"

„Poslední dny jsem přemýšlela a uvědomila jsem si, že se něco musí změnit. Myslím, že jsme došli na konec společné cesty."

„O čem to mluvíš?" Slyšela jsem v jeho hlase, jak je zmatený.

„Máš novou práci, na kterou se musíš soustředit."

„Je pravda, že teď dělám trochu přes čas, než se trochu rozkoukám, ale je to jen dočasně."

„Vážně?" Prohlížela jsem si jeho tvář a viděla jsem náznak pochybností.

„Samozřejmě. Musím se jen dobře zavést. Víš přece, jak mi na tobě záleží. Jsme dospělí. Dobře, párkrát jsme museli odložit rande, ale… Přece víš, jak to chodí."

„Právě že vím. Naprosto ti rozumím a rozhodně tě z ničeho neobviňuju, ani se na tebe nezlobím." Smutně jsem se na něj usmála. „Když jsme se potkali, zajiskřilo to mezi námi. Úplně si tu přitažlivost vybavuju." Naše pohledy se protnuly. Při vzpomínce na ty zlatozelené oči mi poskočilo srdce. „To první rande…," nechtěla jsem nahlas přiznat, že si ještě teď pamatuju to sexuální napětí, „prostě jsme si sedli. Oba jsme věděli, že kariéra je u nás na prvním místě, že nás definuje. Myslela jsem si, že se zblázním, když mě poslali na nemocenskou. A pak jsem viděla, co se stalo s tebou, když jsi přišel o práci. Potřebuješ, aby to tentokrát fungovalo. Jen ti to chci usnadnit." *I když to bude bolet.*

„Usnadnit?"

„Jdeme každý jiným směrem. Máš svoji kariéru, do které se musíš ponořit."

„A co ty? Co to povýšení?"

„Je to vlastně k smíchu… Teď, když mi tu pozici nabídli, jsem si uvědomila, že o ni nestojím. Že na světě jsou mnohem důležitější věci. Moje práce se za ty roky změnila, už mě tolik nenaplňuje. Jsem na vrcholu, vzdálila jsem se tomu, co mě uspokojovalo. Už mi na tom tolik nezáleží."

„Netušil jsem, co se ti honí hlavou."

„Ani já, dokud mě nepovýšili. Myslela jsem si, že jsem konečně dosáhla toho, po čem jsem tak dlouho toužila. Ale vlastně to tak vůbec není. Chci trávit víc času doma, nechci každý den dojíždět. Chci si povídat s Hildou a hrát si s holkama. Chci, aby byl parkrun úspěšný. Chci si jít večer sednout s Penny a Janie na drink… Chci vařit večeře. A nemyslím si, že bys něco podobného chtěl i ty."

„A nedáš mi ani šanci, abych ti to dokázal?" Ash zněl zahořkle.

„Ashi, vážně? Práce pro tebe znamená všechno. Dnešek je toho jasným důkazem. Podobné věci se budou dít každou chvíli. Máš jasně daný svůj žebříček priorit a já ti to nechci komplikovat."

„Takže mi vlastně projevuješ laskavost."

„Nech toho, Ashi. Jednou mi za to poděkuješ."

„Máš na všechno odpověď. Za každou cenu chceš mít pravdu."

„Kéž by to tak bylo," odpověděla jsem sklíčeně. Měla jsem Ashe opravdu ráda – tak, jak už dlouho nikoho –, ale brzo z něj bude zase sexy a povýšený Ashwin Laghari. Zase bude úspěšný a já, Hilda i holky budeme jen vzdálenou vzpomínkou. Bude lepší, když to ukončíme, dokud to ještě tolik nebolí. „Ponoř se do práce, dám ti k tomu prostor."

K mému překvapení se na mě Ash s lítostí podíval a zvedl se k odchodu. „Takže ve skutečnosti říkáš, že nám nemíníš dát šanci."

Tak to není, jen myslím dopředu. Protože jednou budeš chtít ode-
jít, nebudeš chtít zůstat. Protože to nejsou tvoje děti.

„Tak to není, jen se ti to snažím ulehčit."

Ash přecházel na místě. „A co Bill?"

„Co je s Billem?"

„Poppy to zlomí srdce."

Na to jsem nemyslela. Podrážděně jsem se na něj podívala.

„Těžko po tobě budu moct chtít, abyste ho hlídaly, když už nejsme," prsty naznačil uvozovky, „kamarádi."

34

„Děláš si srandu? A co to povýšení?" Karen položila na stůl obálku, kterou jsem jí před chvilkou podala, a začala pochodovat po své kanceláři s rukama v bok. Zadívala jsem se za její záda, dolů z okna jedenáctého patra, přes třídu Headrow až na majestátní radnici střeženou kamennými lvy. Výhled na neobarokní kopuli s obrovskými hodinami mi překvapivě nebude chybět.

„Uvědomila jsem si, že o to nestojím."

Prudce se otočila a začala mě studovat bystrým pohledem, jako bych byla nějaké exotické zvíře v zoo, které už nikdy v životě neuvidí. Obočí jí vyletělo až na čelo.

„Co na to řekl Alastair?"

„Chápe to." Popravdě jsem se ještě pořád nevzpamatovala z toho, jak upřímný ke mně byl, když mi řekl, že dělám správnou věc a že si mám užívat, dokud jsem mladá. *Zasvětil jsem této práci celý svůj život, stálo mě to dvě manželství a propásl jsem dospívání svých dětí. Nejsem si jistý, jestli mi v důchodu moje skóre v golfu bude stát za všechnu tu dřinu.* Takhle přesně to řekl.

Jeho slova jen potvrdila to, co jsem si myslela. Už jsem si byla jistá, že jsem udělala správné rozhodnutí.

„Budeš si hledat novou práci?" Znovu kolem mě proplula, otočila se na podpatku a málem mi zasyčela do ucha. „Dají ti tolik, kolik jsme ti platili my? Ani jsem nevěděla, že něco hledáš."

„Nehledám. A rozhodně nejde o peníze. Potkala jsem Edwarda Comelyho na schůzce ohledně parkrunu. Vlastně je to tvoje vina, protože jste mě před ním s Davem vychválili do nebes. Až pak jsem zjistila, že vede rodinnou účetní firmu."

„Comely?" A pak se jí najednou rozjasnilo. „Šedé vlasy, hezky oblečený, kvalitní boty. A já jsem si myslela, že je prostě jen milý."

„Je milý. A taky chytrý." V myšlenkách jsem se vrátila ke dvouhodinové schůzce, kterou jsme měli v pondělí večer. Zmínila jsem se mu v sobotu na běhu a on byl tak hodný, že si na mě hned v pondělí udělal čas.

„Co ti může nabídnout víc než firma Cunningham, Wilding a Taylor?"

„Větší interakci se zákazníky, podporu místních podniků. Méně tlaku, seniorskou pozici, pracovní dobu čtyři dny v týdnu od devíti do pěti. A můžu chodit pěšky do práce." Edward Comely souhlasil se všemi mými požadavky. A nabídl mi seriózní plat, i když o to mi vůbec nešlo. Šlo o naložení s mým časem, o pozici, o to být součástí malého podniku. Navíc se mi jako zaměstnavatel moc líbil.

„No, tak to bych ti asi měla pogratulovat." Koutky jejích úst ale prozradily, že je ve skutečnosti zklamaná. „Uznávám, že ti to ušetří spoustu hodin dojíždění a mít den volna navíc je doslova luxus. I když si umím představit, že bychom to mohli nějakým způsobem kompenzovat. Minimálně flexibilní pracovní dobou."

„To není všechno, Karen." Nevěděla jsem, jak jí mám vysvětlit, že už jsem se ve velké firmě necítila ve své kůži. Že jsem se nechtěla setkávat s náročnými a neústupnými klienty, kteří si za své peníze kupovali všechen můj volný čas. To už jsem nebyla já. Teď budu moct holky vodit a vyzvedávat ze školy, což bude pro všechny příjemnější.

„Kdy bys chtěla skončit?" Zabořila se do kancelářské židle za stolem. „Víš, že o tebe nechceme přijít. Seš si svým rozhodnutím stoprocentně jistá? Máš tříměsíční výpovědní lhůtu, během které můžeš změnit názor. Nikdo se tě nebude na nic ptát."

„Už jsem se rozhodla." Usmála jsem se na ni omluvně. „Alastair mě vyřadil ze všech aktuálních projektů, končím za měsíc."

„Cože?" Karen překvapeně zamrkala. „To je… dost drsný."

„Odcházím ke konkurenci." Pokrčila jsem rameny.

„Není to ani pořádná konkurence," Karen ohodnotila Edwardovu prosperující firmu mávnutím ruky, což by ho určitě pobavilo. Rozhodně neměl zapotřebí dělat si v oboru nějaké nepřátele.

„Za zeptání nic nedáš." Alastair byl opravdu velkorysý. Myslím, že ho moje upřímnost mile překvapila. „Dokonce se zmínil, že někdy zavítá na sobotní běh v Churchstonu."

„Předpokládám, že se tam nechceš vrátit a vyjednat mi zvýšení platu, co?" Zadívala se ke kanceláři našeho nadřízeného a položila ruce na stůl. „Velká škoda, Claire. Budeš mi chybět." Pak se zvedla, obešla stůl a dlouze mě objala. „Nedokážu si to tu bez tebe představit."

„Zůstávám v Churchstonu. Bydlíš jen kousek ode mě. Budeš se u mě muset někdy zastavit. Třeba na večeři." To už jsem jí měla navrhnout dávno. Netuším, proč mi to tak dlouho trvalo. Až teď mi došlo, že Karen je moje kamarádka. Přestože jsem si myslela, že jsem nikdy žádnou neměla. „Nebo si můžeme po běhu zajít na kávu."

Usmála se. „Večeře zní dobře. Budeš teď mít spoustu času, aby ses naučila vařit. Já přinesu víno. A nezapomeň, že mám nejradši těstoviny."

Od chvíle, kdy jsem dala výpověď, se věci daly rychle do pohybu. A to nejen v práci. Ve škole proběhla velmi nepříjemná schůzka s ředitelkou. Byla naprosto v šoku, když jsem jí řekla, že Alice se nechystá v dohledné době vrátit a starat se o svoje děti. Do situace se rychle zapojila sociálka. Ředitelka měla velké pochopení, ale musela se řídit předpisy. „Obě učitelky, Poppyina i Avina, už sepsaly reporty potvrzující, jak moc se obě žačky za posledních pár týdnů zlepšily. Především Ava. To bude samozřejmě sociálnímu odboru zdůrazněno. Nemějte strach. Škola se postaví na vaši stranu. Bude v nejlepším zájmu všech, aby rodina zůstala pohromadě."

„Děkuji," zašeptala jsem vděčně a měla jsem strach, že se rozbrečím. „Chystám se požádat o opatrovnictví. Ocením, když zatím Poppy ani Avě nic neřeknete. Ještě pořád si myslí, že je jejich máma odříznutá někde v Indii a nemůže se dostat zpět. Brzy jim to všechno vysvětlím."

V tu chvíli začala ředitelka plakat, což mě trochu rozhodilo. „Je to smutné. Vaši sestru moc neznám... Snažili jsme se ji sem několikrát pozvat, ale byla velmi... vyhýbavá."

„Alice nikdy neměla ráda autority."

„Tomu teď naprosto rozumím. V minulosti jsme několikrát debatovali o prospěchu obou dětí. Poppy je velmi chytrá, ale potřebuje povzbudit. Teď už mi dochází, že toho vaše sestra asi nebyla schopná. Být matkou samoživitelkou není jednoduché."

„To určitě není," souhlasila jsem. Hned jak dorazím domů, musím zavolat Farquharovi. Snažila jsem se žádost o opatrovnictví odložit, ale teď jsem si uvědomila, že si všechny tři zasloužíme mít jasnou představu o budoucnosti. Musím si s holkama co nejdřív v klidu sednout a všechno jim vysvětlit.

Vyšla jsem z ředitelny a zamířila k Avině třídě, abych ji po skončení vyučování vyzvedla.

„Co tady děláš?" zeptala se mě trochu příkře Poppy. „Kde je Hilda?"

„Pracovala jsem dnes odpoledne z domova a myslela jsem si, že vás překvapím. Hilda šla na lekci tance a pak vyvenčí Billa." Nechtěla jsem, aby věděla, že jsem mluvila s ředitelkou. Jen by ji to rozhodilo a začala by se vyptávat. Poppy nebyla hloupá.

Ava mě chytila za ruku a začala spontánně líčit, jak probíhal její den. Popisovala, kdo dneska ve třídě hlásil počasí, kolik masových kuliček měla k obědu a jakou barvu mělo švihadlo, přes které o přestávce s holkama skákaly. „A taky jsem dostala další samolepku. Za čtení."

„To je úžasná zpráva, zlatíčko! Večer si zase budeme číst. Poppy, počkej na nás!" zavolala jsem na její sestru, která se od nás začala vzdalovat.

Poppy se otočila, šlehla po mně naštvaným pohledem a pak se opřela o zeď a obrátila oči v sloup.

Protože udělala, co jsem jí řekla, i když dost nevhodným způsobem, nechala jsem ji na pokoji a nesnažila jsem se zjistit, co se zase stalo. Od víkendu se chovala nemožně a já jsem přemýšlela, jestli už na ni neleze puberta. Brzo jí bude jedenáct, nemohla bych se vůbec divit.

Došly jsme k ní a ona se rozhodla, že se bude pro změnu unaveně táhnout několik kroků za námi. Když jsme s Avou došly k parku a náš dům už byl na dohled, šla pár metrů za námi.

Zatnula jsem pěsti a přinutila se k trpělivosti. Dneska nebude o drama nouze, Ash si měl po večeři vyzvednout Billa.

Chvilku po nás se dostavila i Hilda a náš čtyřnohý kamarád Poppy aspoň trochu zvedl náladu.

„Co se to s ní děje?" zeptala se po večeři Hilda, když jsme společně skládaly nádobí do myčky. „Od kdy nemá ráda rajčata?"

„Puberta. Jinak nevím."

„Hmm. Vždycky jsem byla ráda, že jsem měla kluka."

„Pamatuju si, že Alice byla úplně stejná. Od čtrnácti do šestnácti to s ní bylo hotové peklo. A pak otěhotněla. Chudáci rodiče. Pak už se s ní nikdy nedalo pořádně mluvit."

„Už se ti ozvali?"

„Ano." Rozhodila jsem rukama. „Nic jim nedochází. Máma mi napsala dlouhý e-mail. Věří, že si Alice jen prodloužila dovolenou a že se brzo vrátí."

„Předpokládám, že se ti vůbec neozvala."

„Ne."

„Nechtěla jsem se před dětmi ptát, jak to šlo s ředitelkou."

„Dostaly jsme se do slepé uličky. Musí kontaktovat sociálku, takže se na to musím připravit a co nejdřív oslovit Farquhara, aby mi pomohl požádat o opatrovnictví. Dneska mu musím zavolat."

„Hmm. Najednou jste jako dvě hrdličky."

„Opravdu si cením toho, že mi pomáhá. A nic za to nechce. Není vůbec tak zlý, jak jste mi ho popisovala. Navíc má o vás starost."

„Možná. Říkal mi, že by se se mnou chtěl tento víkend zajet podívat na nějaké přízemní domky. A že přijde v sobotu ráno na náš běh. Mohli bychom se rovnou zajít podívat na jeden dům na Long Acre Road a pak taky na jeden na Abernathy Road. Ten druhý je vlastě s mezonetem, ale to je v pořádku. Má vysoký strop, to se mi líbí, vypadá jakoby vznešeně. Mohla bych si tam zvát lidi na návštěvu, úplně vidím, jak bych si to tam vyzdobila. Nechci žít v žádné malé krabici. A pokud jde o hlídání Billa, Ash se mi zmínil, že už si někoho našel."

Podívala jsem se na Poppy, která byla zase zabraná do svého mobilu.

„S Ashem jsme se domluvili, že si dáme pauzu," řekla jsem opatrně.

„Pauzu?" Hildin hlasitý šepot upoutal Poppyinu pozornost. „Co to proboha znamená?"

„Pssst!" Chytila jsem ji za loket a odtáhla ji do obýváku.

„Co?"

„Nechci, aby to holky věděly."

„Aby věděly co?"

„Že už sem Ash nebude tak často chodit."

„Proč by neměl?"

„Teď jsem řekla, že si dáváme pauzu, že budeme… kamarádi."

Hilda nesouhlasně zamručela. „Mezi váma to jiskří tak, že by to zapálilo stodolu. Myslím, že byste se spolu měli konečně vyspat. Hned by se vám oběma rozsvítilo. Nechápu, že se ti z toho ještě nezapálily kalhotky. Když jste spolu v jedné místnosti, přísahám, že ti doutná od zadku."

„Hildo!"

„Moc dobře víš, co tím myslím."

„Bohužel ano. A to je ten problém. Mezi náma je spoustu chemie, ale není na čem stavět."

„Blbost." Prudce odložila hrnek s kávou na malý konferenční stolek, až tmavá tekutiny vyšplíchla ven. „V životě jsem neslyšela tolik hloupostí v jedné větě. A to jsem toho už zažila opravdu hodně. Můj druhý manžel si vymýšlel tak, až se mu prášilo od pusy. Ale to si nechám na jindy. Proč by ses s ním proboha měla přestat vídat?"

„Hildo, Ash se znovu vrhnul na kariéru. Za chvilku se z něj stane zase ten Ashwin Laghari, obchodník se zbraněmi, ne Ash se psem, dvěma dětmi, ke kterým bůhvíjak přišel, náhradní babičkou a zhroucenou přítelkyní. Prostě na nás nebude mít čas. Nechci, aby mě to semlelo."

„Claire, to může být pravda, ale zní to dost absurdně. Vy dva jste... Neřekla bych perfektní, to zní uhozeně, ale prostě se navzájem výborně doplňujete. Patříte k sobě. Takhle si představuju někoho, kdo do sebe zapadá jako ozubená kolečka. Prostě si rozumíte. Vůbec to nedává smysl."

Zvedla jsem rezignovaně obočí. „Z Ashe bude brzo zase stejný workoholik. Byli jsme perfektní pár, když jsem úplně stejně fungovala i já."

„Stejně si myslím, že to zbytečně brzy vzdáváš."

„Říká se tomu pud sebezáchovy."

Když se o půl hodiny později Ash objevil ve dveřích, Hilda nám oznámila, že si jde hrát s Avou do koupelny s plastovými kachničkami.

„Co jí přeletělo přes nos?" zeptal se Ash, odložil tašku s počítačem na stůl a dřepnul si, aby se přivítal s Billem. Do kuchyně se přišourala Poppy, a když ho uviděla, vesele se k němu rozběhla. „Pískle, jak dopadl ten úkol z matiky?"

„Dobře." Rozzářila se, úsměv jí úplně proměnil tvář. Vypadala nejspokojeněji od chvíle, co jsem ji vyzvedla ze školy. „Deset z deseti."

„Uf!" Ash si naoko setřel pot z čela.

Sakra, kdo jí teď bude pomáhat s matematikou a dělat s ní úkoly do fyziky?

Poppy mu podala Billovo vodítko. „Uvidíme se zítra, Bille." Pak ho znovu podrbala za ušima.

Já i Ash jsme ztuhli. Naše pohledy se střetly ve vyděšeném výrazu.

„Poppy, Bill tady zítra nebude," pronesl Ash tiše.

Dětské oči se na něj bezelstně upřely. Pak se v nich objevil strach. „Proč? Něco se stalo?"

„Mrzí mě to, Poppy, ale Bill začíná být zmatený a už vůbec neví, kde bydlí. Myslím, že pro něj bude nejlepší, když teď bude víc času trávit doma," vysvětlil jí, že od příštího týdne, a podle toho, jak dopadne zítřejší schůzka se člověkem, který by měl Billa pravidelně venčit, bude pes v péči někoho jiného.

„Ale můžeme se s ním vídat, že?" zeptala se Poppy a potlačovala pláč.

Ash polkl a naštěstí se nepodíval mým směrem. Kdyby to udělal, připadala bych si hrozně provinile. Celé to byla moje vina, ale všechny nás to ochrání před mnohem větší katastrofou, ke které by došlo v budoucnu.

„Můžeš se s ním vidět každou sobotu na parkrunu."

„Ale…" Poppy se zachvěl spodní ret. „Proč jsou dospělí vždycky tak zlí? Všichni lžete! A pořád něco předstíráte. Proč mi prostě neřeknete pravdu?" Vyběhla z místnosti. Pak už jsme slyšeli jen dusot po schodech a prásknutí dveřmi, až se otřásl celý dům.

„Tak to bychom měli," řekl Ash a zadíval se na mě.

„Od soboty se s ní nedá mluvit," řekla jsem. Rozhodí ji každá maličkost. Stala se z ní úplná mistryně v hlasitém práskání dveřmi.

„Myslíš od té doby, cos mě poslala k vodě?"

„Ashi," zaklonila jsem hlavu a hlasitě jsem vydechla. „Neposlala jsem tě k vodě. Jen jsem ti to všechno usnadnila."

„Nebo spíš sama sobě."

„Jak jsi na to přišel?"

Prohrábnul si vlasy. „Nevím. Zapomněl jsem je vzít v pátek do toho kina. Vůbec ses o tom nezmínila. Moc mě to mrzí."

„To je přesně ono. Nemá smysl, aby byli všichni smutní."

„Byly zklamané?"

„Poppy víc než Ava. Řekla jsem jim, že jsi koupil lístky a vzkazuješ jim, ať si to užijou, i když jsi s nimi nemohl jít. Taky jsi jim koupil popcorn a zmrzlinu. Dlužíš mi dvacet liber."

Zamračil se. „Omlouvám se." V očích se mu zračila lítost.

„Už to chápu. A až teď si připadám jako totální magor. Rád bych měl ještě jednu poslední prosbu a pak už slibuju, že se ti budu klidit z cesty. Ve čtvrtek mám fakt důležitou schůzku. Je to na celý den. Odjíždím brzo ráno a vracím se v noci. Mohl bych tady Billa nechat a vyzvednout si ho až v pátek ráno? Nebo je to ode mě troufalé, že se vůbec ptám? Není to fér vůči Poppy, že?" Do očí mu vhrkly slzy. „Všechno, co jsi řekla, je pravda. Zatraceně. Moc mě to mrzí, Claire."

Stáhlo se mi hrdlo. „Tak vidíš."

„Ano, promiň. Neměl jsem se vůbec ptát. Zkusím si to nějak zařídit."

Dojalo mě, jak se zajímá o to, jak se bude cítit Poppy.

„Neboj se. Zvládnou to. Děti jsou odolné. Nechej ho tady, Poppy bude šťastná a určitě mě bude všemi možnými způsoby vydírat, aby s ní mohl Bill spát v posteli."

„Fakt?"

Přikývla jsem a snažila jsem se vyhnout jeho pohledu. Jen jsem se nepřítomně usmála. Být s ním v jedné místnosti pro mě znamenalo velké pokušení. Chtěla jsem se schoulit na té široké hrudi a nechat se obejmout. Bylo by o tolik snadnější to prostě vzdát a vídat se s ním, ale věděla jsem, že na konci toho všeho by mě čekalo ještě větší neštěstí.

Ještě že jsme spolu už nespali.

A pak jsem zalitovala, že jsem tu myšlenku vůbec nechala vstoupit do svého vědomí, protože teď už se jí zase nezbavím. Už nikdy nebudu mít s Ashwinem Lagharim sex.

„Bude to v pohodě, když ho sem hodím v sedm ráno?"

„Co?" Probrala jsem se z myšlenek na jeho tygří oči a sametovou kůži. „Sedm, no jasně. Můžeme ho vzít s sebou do školy a pak ho odvedu zpátky, sednu na pozdější vlak a Hilda ho může vzít vyvenčit ve dvě."

„Děkuju, Claire. Hrozně bych tě teď chtěl políbit... Ale to je asi hrozná blbost, že?"

Píchlo mě u srdce. „Asi... jo." Musela jsem ta slova ze sebe vydolovat.

„Dobře, tak já půjdu. Uvidíme se ve čtvrtek."

Vlažně se na mě usmál, zavolal na Billa a odešel.

Sledovala jsem ho, jak prochází předzahrádkou se psem u nohou. Ani jednou se neohlédl. Na takovou dálku by ani nemohl vidět moje slzy.

35

Ve čtvrtek ráno se Poppy probudila s výrazně lepší náladou. U snídaně celá zářila, jako by se nám snad snažila vynahradit tu mizérii posledních dní, kterou jsme s ní musely prožít. Už jsem tu taktiku znala. Úplně stejnou jsem používala před lety na svoji mámu.

„Rychle nahoru a vyčistit zuby, obě! Ash s Billem už jsou tady." Zamávala jsem na ně přes kuchyňské okno. Poppy se místo čištění zubů rozběhla ke dveřím a chystala se přivítat se psím kamarádem.

„Dobré ráno," popřála jsem Ashovi přes Poppyina sehnutá záda. „Poppy, zuby! Billa uvidíš za minutu, dneska s námi půjde ke škole. Můžeš si s ním hrát celou cestu."

„Tak jo," odfrkla si a rozběhla se do horního patra.

„Děkuju, Claire. Opravdu si tvojí pomoci vážím."

„Není za…" Udělala jsem velkou chybu a zadívala jsem se mu do očí, až se mi zadrhla slova v krku. Ach jo, Ashwin Laghari v celé své kráse. Jeho charisma mě málem povalilo na zem.

„Hezký oblek," vypotila jsem ze sebe. Obrys jeho postavy ve slunečním světle mě úplně omráčil. Jeho široká ramena zaplňovala celé dveře a oblek, zcela jistě šitý na míru, napovídal, co se skrývá pod ním.

„Díky." Jeho skoro až stydlivý úsměv mi podlomil kolena a rozproudil mi krev v žilách. Přesně jako za starých časů. *Copak ten záblesk touhy budu prožívat pokaždé, když se na něj podívám?*

„Hodně štěstí," popřála jsem mu a snažila se znít nad věcí.

„Určitě to zvládneš. Kdy se dostaneš ke slovu?"

„Prezentuju návrh rozpočtu v jedenáct, ale schůzka začíná už v devět."

„Vsadím se, že budou výsledky nového finančního ředitele naprosto unešení." Nemohla jsem si v tu chvíli pomoct, musela jsem se k němu natáhnout a dotknout se jeho paže. „Tak jim to předveď, Ashi. Vím, že na to máš."

„Díky, Claire. Už radši půjdu. Bille, buď hodný!" Pak se otočil a zůstal na chvilku stát. Polkla jsem a studovala zblízka látku jeho obleku.

Pak se najednou otočil zpátky ke mně, naklonil se a rychle si mě k sobě přitáhl. Ten polibek mě překvapil. Když už jsem se probrala z prvotního šoku, o krok odstoupil a usmál se na mě. „Musím jít. Mysli na mě."

A pak se vydal pěšinou k brance a ani jednou se neohlédl. Nechal mě tam stát jako poprvé políbenou puberťačku s prsty na rtech a lapající po dechu. Znovu se mu podařilo zažehnout oheň, který jsem si myslela, že už mám pod kontrolou. Teď jsem po něm toužila ještě víc.

Vyšla jsem před dům a sledovala jsem, jak nastoupil do svého porsche. Najednou jsem se setkala s pohledem Elaine, která seděla u sebe na verandě. Pak dala ruku na srdce a usmála se na mě. „To je ale romantika."

„Hmm," zamumlala jsem a měla jsem chuť za sebou zabouchnout dveře. Místo toho jsem je jen opatrně přivřela. *Já toho Ashe zabiju! Co to do něj vjelo?*

„Bill na pozemek školy nemůže." Poppy se zastavila u školní brány a zatarasila ji vlastním tělem.

„Pravda. Tak já ho tady někde uvážu."

„Ne!" Poppy zněla skoro až panicky.

„To je v pořádku, chvilku tady počká."

„Já Avu odvedu sama." Musela jsem se jejímu panovačnému tónu zasmát. Poppy rozhodně dospívala. „Odvedu ji do třídy. Nevadí mi to."

„Dobře, když jinak nedáš."

„Tak už běž, nechceš přece přijít pozdě do práce." Málem mě otočila a poslala na vlak.

Díky tomu jsem stihla dřívější spoj a popovídala si s Bryanem. Ráno proběhlo v klidu. Vůbec by mě nenapadlo, že něco nebylo v pořádku.

Alarm se mi v hlavě zapnul hned poté, co jsem obdržela zprávu ze školy oznamující, že moje dítě nedorazilo do školy a já bych měla co nejdřív zavolat a vysvětlit, proč tomu tak je. Už jsem jednu takovou zprávu dostala, ale byl to omyl – Avina učitelka ji zapomněla zaznamenat při docházce. Právě jsem byla na cestě na schůzku a chystala jsem se zprávu ignorovat, protože jsem si byla jistá, že jsem obě do školy zavedla, ale něco mě přinutilo vytočit školní kancelář.

„Hned tam budu," řekla jsem Davovi. „Jen si musím rychle zavolat."

„Dobrý den, tady Claire Harrisonová. Dostala jsem zprávu, že moje dítě není ve škole," řekla jsem hned, když telefon někdo zvedl.

„Ano, slečno Harrisonová, děkujeme, že voláte. Jen jsme chtěli vědět, proč dnes Poppy není ve škole."

„Ale ona tam je! Sama jsem ji tam odvedla."

Žena na druhé straně se odmlčela. „V systému je zaznamenáno, že chybí. Rychle někoho pošlu, aby se podíval do třídy, a dal učitelce vědět, pokud ji nezapsala."

Slyšela jsem, že s někým tlumeně mluví, jako by přikryla sluchátko rukou. Přesto jsem moc dobře rozuměla, že posílá někoho do třídy paní Philipsové, aby se podíval, jestli Poppy Harrisonová vážně chybí. Nervózně jsem zaťukala nehty o stůl, chtěla jsem to mít rychle za sebou. Moc dobře jsem věděla, že Poppy ve třídě je.

„Jsem si jistá, že jde jen o nedorozumění, ale raději vše prověřujeme. Člověk nikdy neví. Můžete chvilku počkat, než se paní Turnerová vrátí?"

Čekala jsem a Davovi jsem zvednutým palce odpověděla na otázku, jestli si dám kávu.

„Slečno Harrisonová," sekretářčin hlas zněl zamyšleně, „můžu vám zavolat později?"

Postavila jsem se, překvapená změnou konverzace. „Proč? Co se stalo? Kde je Poppy?"

„Ve třídě není, ale část třídy odešla do kostela. Jen kontrolujeme, jestli je tam s nimi. Snažíme se dovolat učitelce, která je tam odvedla."

„Musí tam být. Sama jsem ji odvedla…" Najednou jsem si vybavila Poppyin obličej po tom, co mě konečně přinutila odejít. Ta úleva a spřádání plánu v jejích očích mě měly varovat.

„Nechala jsem ji s Avou u brány. Měla jsem s sebou psa. Odešly spolu. Ava je ve škole?"

„Moment, rychle se podívám. Zůstaňte prosím na telefonu." Do ucha mi zazněla hudba. Nechápavě jsem se zadívala na displej.

Poppy přece musí být ve škole. Kde jinde by byla?

Na druhé straně se konečně ozval hlas, tentokrát mi byl povědomý. „Slečno Harrisonová? Tady ředitelka Cummingsová, mluvily jsme spolu v úterý. Je mi to líto, ale Poppy dnes do třídy nedorazila."

„Kde teda je? Musí být někde ve škole. Hledali jste ji?" *Kam mohla jít? Ráda mě provokovala, ale přece by od nás neutekla. A kam?*

„Musí tam být." Sehnula jsem se nad stůl, až jsem se čelem dotýkala desky.

Uklidni se, Claire! Určitě je ve škole.

„Viděla jsem na vlastní oči, jak odchází směrem k budově, přece se nemohla po cestě ztratit."

„Není nějaká možnost, že se vrátila sama domů? Má klíče? Někdy se děti chovají nezvykle, když jsou pod tlakem… Už jste jim řekla o jejich matce?"

„Ještě ne. A Poppy nemá klíče."

„Jste teď doma?"

„Ne, jsem v práci."

„Nemáte někoho, kdo by se tam mohl zajít podívat? Nebo… počkejte chviličku."

V pozadí zase někdo mluvil.

Prosím, to musí být nedorozumění. Musí být někde ve škole!

„Zdá se, že ji spolužačky ráno viděly na hřišti u školy, ale od té doby o ní nikdo neslyšel. Zahájíme prohlídku všech prostor školy a projedeme všechny záznamy z videokamer. Můžete mezitím někoho poslat domů, aby se podíval, jestli tam náhodou není?"

Přikývla jsem a pak jsem si uvědomila, že mě nemůže vidět. „Ano. Určitě, hned tam někoho pošlu." *Co když tam ale nebude a nenajdou ji ani ve škole? Co pak budu dělat?*

„Pokud ji nenajdeme, obávám se, že budeme muset zavolat policii."

To se nesmí stát. Kde jen může Poppy být?!

Ahoj zlato. Prosím, napiš mi, že jsi v pořádku. Mám tě ráda.

Co jiného můžu udělat? Kdyby mi odepsala, aspoň budu vědět, že se jí nic nestalo.

Hleděla jsem na displej a přála jsem si, aby se tam objevily tečky napovídající, že Poppy něco píše.

Prosím, Poppy. Dej mi vědět, že se nic nestalo!

Nic.

Třesoucíma rukama jsem zavolala Hildě a vysvětlila jí, co se stalo.

„Mohla byste prosím zajít ke mně domů? Ve škole tvrdí, že tam Poppy není. Prohledávají všechny budovy, ale mohlo se stát, že Poppy mezitím odešla domů."

„Neboj se. Je to rozumná holka."

„Tak proč nezůstala ve škole? A kam mohla jít?" Začala jsem hystericky pištět a Karen, která za mnou mezitím došla ze zasedací místnosti, ustrnula uprostřed pohybu. „Nemá u sebe peníze… Vlastně, Hildo, mohla byste se podívat do její ložnice? Vedle postele je noční stolek a v něm její peněženka, jsou na ní berušky. Můžete se podívat, jestli tam je?"

Poppy to s penězi uměla. Když se rozhodla na něco si našetřit, nikdy jí to netrvalo dlouho.

„Zavolám ti hned, jak se tam dostanu. Snaž se myslet pozitivně."

Ukončila jsem hovor, strčila mobil do kapsy a modlila se, aby Poppy byla doma.

„Je všechno v pořádku?" zeptala se Karen.

Zahleděla jsem se na ni a začalo to na mě všechno padat. „Ne. Moje neteř se ztratila."

Po patnácti minutách pochodování po kanceláři jsem znovu popadla telefon. Karen se mě snažila rozptýlit nabídkou kávy a vody, ale nedokázala jsem se na nic soustředit. „Hildo? Už jste tam?"

„Promiň, Claire, není tady a…," Hildin hlas se zachvěl, „peněženka tu taky není."

„Panebože!" Chytila jsem se druhou rukou za hlavu. „Kde jen může být?" Takhle se Poppy přece nechová. Neskočila by na autobus a neodjela na druhou stranu Evropy. Netoužila po ulicích plných lidí. Měla ráda jistotu, domov, knížky a svůj pokoj. Kam by se mohla tak najednou vydat? Do knihovny? Do parku? To byla jediná místa, kam se odvážila jít sama. Vždyť v Churchstonu ani nefungovala hromadná doprava, všude se dalo dojít pěšky.

„Volala jsi Ashovi?"

„Ne." I sama sobě jsem zněla zbytečně nabroušeně.

„Asi bys měla." Hildin klidný tón mě přiměl trochu se zklidnit.

„Jak by mi asi tak mohl pomoct?"

„Jsou si s Poppy blízcí. Povídají si, když spolu venčí Billa. Možná ho něco napadne. Navíc si to zaslouží vědět."

Měla pravdu, jako vždycky. Ash by určitě chtěl vědět, že Poppy zmizela. Cítila jsem se provinile, když jsem si uvědomila, že jsem ho vyhnala z naší nezvyklé rodinky. A to jen proto, že jsem měla strach. Strach, že by mě opustil, kdybych se do něj zamilovala.

„Já zatím seženu pár lidí a prohledáme park. Možná šla tam, přece jen to tam zná. Třeba byla rozčílená nebo smutná." I když se to Hilda snažila maskovat, poznala jsem, že má stejný strach jako já. Jen to nechtěla dát najevo, přidávat mi další starosti. Věděla jsem, že by ji rozčílilo, kdybych jí řekla, ať se v klidu posadí a nechá mě se o všechno postarat, takže jsem místo toho souhlasila. „Výborný nápad, Hildo. Zavolejte prosím Janie a Penny, snad budou doma a seženou pár sousedů, kteří by vám mohli pomoct. Zkuste se podívat i do knihovny."

Hluboký nádech, Claire!

„Já zavolám Ashovi. A pak do školy. Řeknu jim, že Poppy doma není." Podívala jsem se na hodinky. Bylo skoro jedenáct, Ashova důležitá schůzka už dávno začala. Teď se právě chystá na prezentaci.

Nejspíš mi to ani nezvedne. Pošlu mu zprávu, to bude lepší.

Prsty se mi třásly tak, že jsem nebyla schopná psát. Vytočila jsem jeho číslo, a když jsem uslyšela jeho hlas, hrozně se mi ulevilo.

„Ashi, nevěděla jsem, jestli mi to zvedneš."

„Počkej," slyšela jsem tlumené hlasy v pozadí a pak klapnutí dveří. „Nevolala bys, kdyby to nebylo důležité. Děje se něco?"

„Poppy… někam zmizela."

„Zmizela?"

„Ano, odvedla jsem je ráno do školy, ale ona tam není. Hilda šla ke mně domů. Poppy tam není, ani její peněženka. Měla v ní asi třicet liber. Nevím, co mám dělat. Vím, že si s tebou povídala. Nenapadá tě, kam mohla jít? Neřekla ti něco?"

„Ne… nic konkrétního. Jen si stěžovala na Alici, že se jim neozývá. Zkoušela jí volat z mého telefonu, doufala, že cizí číslo zvedne."

„Za třicet liber do Indie rozhodně nedojede."

„Pokud je Alice v Indii…" pronesl Ash pomalu.

„Co tím chceš říct?"

„Počkej chvilku. Zavolám ti zpátky. Musím něco zkontrolovat."

„Co?"

Pak to položil.

Svěsila jsem hlavu, ale on volal zpátky během několika vteřin.

„Alice není v Indii."

„Cože?"

„Zkoušel jsem to. Telefon nevyzvání mezinárodním tónem. Kde jsi ty?" Zněl naléhavě.

„V práci, ale jedu hned domů."

„Zůstaň tam, vyzvednu tě."

„Ale…"

„Za deset minut před budovou, ano?"

„Ale co ta tvoje tvoje prezen…"

„Claire, tak mi sakra trochu důvěřuj." A pak hovor ukončil.

Porsche s kvílením zastavilo před budovou společnosti Cunningham, Wilding a Taylor. Karen mě naposledy objala. „Dej mi vědět hned, jak ji najdete. Nebo kdybys cokoliv potřebovala."

„Ano, dám," řekla jsem a snažila se zadržet pláč.

Když jsem se poskládala na nízké sedadlo, Ash sundal dlaně z volantu a roztáhl paže v náznaku objetí. „Promiň, že jsem na tebe křičel."

„Ashi…" Snažila jsem si udržet odstup, ale on si mě přitáhl na hruď. „Nevím, kde může být. Je to malá holka."

Ash mě políbil na čelo.

Nadechla jsem se nosem a přiškrceně vzlykla. „Promiň… jsem úplně bezmocná. Nevím, co mám dělat. Proč by utíkala? Je to moje vina? Utekla kvůli Billovi?"

Ash mě znovu políbil a položil mi dlaně na ramena, jako by mě chtěl uklidnit.

„Bude v pořádku, Claire. Napadlo mě, kde by mohla být. Chci tě jen ujistit, že nic z toho není tvoje vina. Může za to tvoje sestra. Neznám ji, ale nejradši bych jí zakroutil krkem."

Odtáhla jsem se a zadívala se přímo do jeho tváře, v očích jsem měla slzy.

Setřel mi je palcem a usmál se. „Neboj, najdeme ji."

„Kam si myslíš, že šla?"

„Do Harrogatu. Máš pořád Alici v přátelích na Facebooku?"

„Ne, už před nějakou dobou si mě smazala."

„Poppy ji tam pořád má. Myslím, že se ji vydala najít."

„Jen to ne!" Jeho slova mě pěkně ranila. I když jsem moc dobře věděla, že Poppy je ještě malá holka, která touží po své mámě, to pomyšlení mě bolelo. „V poslední době pořád zírala do mobilu. A taky byla dost náladová."

„Má tvoje sestra v Harrogatu nějaké známé?"

Zamyslela jsem se. „To nevím. Možná někoho ze školy. Všichni jsme tam vyrostli. Bydlí tam rodiče. Proč právě Harrogate?"

„Poppy se mě ptala, jak je to daleko."

Zapřela jsem se šokovaně do sedačky. „Už tomu rozumím." Kousla jsem se do rtu. „Dům mých rodičů. Jestli se Alice vrátila, bude tam. Rodiče jsou ještě na cestách. Alice má náhradní klíč. Určitě bude tam."

„Tak se tam hned vydáme. Najdeme ji, Claire, neboj." Položil dlaň na moje sepjaté ruce.

„Myslíš, že bych to měla dát vědět policii? Když jsem jim volala, chtěli se setkat u mě doma. Řekla jsem jim, že tam budu za hodinu."

„Harrogate je jen půl hodiny cesty. Myslíš, že jim musíš dát vědět, kam jedeš? Za hodinu už můžeš být zpátky doma."

„Máš pravdu. Poppy by se vydala jen tam, kde to dobře zná. A u našich už byla tisíckrát. Jedeme, ať jsme tam co nejdřív." Zhluboka jsem se nadechla. „Jak se tam vůbec dostala? Odkud to mohla vědět?"

„Autobusem. Jezdí tam spoj z náměstí. Mohla si to najít na internetu. Je to chytrá holka."

„To možná je, ale ne tak odvážná. Co když ji tam chtěl někdo odvézt?"

„Na to ani nemysli. To se určitě nestalo."

Tu myšlenku se mi ale z hlavy vymazat nepodařilo.

„Tady zaboč doprava. A pak hned doleva."

A pak jsme zastavili na ulici před už lehce zchátralým domem mých rodičů. Žili tady už přes třicet let a sami vysadili vistárii, která teď zakrývala celou přední verandu a pnula větve až do prvního patra. Vyklouzla jsem z auta, rozběhla se po štěrkové cestě a zběsile zvonila na zvonek, dokud mě nedoběhl Ash.

Dům vypadal opuštěně. Na chvilku mě napadlo, že jsme sem jeli úplně zbytečně. Pak se dveře trochu pootevřely a ve škvíře se objevila Alicina rozespalá tvář. Řasenku měla rozmazanou kolem očí, vlasy rozcuchané a na sobě měla župan, který připomínal japonské kimono.

Unaveně zamrkala proti přímému slunečnímu světlu.

„Alice!" Dokud se dveře neotevřely dokořán, nemohla jsem uvěřit, že je to opravdu ona.

„Claire? Co tady děláš?" Slova jí vázla na jazyku, jako by se právě probudila nebo se snažila vynořit z oparu omamných látek. „Tak pojď dál." Ustoupila o krok a pozvala mě dovnitř.

„Je tady Poppy?"

„Panebože." Zavřela oči a zdálo se, že potřebuje všechnu sílu světa, aby je zase dokázala otevřít. Pak se zatvářila otráveně. „Byla tady."

„Cože? Byla? A kde je teď?"

„Netuším. Vzbudila nás, řvala tady jak zběsilá a pak utekla. Sakra, potřebuju ještě jedno kafe."

„Alice!" Popadla jsem ji za ramena a zatřásla s ní, přičemž jsem musela odvrátit tvář kvůli jejímu dechu. „Tohle je vážná situace. Vždyť je jí deset! Kam šla? Cos jí řekla?"

Alice o krok ustoupila a uhnula pohledem.

„Cos jí řekla?"

„Pravdu." Pořád se na mě ještě nepodívala. „Už si to nepamatuju. Co tady vůbec dělala? Vždyť jsi je měla hlídat."

Typická Alice, vždycky hodila odpovědnost na někoho jiného.

Viděla jsem, jak Ash vedle mě zatnul pěsti a napadlo mě, že Alice má sakra štěstí, že ji neuhodil... I když na to byl ještě čas a já bych si tu ránu vychutnala jako první. Věděla jsem, že to nikam nepovede, ale nemohla jsem si pomoct.

„Ano, protože tys měla být podle všeho v Indii."

Mávla rukou, pak se trochu zapotácela a vydala se do kuchyně. „Měli jsme nějaký problémy s vízy a tak. Museli jsme se na chvilku někam zašít."

Šla jsem za ní, protože jsem věděla, že se může každou vteřinu někam vypařit. Udělala by cokoli, jen aby nemusela čelit problémům. Najednou jsem si uvědomila, že jsem byla tak dobrá v jejich řešení, protože jsem moc dobře věděla, co se stane, když je člověk odsouvá. Všechno se jen zhorší.

„Proboha," zamumlala jsem, když jsem vešla do matčiny dosud zářivě čisté kuchyně. Celý její povrch byl pokrytý špinavým nádobím, krabičkami z restaurací a zbytky jídla. „Máma tě zabije." Jak mohla mít k lidem tak málo respektu? Vždyť tohle byl dům našich rodičů.

„Uklidni se. Uklidím to, než se vrátí. Ani si nevšimnou, že jsem tady byla," pak se ke mně přiblížila, „pokud jim to nějaký slídil nevykecá."

Hleděla jsem na ni a úplně poprvé v životě ji viděla takovou, jaká skutečně byla. Celé roky jsem si myslela, že byla jen rozmazlená, svobodomyslná, že za to nemohla, protože ji rodiče vždycky nechali dělat to, co chtěla. Myslela jsem si, že potřebuje pomoct, tak jsem jí pomáhala. Koupila jsem holkám školní uniformy, ostříhala živý plot, vzala ji do obchodu a zaplatila nákup, všechno jen proto, že jsem si myslela, že jednoho dne konečně dospěje a vezme odpovědnost za sebe a své děti do vlastních rukou.

Při pohledu na tu zaneřáděnou kuchyň jsem si uvědomila, že Alice pomoc nechtěla. Ani ji nepotřebovala.

Udělala ten nepořádek záměrně. Tohle byl její plán, celé to tady zničit. Věděla moc dobře, jak to tady má máma ráda.

„Tebe to vůbec nezajímá, že?" Vzpomněla jsem si, co o ní říkaly Janie a Penny. I na diplomatické věty ředitelky.

Alice pokrčila rameny, zadívala se na mě a na rtech měla vzdor a výsměch.

„Ani moc ne."

Ash se na mě šokovaně podíval.

Cítila jsem smutek a vztek, ale musela jsem se zeptat: „A co Poppy s Avou?"

Alice přivřela oči. „No, Claire, ty seš přece úplná Matka Tereza, nebo ne? Co by mělo být s Poppy a Avou?" Její drsný tón se snažil napodobit ten můj. „Co bude s Poppy a Avou? A co bude se mnou? Jo, přesně, a co já? Já jsem přece nechtěla být těhotná. Představ si, že nejlepší roky svýho života promarníš kojením, přebalováním a celý noci se nevyspíš… A kdes byla ty? Proplouvala si kolem jako labuť v těch luxusních hadrech a shlížela na mě jako na nějaký odpad. Občas ses stavila je pohlídat, abych se konečně mohla vyspat. Jako nějaká spasitelka… Užívala sis to, že? Takhle mi pomáhat. Být ta lepší, ukázat mi, jak jsem si posrala život."

Už jsem to nevydržela. Alice vždycky uměla všechno překroutit ve vlastní prospěch. „Ne! To není pravda a ty to moc dobře víš," křičela jsem a uvědomovala si, jak mi dělá dobře to ze sebe všechno dostat. „Tys vždycky žádala o pomoc.

Cokoliv jsi podělala, vždycky to za tebe musel někdo napravit. Když jsi otěhotněla, přišla jsi za mnou. Pamatuješ? Tehdy jsem měla maturovat. Měla jsi na výběr. Adopce. Potrat." Házela jsem jí ta slova na hlavu jako listí, přitom jsem cítila, jak těžké bych teď měla srdce, kdyby Poppy nebyla součástí našeho života. „Ptala ses mě, co máš dělat. A já jsem ti řekla, že to máš říct mámě. Ale čekala jsi do poslední chvíle a pak už jsi neměla na výběr. Máma ti nabídla, že ti pomůžou, pokud si to dítě budeš chtít nechat. A ty jsi to na ně prostě všechno hodila. Ty ses rozhodla si ty děti nechat. A teď už ti to nevyhovuje."

„Já chci jen žít!" zakřičela na mě. „Zasloužím si to. Už toho mám plný zuby. Pořád ode mě někdo něco chce. Učitelky, ostatní matky se na mě dívají spatra. Nesnáším to, nenávidím to! Nemám vůbec žádný čas sama pro sebe. Pořád musím něco dělat. To už stačilo! Chci zpátky svůj vlastní život!"

„A co jejich životy?"

„Předpokládám, že jsi v roli matky mnohem lepší než já," zavrčela. „Přiběhneš sem a hned se ptáš, kde je Poppy?"

Její krutá slova mi znovu připomněla, proč jsem vlastně tady. „Co jsi jí řekla?"

Alice semkla rty a zadívala se na druhou stranu místnosti.

„Slyšíš?! Řekni mi, co jsi jí řekla!"

Ash se postavil vedle mě a stisknul mi ruku. Dával mi najevo, že tam nejsem sama. Že tam je se mnou muž, na kterého se můžu spolehnout. Srdce se mi naplnilo vděčností a láskou. Cítila jsem k němu tolik lásky.

Alice si odfrkla a otočila se k oknu. Pak sáhla po krabičce cigaret a jednu si zapálila. Dlouze potáhla a vyfoukla kouř. „Ta holka tady na mě křičela, že jsem zlá a že lžu. Že proč v Indii nezachraňuju lidi. Výborně, Claire, toho si fakt cením, žes ze mě udělala samaritánku. Řekla jsem jí, že jsem potřebovala nějaký čas sama pro sebe. Jako ve škole, že si udělám letní prázdniny. A pak se zeptala, kdy se vrátím domů."

Zamračila jsem se, najednou se mi udělalo nevolno. „Co jsi jí na to řekla?"

Alice konečně vypadala zahanbeně. Možná že ještě měla kousek srdce na správném místě. „Nebudu ti nic nalhávat. Ani jí. Prostě se jen tak nevrátím. Řekla jsem jí pravdu. Můžeš je vrátit zpátky mámě a tátovi. Nic jim nebude chybět." Ve tváři se jí zablesklo. Zahlédla jsem tam něco dalšího, co mi málem zlomilo srdce. „Je to pravda, Claire. Jsem nejhorší matka na světě. Ve škole už mi říkali, že budou kontaktovat sociálku. Prý zanedbávání péče. Jasně že jim bude líp." Zvedla bradu, ale já jsem za tou fasádou viděla, jak je zranitelná. Udělala jsem krok jejím směrem, chtěla jsem jí pomoct. Od toho jsem přece tady. Nějak to vymyslíme, aby mohla zůstat s dětmi. Hlavou mi problleskovaly nejrůznější scénáře. Možná bych si mohla holky brát o víkendu k sobě, aby měla trochu času sama pro sebe...

A pak jsem si uvědomila, že by se vůbec nic nezměnilo.

Ztišila jsem hlas. Věděla jsem, že někde tam uvnitř jí to není jedno, že má svoje děti ráda a chce se o ně postarat, jen je teď trochu... na dně. „Seš si tím jistá?"

Najednou zněla roztřeseně. „Tak jistá jsem si ještě nikdy ničím nebyla. Jen vím, že v Indii jsem byla aspoň trochu šťastná."

Přikývla jsem. Byla jsem tak unavená, že jsem se už na nic jiného nezmohla. „Musíme najít Poppy."

„Jo, sorry, že jsem ji tak naštvala. Jen jsem... byla v šoku, že ji tady vidím." Alice se pokusila o úsměv. „Nikdy by mě nenapadlo, že by takhle utekla a nikomu nedala vědět. To už spíš

Ava. Ty dvě mi připomínají nás, když jsme byly malé. Nedopusť, aby se z Avy stala stejná troska, jako jsem já, slibuješ?"

Do očí se mi nahrnuly slzy. „Slibuju." Zakroutila jsem hlavou, abych zahnala dojetí. „Nevíš, kam mohla jít?"

Ashův palec mi přejížděl po kloubech prstů, aby mi připomněl, že je tady pořád se mnou.

„Nevím, otočila se a utekla, ale nejspíš zamířila do Valley Gardens. Chodívaly tam s tátou do pavilonu na zmrzlinu. To je jediná cesta, kterou odsud zná."

„Trefíš tam?" zeptal se mě Ash.

Přikývla jsem a vyšla jsem z domu. Alici už jsem neřekla ani slovo.

„Dej mi vědět, až ji najdete," zavolala za námi. Ash, který mě pořád držel za ruku, něco zamumlal.

Když se za námi zavřely dveře, chvilku jsem mlčky hleděla na dřevo s měděným klepátkem a černou schránkou na poštu. Pak jsem se pomalu nadechla. Měla jsem pocit, že jsem se dostala na konec dlouhé cesty, ze které už se nemůžu vrátit.

Ash mě jemně políbil na tvář. „Pojď, miláčku. Můžeš si to všechno nechat projít hlavou později. Teď musíme najít Poppy. Potřebuje nás."

Polkla jsem knedlík v krku a trochu přihlouple jsem se na něho usmála. „Miláčku?"

Jeho úsměv byl opravdový. „Přijde mi to pro tuto chvíli vhodné." A pak se ušklíbnul s typickým zvednutým obočím. „Moc si na to nezvykej. Pojď, musíme najít tu naši holku."

Navedla jsem ho cestou z kopce k nejbližšímu vchodu do parku, pěšinou, kterou jsem sama jako dítě šla snad tisíckrát a zřejmě bych ji našla i poslepu. Znala jsem tu každý strom, keř i prasklinu v asfaltu.

V parku byla spousta maminek s dětmi, hrály si na hřišti, několik z nich lízalo zmrzlinu. Děda sem vodil Poppy a Avu na zmrzlinu, stejně jako sem vodíval mě s Alicí.

„Pavilon je tímhle směrem," řekla jsem. „Je to kavárna, vypadá podobně jako Šťastné zrnko. Snad bude tam."

Dala jsem se do běhu, byla jsem psychicky vyčerpaná, ale stejně jsem v sobě našla zbytky energie. Rozhlížela jsem se kolem sebe, a když jsem zahlédla povědomý červený svetr, zarazila jsem se a položila dlaň na Ashovo rameno. Seděla sama na lavičce s koleny u brady a plakala.

Rozběhla jsem se k ní. Ash byl v závěsu. Toužila jsem ji okamžitě sevřít v náruči.

„Poppy, Poppy, lásko!" Objala jsem ji a přitáhla si ji na klín. Ještě víc se rozplakala a celá se mi schoulila na hrudi a hlavu si schovala pod moji bradu. Ash se posadil těsně vedle mě a obě nás objal.

„To bude v pořádku," zamumlala jsem a po tvářích mi tekly slzy. „Už jsme spolu. Našli jsme tě."

Zvedla jsem uslzené oči a s úlevou jsem se na Ashe usmála. Našli jsme ji. Nohy i ruce se mi chvěly napětím. Byla jsem ráda, že sedím, jinak bych se zhroutila. Ash to viděl, políbil mě na koutek rtu a oči se mu zaleskly dojetím.

Poppy se po nějaké době uklidnila, přestala plakat, ale pořád mě objímala, jako by se nechtěla vrátit do reality. Pak ke mně zvedla pohled a setřela slzy z mých tváří. „Omlouvám se, teto Claire."

„Tiše, lásko. Nezlobím se na tebe. Jsem ráda, že jsme tě našli." Samozřejmě že mě vyděsila, ještě jí to později připomenu. Že už ji nikdy nespustím z očí, dokud jí nebude aspoň devětadvacet.

S fňuknutím se narovnala. Posadila jsem si ji pohodlněji na kolena, zatímco nás Ash nepřestával objímat jednou paží.

„Jela jsem za mámou," zamumlala.

Vzala jsem její hlavu do dlaní a smutně jsem se na ni usmála. Nebudu plakat. „Já vím."

„Není v Indii." Knedlík v krku byl najednou tak velký, že jsem se musela několikrát pracně nadechnout, než jsem jí odpověděla.

„Přísahám, že jsem to nevěděla, dokud jsem nepřijela k babiččině domu. Mrzí mě to. Vážně jsem si myslela, že tam pořád je." Udělalo se mi znovu špatně, i když jsem měla velké pochopení pro to, jak se sestra cítí.

„Alice už nás nechce." Zachvěl se jí spodní ret a do očí se jí znovu řinuly slzy. Mohla jsem se snažit sebevíc, ale hrudník mi naplnil další vzlyk, který se ven vydral jako přidušená škytavka.

Zatracená Alice. Jak jen mohla?

Nikdy jsem nechtěla, aby se to holky dozvěděly. Vymýšlela bych výmluvy, přitom jsem věděla, že Poppy si zaslouží znát pravdu.

„Ale já ano." Znovu jsem ji objala. „Já vás chci."

Poppy začala znovu plakat a Ash, který za celou dobu neřekl ani slovo, mě políbil na tvář.

„Já taky," zamumlal tiše.

Poppy zvedla oči a zadívala se mi do tváře, pak přeskočila na Ashe a zpátky na mě. V hlavě jí šrotovalo.

„Ty bys měl být v práci."

Ash se zakuckal smíchy. „To určitě ne, když je Poppy na útěku. Kdo jiný než já a Claire by se tě vydal hledat?"

Poppy zmateně přejížděla po našich tvářích.

Políbila jsem ji na nos. „Jsi mnohem důležitější než práce. Důležitější než všechno na světě."

Polkla a potáhla nosem. „Pro mámu ne."

„Pro nás ano. Mám tě moc ráda, Poppy Harrisonová. Nejvíc na světě."

„Víc než Avu?"

„No…" zaváhala jsem a znovu jí dala pusu. „Stejně jako Avu."

„To je dobře. Nevadí mi to." Pak se odmlčela a po chvíli s vychytralým úsměvem dodala: „Víc než Ashe?"

Srdce se mi rozbušilo. Zadívala jsem se do jeho očí plných lásky a naděje.

„Stejně jako Ashe."

Ash propletl prsty s mými.

„Já tě mám taky rád, Poppy… A Avu a Claire. Nic na světě pro mě není důležitější než vy tři."

„A co Bill?" Poppy se tvářila šokovaně, což mě rozesmálo. „A Hilda?"

„No dobře, mám vás rád všechny, Avu, Claire, tebe, Billa a Hildu," zopakoval Ash a pohladil ji po tváři.

„Tak je to dobře." Usmála se na něj s očividnou úlevou. „Půjdeme domů?"

„Domů?" zeptala jsem se.

„K tobě domů."

„Myslíš k nám domů," řekla jsem odhodlaně.

Všichni jsme se postavili, Ash vzal Poppy za jednu ruku, já za druhou a společně jsme se jako rodina vydali zpátky k autu.

Ash se na mě přes Poppyinu hlavu usmál a já jsem mu úsměv oplatila. Konečně mi došlo, že jsme vlastně celou dobu byli na stejné vlně.

Život, který se před námi rýsuje, rozhodně nebude jednoduchý, ale jsme tým. Já, Poppy, Ava, Ash, Hilda a Bill jsme tým. A je mezi námi dost lásky, přátelství a důvěry, abychom vytvořili pevné základy, na kterých postavíme naši budoucnost. Poppy s Avou si to rozhodně zaslouží.

Můj pohled se setkal s Ashovým… A já nakonec taky.

Epilog

„Dobré ráno, ráda bych vás přivítala na našem stopadesátém osmém běhu. Dnes slavíme tříleté výročí." Odmlčela jsem se a vyhledala Ashovu tvář v davu. „Doufám, že *někdo* z vás na dnešní datum jen tak nezapomene." Významně jsem se na něj usmála a po mojí poznámce okamžitě následovalo hlasité jásání a tleskání všech přítomných. Ash v černém tričku s velkou stovkou na zádech se usmál na Poppy, nyní téměř čtrnáctiletou slečnu, která se hrdě nesla v červeném tričku s padesátkou. V davu po stranách byla někde schovaná Ava, která hlídala Billa, a když se jí konečně podařilo zachytit můj pohled, zamávala mi volnou rukou. Vedle ní stála Hilda v družném hovoru s Haroldem. Ti dva se často vídali, i když Hilda prohlásila, že to tentokrát nebude přehánět a neudělá z něj pátého manžela v pořadí. Dneska měla na starost krájení patrového dortu, jehož plánováním, pečením a zdobením strávila několik týdnů ve své moderní kuchyni v novém přízemním domku hned za rohem na Abernathy Road.

Sobotní večery jsme se střídali, někdy jsme večeřeli u nás, jindy u ní, často se k nám připojil Farquhar s přítelkyní Antonií. Byli pro sebe jako stvoření a Antonia měla ještě zvučnější hlas než on. Farquhar toho pro mě za poslední roky udělal tolik, že mu nikdy nebudu schopná jeho laskavost oplatit. Pomohl mi s celým procesem osvojení holek a svěřením právní zodpovědnosti do mých rukou, dokud jim nebude osmnáct.

Obě vídaly Alici jednou za čas, když se rozhodla svoji rodnou hroudu poctít návštěvou. Nakonec se z ní stala zkušená lektorka jógy, která většinu času trávila v Indii. Ava, která je povahově mnohem jednodušší, půlroční návraty té věčně vysmáté postavičky brala na lehčí váhu, ale Poppy její nepravidelné příjezdy zvládala jen s pomocí dobré psycholožky, kterou nám doporučila Ashova sestra. Já i Ash jsme dělali všechno pro to, abychom jí dokázaly, že je milovaná všemi, kdo se nachází v jejím okolí.

Dneska jsme po běhu naplánovali v parku malou oslavu. Ne že by ty uplynulé tři roky byly nějak snadné. Museli jsme běh v zimě několikrát přeorganizovat kvůli blátu a reagovat na pár stížností, že park ve svůj prospěch využíváme zcela zdarma, což vyústilo v mimořádné zasedání městské rady, které umlčel až Neil Blenkinsop, respektive jeho otec, kterému se podařilo vypátrat listinu dokazující, že park byl věnován městu viktoriánským filantropem Thomasem Olympicsem v roce 1896 v Aténách při stometrovém běhu. Stručně v něm bylo popsáno, že park by měl sloužit k propagaci zdravého životního stylu.

Starý dobrý Neil Blenkinsop. Vyhledala jsem jeho tvář v davu. Vedle něj věrně stála tmavovlasá žena z vlaku, Sally. Za poslední měsíce jsem ji poznala mnohem líp. A Neil ještě víc, byli totiž zasnoubeni a oficiálně prohlášeni za naši první parkrunovou dvojici.

Přemýšlela jsem, jestli je stejně šílená jako já, že si o svatebním dni půjde zaběhat v bílých šatech ze sekáče. Rukou jsem si přejela po lehké látce splývavé sukně, která tvořila zajímavý kontrast s mými růžovými teniskami.

Charles mi vzal amplion z ruky a ujal se role vedoucího dnešního běhu, abych se mohla prodrat davem a připojit k Ashovi a Poppy, zatímco mě všichni poplácávali po ramenou a blahopřáli mi.

„Připravená, budoucí paní Laghariová?" zeptal se Ash s jiskřičkami nadšení v očích.

„Ano, i když si stejně myslím, že jsme tam ten kopec nikdy neměli dávat."

„Už jsou to tři roky, prostě si na to zvykni." Mrknul na mě a vzal mě za ruku. „Dneska ti do toho kopce mimořádně pomůžu, pomůžu ti i na rovině, když budeš chtít."

Usmála jsem se na něj. Nemluvil jen o běhu.

Rozhodli jsme se zaběhnout si dneska společně, ruku v ruce, pak udělat malou oslavu v parku a dál se přesunout domů, kde se převlečeme a vydáme se na radnici, kde se ve dvě hodiny oficiálně vezmeme.

„To bys teda měl, ten kopec mi nikdy nebude po chuti."

„Dneska ano. Dneska tě tam vytlačím."

„A já se přidám," usmála se Poppy.

Odměnila jsem je vděčným pohledem. „Když má člověk někoho za zády, život je mnohem jednodušší." Rozhlédla jsem se kolem sebe. Skoro tři sta lidí čekalo na povel, až se budou moct dát do běhu. Některé jsem znala, jiní tu byli poprvé. Všichni ale patřili do sobotního davu, všichni tvořili naši komunitu. Usmála jsem se na Ashe.

„Tři, dva, jedna. Stáááárt!"

Poděkování

Asi už jste poznali, že jsem tak trochu fanynkou parkrunu, i když spíš spadám do kategorie amatérských nadšenců než profesionálních běžců. Mým cílem není pokořovat rekordy ani nemám potřebu nikoho ohromovat svými výkony, ale běhání se stalo nedílnou součástí mého týdenního harmonogramu. V ty dny se domů vracím celá zpocená, barva mých tenisek je sotva rozeznatelná pod vrstvou bahna, ale cítím obrovské uspokojení z toho, že jsem součástí něčeho výjimečného.

Komunita, kterou popisuji v knize *S láskou z parku*, odráží moje zkušenosti ze skutečného parkrunu v Tringu. Se stejně vřelým přijetím, přátelskou atmosférou a sounáležitostí jsem jako „turistka" navštívila parkruny v St Andrews, Delamere Forest, Lutonu nebo Aylesbury. Po celé Velké Británii se pořádá přes sedm set běhů, které jsou díky týmu dobrovolníků každou sobotu bezplatně přístupné úplně všem zájemcům.

Parkrun je úžasný projekt, jehož smyslem je motivovat lidi ke zlepšení jejich fyzické kondice i duševního zdraví. Mohla bych o tom psát donekonečna, ale lepší bude podívat se na webové stránky www.parkrun.org.uk, kde najdete všechny potřebné informace.

Každý parkrun je plný zajímavých příběhů a postav. Několik účastníků mého parkrunu jsem do knihy propašovala, včetně úžasného naváděče Jima (reproduktory už jsou bohužel zakázané), který nás týden co týden povzbuzuje nadšeným úsměvem, obdivuhodné Luciany, která díky běhání opravdu zhubla pětasedmdesát kil, bývalých olympioniků, kteří mě míjejí rychlostí blesku, i páru, který to nakonec dotáhl až před oltář.

Ráda bych poděkovala své kamarádce Vicki Wilsonové, která mě s manželem přemluvila k prvnímu běhu. S tím poděkováním bych si to asi měla rozmyslet, když si vybavím chvíle, kdy jsme se museli před větrem a deštěm ukrývat ve křoví. Někdy si při běhání v takovém počasí říkám, že jsem se snad musela zbláznit. Ale všechno mi to kompenzují neuvěřitelně vstřícní dobrovolníci a další běžci. Musím vyzdvihnout několik z nich, které jsem v knize zmínila. Lucianu Walkerovou, která je obrovskou inspirací a často díky ní neztrácím tempo. Skvělou Katie Hainesovou, která mi zpočátku odpověděla na všechny otázky. A Andyho Evanse, který organizuje parkrun v Tringu a pomohl mi s rešeršemi.

Musím se přiznat, že některé části této knihy, které se týkají parkrunu, jsou dílem mojí fantazie a musela jsem je kvůli příběhu zjednodušit. Doufám, že mi to čtenáři odpustí. Organizace nového běhu ve skutečnosti trvá podstatně déle, než za jakou dobu to zvládly moje postavy.

V době, kdy jsem tuto knihu psala, se parkruny kvůli pandemii nekonaly, ale naštěstí znovu přivítaly nadšené běžce. Proč to nezkusit? Ať už jako běžec, nebo jako dobrovolník. Parkrun vám může změnit život stejně, jako ho změnil mně.

Tuto knihu jsem napsala krátce poté, co jsem odešla ze svého zaměstnání, a drze jsem v ní zužitkovala jména a příjmení svých bývalých kolegů. Největší dík patří skutečné Claire

Harrisonové, která je mojí věrnou fanynku už od mého debutového románu. A také kolegyním z vyššího managementu Louise, Claire a Gilly, z jejichž příjmení jsem vytvořila fiktivní firmu Wilding, Taylor a Cunningham, kde pracuje moje hrdinka. S láskou vzpomínám na všechny z Grove Junior School, kde jsem prožila osm krásných let v nejlepším kolektivu, jaký si jen dokážete představit.

Psaní každé knih je výsledkem společného úsilí, pokaždé má jiný průběh. Tentokrát to byl vážně porod! Ale nakonec jsem to díky vytrvalému nasazení editorky Charlotte Ledgerové dotáhla do finále. Musím poděkovat své super agentce Broo Dohertyové, která mě udržuje v dobré náladě a optimismu i ve chvílích, kdy ten nešťastný hlásek uvnitř mě fňuká, že už to prostě dál nejde. Děkuji také „neviditelným" hrdinům z nakladatelství One More Chapter, díky nimž moje knihy můžou spatřit světlo světa – Bethan Morganové, Mel Priceové a Claire Fenbyové. Stejně tak děkuji Aisling, Emily, Ioně a Zoe, které řeší prodej práv do zahraničí ve společnosti HarperCollins.

Jako vždy nezapomínám na své věrné kamarádky – Donnu Ashcroftovou, která u prosecca chrlí jeden nápad za druhým, a členkám naší skupiny na Messengeru Sarah, Belle, Philippě a Darcy, které si vždy najdou chvilku, aby mě pobavily nějakým gifem.

Zvláštní poděkování patří mojí kamarádce Paulene za její neuvěřitelnou schopnost poukázat na zjevně chybějící slova, o kterých jsem byla přesvědčená, že jsem je určitě napsala.

Taky bych vzkázala něco jako *wow* nebo *jste úžasní* knižním bloggerům, kteří věnují spoustu času psaní recenzí a šíří lásku ke knihám na sociálních sítích. Vážím si všech, ale musím zmínit zejména Jenn Webleyovou, Rachel Gilbeyovou, Julii Morrisovou, Kaishu Hollowayovou a Kate Mclaughlinovou, které mě dlouhodobě podporují. Mockrát vám děkuji, dámy. Každá recenze se počítá a všech si jich moc vážím.

Poslední a ten nejdůležitější dík patří všem, kdo si přečetli tuto knihu. Za celou dobu jsem zaznamenala spoustu krásných komentářů. Všichni čtenáři pro mě moc znamenají. Pokud díky mým knihám prožíváte povznášející cesty za hranice všedních dní, pak má každá hodina, kterou trávím psaním, obrovský smysl. Doufám, že jste si čtení knihy *S láskou z parku* užili stejně, jako jsem si já užívala její psaní.

JULES WAKE

S LÁSKOU
z parku

Z anglického originálu *The Saturday Morning Park Run*
vydaného roku 2020 nakladatelstvím HarperCollins*Publishers*
v Londýně přeložila Klára Krasula
Vydalo nakladatelství Motto v Praze roku 2024 ve společnosti
Albatros Media a. s.
se sídlem 5. května 22, Praha 4, číslo publikace 44 186
Ilustrace Pavla Filip Navrátilová
Grafická úprava obálky Helena Tréglová
Odpovědný redaktor Adam Chromý
Technický redaktor Jakub Záruba
Sazba Grafické a DTP studio Albatros Media,
Lenka Hilburgerová
Vytiskl FINIDR, s. r. o., Český Těšín
1. vydání

www.motto.cz
e-shop: www.albatrosmedia.cz

motto